講談社文庫

三月は深き紅の淵を

恩田 陸

講談社

カバー・本文イラスト／北見隆

三月は深き紅《くれない》の淵を

夕刊

この十年間、その姿を見せなかったチョコレート界の鬼才、ウィリー・ワンカ氏は、今日、つぎのような声明を発表した——

ウィリー・ワンカは、五人の子どもさん——きっかり五人だけですよ——に、今年、私の工場の見学を許可することに決定しました。この幸福な五人の子どもさんたちは、とくに私の案内で、工場のあらゆる秘密と魔術を、くまなく見学することになります。しかも、この見学がすみますと、特別なプレゼントとして、五人の子どもさんたちが一生食べてもあまるほどのチョコレートとお菓子が進呈されるのであります！ どうか、金色の券にご注意ください！ 五枚の金色の券は、金色の紙に印刷されていて、ごくありふれた五枚の板チョコの包み紙のなかに、隠されているのです。この五枚の板チョコは、どこにでも——世界じゅうの、あらゆる国の、あらゆる町の、あらゆる街路の、あらゆるお菓子屋さんに——ワンカのチョコレートを売っているお店なら、どこにでもあります。この五枚の金色の券をあてた、幸運な五人の子どもさんたちは、私の工場を訪れて、最新の工場の内部を見学できる、えらばれた人たちなのであります。あなた方のすべてに、幸運がありますように！

ウィリー・ワンカ（署名）

第一章
待っている人々

教えられた家は、坂の上にあった。

だらだらした坂は年季の入った灰色のコンクリートで、丸い輪っかがいっぱい型押しされていた。鮫島巧一《さめしまこういち》は、無意識のうちにその丸い輪っかの中を選んで足で踏みながら、そのゆるやかな坂を登っていった。小さい頃は、坂を登るのにも、道を歩くのにもルールがいっぱいあった。横断歩道の白線を踏んではいけない。階段は一段おきに登らなければならない。教室の床板の、黒くなってる一枚を踏んだ奴は死ぬ。

ロアルド・ダールの短編だったと思う。絨毯《じゅうたん》の模様の踏んでいいところといけないところを自分で決めていた子供がいて、黒いところは蛇の塊《かたま》りだと信じている。彼は絨毯の黒いところを踏まないように必死に歩くのだが、誤って黒い箇所に足を踏みいれてしまう。その瞬間ぐにゃりとした生き物の感触に悲鳴を上げて――という話だ。

ぽつりという感触を髪の毛に感じた。雨だ。先程から雲行きが怪しかったが、とうとう降り出したのだ。やれやれ、最高のお膳立《ぜんだ》てではないか。

ここのところ、週末毎《ごと》に雪が降る。早春の東京はいつもこうだ。先週なんか、二十センチも積もってしまって、どこにも出られなかった。

最初はぶつかる間隔の空《あ》いていた雨粒が、たちまち彼の髪の毛を濡らし始めた。

こうなっては丸い輪っかばかりを選んではいられない。巧一は鞄を頭の上に乗せて、小走りで坂を登り始めた。

嫌な季節だ。早春の、落ち着かない、浮ついた不安な季節。変わり易い天候や、気まぐれな雪が、人事異動の時期にあいまって勤《つと》め人《にん》達をイライラさせる。底冷えする湿った風が坂の下から這い上がってきた。これでは、膨《ふく》らみかけた桜の蕾《つぼみ》も縮こまってしまうにちがいない。

くそ。せっかくの連休を、なぜこんなところまでやってきて三日も潰さなければならんのだ。この休みは、溜まっていた本を読み、CDを聴き、借りてきた新しいゲームソフトを試すのに取っておいたというのに。

巧一は雨で濡れてきた眼鏡を指でこすりながら悪態をついた。目的地はこの近くのはずである。港区高輪《たかなわ》。昔の大金持ちから払い下げられた土地に、ホテルや大企業の保養施設が立ち並び、昼間でも人気《ひとけ》のない場所である。この一角に、彼の会社の会長が土地を持っている。それも、べらぼうな広さの土地だ。ただ広いだけではなく、人様《ひとさま》の土地であっても、相続税が心配になるような馬鹿高い土地である。しかも、もったいないことに、その土地の家ない、その会長の家に。

には年に数回しか滞在しない。彼はその家に招待されているのである。一度も会ったことの

「鮫島巧一君だね？　君、三月の予定は？」

派手なカフスをする男だな、というのが巧一の最初の印象だった。

秘書課というのは、何とも言えぬじっとりした空気に満ちているところだった。経済雑誌の表紙や、それらの最初の特集を飾るような年寄りのスケジュールを決める男性達と、さらにそのサポートをする女性達がこもる部屋。ここには、どことなく女性的な緊張感が漂っている。

海老沢《えびさわ》という課長は手先の動きのうるさい男だった。話をしながら身振り手振りを交える男は多いけれど、その振り付けが普通の男よりほんの一割ほど大袈裟《おおげさ》なのである。

あとから海老沢の顔を思い出そうとしてみたのだが、浮かぶのは下手な指揮者のようにぶんぶん振り回された指と、その袖口《そでぐち》に光る奇妙な形をした派手なカフスだけ。

「いや、そんなに深く考えなくていいんだよ。これまでも毎年若手社員が招待されてきたんだから。普段のままで過ごしてくれればそれでいいんだ。会長も、格式ばったことは嫌いな人だからね。あの人のざっくばらんなことといったら、君も会ったら驚くと思うよ。社員でも、金子《かねこ》会長と話をする機会のある人間はめったにいるもんじゃない。話の種になるよ。

ま、会社の行事だと思って参加してくれたまえ」

参加してくれたまえ、か。くれたまえ、なんて言葉しゃべる奴がいるんだな、と巧一は新鮮な驚きを感じた。ひょっとして、こいつはTVの企業ドラマにかぶれているんではなかろうか。山崎努《やまざきつとむ》が出てくる、社命と自分の倫理観の板挟みになる男のドラマ。もっとも、この男にはそんな心配はなさそうだが。

「あのう、一つ質問してもよろしいでしょうか」

巧一は当惑を隠しきれない表情で口を挟んだ。海老沢は、目の前にいるぺーぺーの社員が口をきくことが出来るということに、今初めて気付いたとでもいうように顔を上げた。

「ああ、いいですとも。遠慮なく訊《き》いてくれたまえよ」

今度はくれたまえよ、だぞ。俺は一生こんな言葉を使うことはあるまい。

「なぜ私が選ばれたのでしょうか？　率直に言って、他に会長に会って親交を深めるべき社員はいくらでもいると思われるのですが」

海老沢はこりゃ驚いた、というような表情で巧一を見た。机の上で、例の一割増しの動きで両手の指を組み、芝居がかった顔付きでぐっと巧一の方に乗り出す。

「君は選ばれたんだよ」

「私がですか？」

思わず疑わしい声になる。英語教材の勧誘の電話を受けた時のような気分だ。

「実はここだけの話、毎年この『春のお茶会』の招待客を決めるのに私は頭を痛めてる。まず、社員の履歴書をひっくり返すところから始めなければならないからね」

履歴書。巧一は素早く自分の書いた入社当時の履歴書を思い浮かべた。もう五年も前の話だ。さして当《あ》たり障《さわ》りのある履歴書とは思われない。縁故《えんこ》採用ではないし、特別変わった経歴があったとも思えない。巧一は心の中で首をひねった。

「私が見るのは趣味の欄だけだ」

「趣味？」

怪訝《けげん》そうな顔をする巧一に、海老沢は『ほら、あれだよ、あれ』というような目を投げた。巧一は混乱して目をぱちくりさせるばかりである。なんて書いたっけ？

「会長はもともと文学青年でね。若い頃は同人誌を作っていた位で、大変な読書家なんだよ。本当は作家になりたかったとも言っている。会長曰く、人間には二種類ある。本を読む人間と読まない人間」

巧一は思い当たると同時に青くなった。

「待って下さい、確かに読書は趣味ですけど、せいぜい推理小説くらいで、純文学には全然弱いんですよ。とてもそんな教養のある方とお話ができるようなものでは」

海老沢はひらひらと手を振って巧一の話を遮《さえぎ》った。この手の反論には慣れていると見える。

「いいんだよ、読む本は何でも。とにかく、履歴書の趣味の欄だけの読書でなければ。それに、会長も推理小説の大ファンだという話だぞ。今日び大変なんだよ、若手の社員で読書好き、という男を探すのは。しかも、会長の条件は難しくてね。ほら、あの、いわゆる『おたく』というのがいるだろう。いくら読書好きでもああいうのは呼びたくないそうなんだ。健全な社会人で、読書好き。これがまた、いそうでいないんだね。私が君の評判をいろいろ聞いて、どんなにほっとしたか君にはわからないだろうな」

後半の部分はかなり愚痴《ぐち》っぽかったが、それよりも巧一は最後の『評判』という部分が大いに引っ掛かった。つまり、社内での俺の評判をリサーチした訳だな。真っ先に、ロシアの政治家エリツィンの顔から闘争心を抜き取ったような顔の（部下には『偽エリツィン』と呼ばれていた）、自分の上司の顔が浮かんだ。

これほどサラリーマンを絵に描いたような男がいるのか、と軽蔑《けいべつ》を通り越して皆に感心されている男で、責任転嫁《てんか》と胡麻《ごま》すりと根回しにかけては天才的な男である。あの男が自分に対してどんな評価を下したのかは非常に興味深いところだが、とりあえず部下をこき下ろすことをしなかっただけでも褒《ほ》めてやるべきかもしれない。しかし、そのおかげで、縁もゆかりもない年寄りとしっぽり二泊三日を過ごす機会を与えられたのだから、やはりこれは恨《うら》めしい事態であるとも言える。

「いや、嬉しいよ、君が快諾《かいだく》してくれて。会長のうちの飯はうまいぞ。早速会長に連絡させてもらうよ。会長は年に一度のこの行事をとても楽しみにしていてね。友人たちと一緒に首を長くして待っているんだ。じゃ、これが住所と地図。くれぐれも時間厳守で頼むよ。緊急時には、私の連絡先を教えておくから、こっちに連絡するように」

「え」

メモを渡して立上がりかけた海老沢を、巧一は目を丸くして見上げる。

「友人たち？　会長お一人じゃないんですか？」

「言わなかったかな？」

海老沢はとぼけた。巧一は絶句した。年寄りが集まってオホホあははと談笑している中で、自分がぽつんと小さくなっているところがまざまざと目に浮かんだ。

「あ、一つだけ言っておこうかな。老婆心、という奴だけど」

海老沢はその効果を狙ってか、ひらりと腕を振ると巧一の目の前に人差し指を立ててみせた。

「だまされちゃいかん」

「は？」

「会長は人をだますのが大好きなんだ。あの人の言うことを真《ま》に受けちゃいかんぞ。今まで招待を受けたどの社員も、痛い目にあっているからな」

巧一の目は、海老沢のカフスに吸い寄せられていた。そこで初めて、彼はそのカフスが馬の目玉をかたどったものであることに気がついたのだった。

坂の上にたどりついた巧一は、顔を上げてあぜんとなった。鬱蒼《うっそう》とした森が広がっている。あれ？　間違えたかな？ふと左手を見ると、その森と見えたところは、長い長いコンクリートの塀で囲まれているのだった。まさかね。

そぼ降る雨の中、巧一はおぼつかない足取りでとぼとぼと塀の切れ目を探して歩いていった。だんだん気が重くなってくる。どこかの企業の社用地かもしれないと思っていたのに、突然現れた巨大な鉄の門には、そっけない「金子」というタイルの表札が嵌《は》まっていた。

マジかよ。この敷地内全部？　信じられない。この辺の坪単価幾らだと思ってるんだ。

巧一はそのあまりの巨額の値段に血が引いた。ペルシア風のアラベスク模様が刻みこまれた黒い鉄の板の門には、世間離れした威圧感があった。なにせ、幅だけで十メートル以上はあるのである。巧一は自分が「小公子」にでもなったような気分になった。大金持ちの親戚に引き取られる、昨日まで孤児院で鞭打たれていた孤児。

そんな気後れもつかの間、巧一はハタと重要な事に気が付いた。

一体どうやって呼べばいいんだろう？

鉄の門はしっかりと閉められている。押しても引いてもびくともしない。しかも、この門にはどこを見ても呼び鈴らしきものがない。

巧一は不安になった。思わずガタガタと門を揺すり、蹴飛ばしてみる。中はどうなっているんだろう？　巧一は門の上の三分の一が鉄格子になっているのをじっと見ていたが、ちょっと離れて助走すると、片足をかけて上の鉄格子に飛び付いた。鉄格子は錆《さ》びてざらざらし、冷たい雨の感触はぞっとしなかった。なんとかよじのぼって下を見下ろした巧一は、自分を見上げる老人とばったり目があった。

「あれ」

黒いコウモリ傘をさし、白髪をなで付けた小柄な老人が、下駄履きでこちらを見上げている。使用人か？

「今開けるよ。せっかちな男だな。二時に門の前と言っといたろうが。まだ二分もあるぞ」

老人はがしゃがしゃと鍵を開けると、呆然《ぼうぜん》とした巧一がしがみついたままの門をぎいい、と外に押し出した。巧一はうろたえながら飛び下りると、荷物を拾いコートを直した。

「あ、どうも。鮫島です」

「金子です。待っとったよ。こっちへどうぞ」

「えっ、あ、はい」

巧一はますます狼狽《ろうばい》した。この老人が会長？　どう見ても、角の煙草《たばこ》屋の親父である。

老人はくるりと背を向け、雨に濡れた黒い舗道の上をカラコロと下駄を鳴らしながら歩き始めた。道は左右に分かれているが、老人は左に向かっている。

「あの」

「なんだ」

「向こうには何があるんでしょう?」

「向こう?」

「反対側の道の先です」

老人はちょっとだけこちらを振り向いた。

「ああ、向こうには春があるよ」

「はる?」

「そう、春だ」

老人はまた前を向くと、さっさと歩き続ける。

ゆるやかな勾配《こうばい》の舗道を登ると、ひらべったい堅牢そうなレンガ造りの家が見えてきた。窓は小さく、オレンジ色の明かりがともっていてなんとも暖かそうな雰囲気である。濃い焦げ茶色、しかも雨のせいでほとんど黒になっており、その家は欠けた板チョコのように見えた。使ってある窓枠や照明など、どれも輸入品らしかったが、全体としてのテイストが和風に感じられるのが粋《いき》である。

「素敵なお宅ですね」

思わず自然と口を出た。その言葉に正直な賞賛を感じたのか、老人はまたチラ、と振り向いて見せた。

「ありがとう。私の友人が建てた家でね。私も気に入っている」

「どことなく、フランク・ロイド・ライト風ですね」

老人は再びチラ、とこちらを振り返った。

「うん。彼はライトに心酔していたからね。君は建築に興味があるのかね？」

「ほんの少し。父親が建築技師なもんで、子供の頃は、休みの日は建築物ばっかり見せられてましたよ。父がライトを好きで、いろいろ写真を見せてくれたんです」

口に出して初めて、思い出した。どことなく懐かしく感じるのはそのせいか。

老人は前を向くと、無言でさっさと歩いていく。その足の早さは、ずっと背の高い巧一ですら小走りになるほどだ。

車寄せを通り、石段を五段ほど上がると、その家のどっしりとした量感がずしりと迫ってくる。素晴らしい。巧一は軽く興奮していた。こんな家、めったに入れるものではない。しかし、同時に何か凶暴な獣の息遣いのようなものを感じたのは気のせいだろうか？　本当はもっと背が高くて巨大な何物かが、じっと腹這いになってこちらを窺《うかが》っているような気配を？

「どうぞ、入って」

会長の声にはっとし、巧一は曇りガラスがはめ殺しになった分厚い木製のドアに手をかけた。見た目に反して、思いがけなくドアは軽く動いた。

足を踏み入れた瞬間、ふっと眩暈《めまい》を感じた。ぶれた異次元に入っていくような、ちょっと現実とずれた空間に入り込んだような感覚。

それはほんの短い時間で、暖かい家の中は別世界だった。さりげなく、実に趣味のいい調度品が揃い、たちまち巧一はそれを眺めるのに夢中になった。

玄関を見ると、鮮《あざ》やかな四色のスリッパが並んでいる。赤とオレンジと緑と黄色。巧一は赤を選んだ。会長は巧一がスリッパを履くのをじっと見ていたが、にやりと笑ってポンポンと巧一の肩を叩いた。きょとんとする巧一を、彼は奥の応接室に案内した。

「お客様の到着だよ」

そこには、思いがけなく広い空間が開けていた。

色付きガラスの嵌まったレトロな窓は黒の鉄枠。壁を飾る、二対の大きな藍染《あいぞ》めのタペストリー。ゆったりとしたオレンジ色のソファが幾つも並び、大きな白い犬がその谷間に寝そべっている。コーヒーテーブルの上には鮮やかなアネモネがちょこんと生けてあった。床にしいてあるカーペットはエメラルドグリーンで、焦げ茶色のレンガの壁に映えた。

三人の人間が、一斉に立ち上がる。

顔の四角い、巨漢の男。無邪気さとしたたかさを同時に感じさせる初老の男だ。

対照的にひょろ長い身体で、白髪を伸ばして後ろで結わえた、一見して学術関係者であると分かる淡泊な男。

そして、キラキラした瞳で人なつこく笑う、銀色の髪の上品な老婦人。

「いらっしゃい」

三人が口を揃えて第一声を発したあと、示し合わせたかのように巧一の足元を見たので思わず彼は何かを踏んづけてしまったのかと飛びのいた。

「あら、赤だわ」

「しょっぱなからこれだ」

「金子さんのツキの良さには敵《かな》わない」

くっくっくっ、と会長は嬉しそうに笑うと、巧一を皆に紹介した。

「彼が鮫島巧一くんだ。今回白羽の矢が立った、期待の若手社員だよ」

「初めまして。教養はありませんが、よろしくお願いいたします」

「いやいや。自分が何も知らないことを知っている人間は少ないからね。いい心掛けだよ。私は一色《いっしき》と申します」

ひょろ長い男が握手を求め、他人に握手を求められることなどめったにない巧一は、恐る恐る握手した。

「体力もありそうだ。ますますいいね。私は鴨志田《かもしだ》です。よろしく」

巨大な男が思いがけず身軽な動きで、がしっと両手をつかんだので巧一は怯えた。

「あんたの怪力で迫ったらびっくりしちゃうじゃないの。彼が逃げちゃったら、どうやって責任取るつもり？　なかなか綺麗な、スマートな人で良かったわ。あたしは水越《みずこし》と申します。ゆっくりしていって」

にっこりと老婦人が笑い、巧一はぎこちない笑顔を返した。

「そうそう、そいつは私の連れでね。『役立たず』と言うんだよ」

鴨志田が巧一の足元を指差した。

先ほどから足元に何かの気配を感じると思ったのは、例の白い犬がスリッパをくんくん嗅いでいるのだった。飼い主が巨大だと、犬もこんなに育ってしまうものなのだろうか。

「すごい名前ですね」

足にまとわりついてくる犬をよけながら巧一は感想を述べた。

「いい名前だろう？　私は使えない従業員がいるところでそいつの名前を呼ぶのが好きでねえ」

ハッハッハッ、と鴨志田は豪快な笑い声を立てた。

「まあ、掛けてくれ。今、コーヒーを淹《い》れるから。鮫島くん、そこのサイドボードから好きなカップを選んで私に渡してくれるかな」

会長の指差すところに、茶簞笥《ちゃだんす》が置かれていた。骨董品《こっとうひん》らしく、この洋室にとてもマッチしている。違い棚になった上の段に、伊万里《いまり》、染付《そめつけ》、織部《おりべ》風、英国風のカップアンドソーサーが並んでいる。どれも高そうだ。取り出そうとすると、またしても三人がこちらをじっと注目しているのを感じて気味が悪くなる。そんなに若い人間が珍しいのだろうか？　巧一はこそこそと英国風の、黒と金のラインが縁取られたシンプルなカップを取り出した。背後でほーっという溜め息が漏れる。

「ついてないわ」

「まあ、あれは一番オッズの低い品物だったからねえ」

こそこそと囁《ささや》く声が聞こえる。

カップを渡すと、会長は相変わらずにやにやと笑いながら、銀のポットから熱いコーヒーを注いだ。

「素晴らしい。たいしたラッキーボーイだ。彼は見込みがあるよ。今まで何人も招待してきたが、あの門をよじ登ろうとした男は初めてだからな」

「なんだって、あの門を？　そいつは傑作だ」

「男らしいわ」

「私も見たかったなあ」

口々に無邪気に声を上げる四人を前に、巧一は落ち着かなかった。

奇妙な連中だ。無邪気で、妙にタイミングが合っていて、芝居を見てるみたいだ。

「おやつの時間だわ」

「いいね」

水越夫人がごそごそとビニール袋を取り出した。大層なフランス菓子でも登場するのかと思いきや、白いビニール袋から現れたのはスーパーで馴染みのものばかりである。

「やっぱりソフトサラダでしょう」

「ブラックコーヒーにはキットカットだよ」

「あたしは黒棒の方が」

コーヒーテーブルの上の木のボウルに、ビニール袋に入ったお菓子が並べられた。亀田製菓の『ソフトサラダ』、マッキントッシュの『キットカット』、無印良品の『黒棒』、そして金吾堂の『厚焼・ごま味』である。

「さ、好きなのを取ってちょうだい」

水越夫人は、にっこりとボウルを巧一の方に押し出した。手を伸ばした巧一は、再び四人の視線が自分の手元に集中しているのに躊躇《ちゅうちょ》した。こいつら、ひょっとして。

巧一は『ソフトサラダ』を手に取った。フッと緊張が解ける。

「意外と冒険しない男だな」

「まだ若いのに」

「勝負はこれからだ」

巧一は塩煎餅《しおせんべい》をぱりぱりと食べながら、四人の老人をゆっくりと見回した。

「──ひょっとして、私は」

言葉がぽろりと漏れた。四人が巧一を注目する。

「皆さんの賭けの対象となっているのでしょうか？　それが私のお招きにあずかった理由なのですか？」

四人は動かなくなった。巧一の煎餅を齧《かじ》る音が間抜けに響く。

最初にくっ、と笑いを漏らしたのはやはり金子会長だった。

「察しがいいね。ま、ちと露骨《ろこつ》過ぎたかもしれないな。みんなやりすぎだよ。しかし、そのストレートなところがますますいい。よかろう、これでまず第一関門を突破という訳だ」

会長は、巧一の向かいの席でほんのちょっとだけ座り直した。

そして、顔を上げて真正面から小さな瞳で巧一を見ただけなのに、突然、巧一はハッとして背筋が伸びた。

そこには、先程門のところで会った老人とは別の男が座っていた。日本経済新聞のインタビューで見た写真や、入社式で短く辛口の祝辞を述べた男がそこにいた。

「──我々の、三月のお茶会へようこそ」

その口調は面白がっているようでもあり、その一方でひどく真剣なようにも聞こえた。

「人生は賭けである。これは本当だ、年だけは食ってきた我々が言うんだから間違いはないね。多少の差はあれ、それなりのリスクをくぐってきたんだから。人間は一瞬一瞬を賭けながら生きている。瞬間瞬間を選びとっているのだと言い換えてもよい。君は塩煎餅をとった。この金子慎平《しんぺい》が賭けていたオッズ十二倍の金吾堂の胡麻《ごま》煎餅ではなく、一色流世《りゅうせい》が賭けていたオッズ三倍の『ソフトサラダ』を選び取ったのである。鮫島巧一はそれを自らの意思で選びとったのか？　もしくは何者かによって選ばされたのか？　それは神のみぞ知る領域であるが、君はそうやって、流れる時間と空間の中を死へと向かって最期の瞬間まで選び続けるわけだ。さよう、我々は君の一挙手一投足に賭けをしている。そして、君にも我々の賭けに参加する権利がある」

「賭け？」

「そう」

「何を賭けるんですか？　どのお菓子を食べるかとか、どのカップを選ぶかとか？」

「今までのはお遊びだよ。君がどの程度まともに話の出来る人間かチェックしただけさ。これからの賭けは無論我々も同じ条件で参加する」

ふと見ると、他の三人も真顔になっていた。

「我々が賭けるのは一冊の本だ」

「――本？」

巧一はおうむ返しに尋ねた。

会長は大きく頷いた。

「そう。本だ。我々が十年以上も探している本だ」

「どこから探すんですか？」

「この家の中からだ」

「この家？　でも、ここはあなたの家じゃありませんか」

会長は急に立ち上がった。

「そうそう、家の中を案内しておこうかな。君の部屋に荷物を運ぶといい」

先に立ってすたすたと部屋を出ていく。巧一は慌てて荷物を取り上げるとあとに続いた。

何か気分を害するようなことを言ったのだろうか？

部屋は沢山あった。同じような部屋が幾つも幾つも並んでいる。会長はただドアを開けて巧一に部屋の中を見るように促す。

本。本、本、本。沢山の部屋の中に、天井まで届く作り付けの本棚に、無秩序に夥《おびただ》しい量の本が詰め込まれていた。古い本、新しい本。洋書に雑誌、文庫本。床にもところせましと本が積み上げられ、部屋に入れないところも一つや二つではない。本の持ち主は、本を几帳面《きちょうめん》に保存するタイプでも、いわゆる本のコレクターでもないらしかった。むしろ、あくまで乱雑に、あくまで無秩序に本を集めるタイプだったらしい。

「このような部屋が幾つあるのですか？」

「そうさな、地下にも書庫があるから二十くらいかね」

「この中から一冊の本を？」

「そう」

「会長は、その本をどこにしまったか覚えていらっしゃらない？」

「——この家を建てたのは圷比呂央《あくつひろお》という男でね。真面目な建築家だった。とにかく、重度の活字中毒。図面を引いていなければ本を読んでいる。しかも、彼は本を借りて読むということのできない奴で、とにかく手当たり次第に本を買い込んで片っ端から読んでいく。収入のほとんどは本に消え、インスタントラーメンや食パンを齧《かじ》りながらひたすら読む。ジャンルは問わないが、中でも本格ミステリというやつを愛していてね。私が推理小説を読むようになったのは彼の影響が大きいだろうな。彼が十数年前に、一冊の本を貸してくれたんだ」

会長は、木彫りの仮面がずらりと並んだ廊下を歩いていく。

「その本は私家版で、噂では二百部しか作らなかったという話だった。おかしな本でね。著者名がない。圷が言うには、もう名の売れた高名な作家が匿名《とくめい》で書いた小説だというんだ。誰なんだというと、俺にもわからないが、そういう噂だという」

「匿名で書いたというと——まさかその手の本では？」

高名な作家が匿名で書くとすれば、ポルノグラフィとしか考えられない。

「――と思うだろう？　ところが、全然そんなことないんだよ。普通の小説。謎めいた四部作の小説なんだ。推理小説と言えないこともない。ただ、なんというか奇妙な印象を受ける小説でね。種類の違う素材のかけらをモザイクにしたような小説。びしっと隙がなくて文句なしの傑作、っていうのじゃないんだ。なんだこれは、と読んでいるうちにずるずると引きずり込まれて、しばらくたっても小説のかけらが頭のどこかに残っているような小説なんだ」

「もしかして、それは圷さんのオリジナルだったのでは？」

「本を返してから、私も一瞬それを疑ったんだよ。自分の書いた本を読ませたのでは、とね。しかし、しばらくして、本好きの友人たちからどこからともなくその本の噂が流れてきてね。やはりそういう、既に売れている誰かが趣味で書いた本を出したらしい、しかも奇妙な魅力で密かに評判になっている、と」

「ふうん。その本がこの家に？」

「そう。どこかにある。圷が隠したんだ」

「晴れた日にひと部屋ずつ本を虫干ししてみるのがてっとりばやいのでは？」

くっ、と会長は薄く笑った。

「それじゃあちっとも面白くないじゃないか。君ね、そんな無粋《ぶすい》なことをするんならわざわざ手間ひまかけて鮫島巧一を招待する必要はないだろう？　謎の本を求めて二泊三日の思索の夕べを繰り広げるところに、この家と圷の遺言の価値がある訳さ」

「遺言？」

「そう。いわゆるダイイング・メッセージという奴かな？　私は、彼の遺言の謎を解くために、六年前に彼のこの家をそっくりここに移築したんだよ。それ以来、我々は毎年ここに集っているのさ」

ニタリと笑った会長の顔を見て、巧一はほんの少し背筋が寒くなった。たった一冊の本を探すために家一軒を買い取って移築するとは、尋常な感覚とは言い難い。金子慎平と言えば、経済界では相当名の知れた名士だが、やはりその位の人間になると普通の感覚では理解できない部分があるのだろうか。

「大丈夫、私はいかれちゃいないよ」

見透《みす》かすかのように言葉を投げかけられ、巧一はぎくりとした。

「これが自分の酔狂な趣味だという自覚はしているつもりだからね。しょせん私はその程度のつまらない人間さ。はい、ここが君の部屋。早目に夕食にするから、熱いシャワーでも浴びてくるといい。話の続きは夕飯の時に」

小さな扉を開け、こぢんまりとした部屋に通された。部屋は暖められており、木のベッドはきちんとメイキングされていた。小さな窓の外に、冷たく濡れそぼる木々の梢《こずえ》が見え、巧一は遠い異国の町外れのホテルに到着したような気分だった。窓の外のずっしりとした梢に、なぜか急に不安な気持ちが込み上げてくる。

俺はとんでもないところにやってきてしまったのでは？

コートを壁に掛け、鞄を床に置き、巧一はどさりとベッドに腰掛けた。

ふと、ベッドの脇の小さな本棚に目がいく。そこにも本が無造作に詰め込まれていた。どれも原書ばかり。目で題名を追ってみる。

シャーリイ・ジャクスン「山荘奇譚」、リチャード・マシスン「地獄の家」、ヘンリー・ジェイムズ「ねじの回転」、ビクトリア・ホルト「女王館の秘密」、ダフネ・デュ・モーリア「レベッカ」、エドガー・アラン・ポー「アッシャー家の崩壊」。なるほど、この家の元の主人は古典的なゴシック・ホラーまでカバーしていたらしい。全部読んだことがあるわけではないが、どれも、でかいいわくつきのお屋敷にやってきた人間がひどいめに遭う話ばかりである。まさに今の自分にはぴったりではないか。わざとこの部屋に置いてあるのだろうか？　だとすればずいぶん手のこんだ冗談である。

巧一は首を左右に振ると、会長の勧めどおり先にシャワーを浴びることにした。長い夜になりそうな予感がしたからである。溜め息をついて立ち上がり、タオルを片手にがちゃりとドアを開けた瞬間、巨大な黒い影が彼に飛び掛かってきた。

「──だから、今や新しいミュージシャンやカルチャーというものは、彼女たちにとって一種の投機な訳ですよ。いかに早く、雑誌やTVで話題になる前に誰も知らないお洒落《しゃれ》なものに唾を付けるかという点に彼女たちは最大の労力を割《さ》いているんであって、決して対象にのめりこんでいるんじゃない。そういう新しいものを見つけた自分というものが中心にある。映画や音楽のプロモーターをやっている連中に聞くと、まだほとんど紹介されていないような、海外のマイナーな歌手や俳優を連れてくると真っ先にやってくるのはそういう新しもの好きの女の子たちなんだそうです。完全に『商品』として、『これがいけそうだ』という目でやってくる。かくて、流行は周期が短くなる一方で、ますますみんな飽きっぽくなった。だから、ヒット曲という点で言えば昔よりも簡単にメガヒットというものが出やすくなった。みんなが『今はこれが買い』『これはカラオケで使える』という視点でいっせいにシングルを買うからです。しかし、そのアーティストを愛しているというのではなく、使いやすい曲によって取捨選択がなされる。みんな、おいしいところしか取らない。自分の欲しいところだけをつまみだして、そこだけ食べ散らかす」

「いろいろなものが選択できるってのは悪いことじゃないんじゃないの」

「あら、現代ってむしろ選択肢が少なくなってるんじゃないかしら。『ぴあ』が出てきたあたりから一気に文化の画一化が進んだわよ。あらゆる情報が提供されるようになって、手軽にいろんなものを見られるようになったのは確かだけど。昔はほんとに好きなものを求めていくことによって情報は得られたのに、今はアングラというものがなくなってしまった。みんな普通の好奇心だけの人が土足でやってきて、なんでも大衆消費のレベルにひきずり降ろしてしまっては、ひきずり降ろしたまんまですぐにさようなら。日本人の『民主主義』の一番履き違えてるところよ。昔は分相応《ぶんそうおう》って言葉があったけど、今や『俺たちは平等だ。そんないいものがあるんなら俺にも見せろ、俺にも食わせろ、俺にも買わせろ』でしょ。理解できる目も舌も背景もないくせにさ。みっともないったらありゃしない」

「そりゃそうだけどさあ、美味《うま》いもん食って初めてこういう美味いもんがあるんだってことが分かるんであってさ。そういう、求めよさらば開かれんみたいなことやってたから伝統芸能が滅びつつあるわけでしょ？　だから、とりあえず機会はいろいろ与えられた方が健全なんじゃない？　何にせよ物事を究《きわ》めるってことは大変だから、機会はあってもどうでもいい奴はとっとと自然淘汰《とうた》されちゃうし。じゃあさ、水越さんはあの『おたく』って種族はいいわけ？　あれこそほんとに好きなものを追い求めてる連中じゃない」

「よしてよ、ああいうのは生理的に受け付けないのよ。みんな小太りで、姿勢悪くて顔色悪くてさ。あたしあのどんよりした色彩、耐えられないわ」

「『おたく』とアングラは違いますよ。『おたく』ってのはエロス的なもので、アングラは性を超越しています。このあいだTVを見てて驚いたんだけど、最近は『フィギュア』っていって、アニメーションのキャラクターの女の子をリアルな粘土細工みたいなのに作ったり買ったりする人たちがいるのね。そういうアニメーションのキャラクターのどこがいいのかってきくと、『だって、みんな可愛いし、素直だし、わがまま言わないじゃない』って答える。彼等が大事に部屋に飾ってあるどの人形も、顔は目が大きくて幼女なのに、身体はやけにグラマラスで嫌らしいわけ。なんか悲しくなっちゃいましたよ。顔はあどけなくて、幼女のように素直で口答えしなくて、でも身体は大人っていうのは古くからの日本男性の悲願みたいなもんでしょ？　今やそういう願望は時代の流れとともに侮蔑《ぶべつ》の対象になってしまって、追いつめられてきて、海外で吐き出されたりしてるでしょう。私は彼等に、そういう追いつめられた日本男性の欲望を見るような気がしてねえ。あの人たちのあれは、要するにマスターベーションでしょう？　みんなで、僕はこんなふうにマスターベーションしているんですって見せあう。そして、部屋の外にいる女の子たちに、『僕たち、ごらんのとおりみんなでマスターベーションしてるから、君たちと遊ぶ暇はないよ』と公言してしまうわけだ。マスターベーションっていうのは、一人ですべきものでしょ。一人で、自分の部屋でする。さんざんやってから、外に出て、そんなことは一度もしたことないって顔で、綺麗な女の子と音楽や文学の話をする。私はそういうものだと思ってましたけどね。第一、その方がずっと面白いじゃないですか？　家の内外構わず自慰してたって、ちっとも面白くないじゃない」

「それって、男の子だけじゃないわよ。女の子でもいますよ。あたし、今の彼女たちの執拗《しつよう》なまでの美少年願望、しかも少年たちの同性愛願望っていうのが理解できないのよ。確かに昔からありましたよ、女の子が少年たちという存在に憧れるというのはね。でも、あれは、女の子は肉体的に大人になる境目《さかいめ》がはっきりしてるから、そのアンチテーゼとして、中性的な存在として愛してたと思うのよ。ところが最近は、やっぱり完全に性的な意味での願望なのね。さっきの話じゃないけど、憧れるべき彼等をそういう卑小なレベルにひきずりおろして貶《おとし》めてよろこぶという行為で、とても残酷なことをしてると思う。だからね、あたしは昭和三十年代以降に生まれた女の書く『ぼくは』で始まる一人称の小説が大っ嫌いなのよ。ほとんど憎んでいるといっても過言じゃないわね。みんな同じタイプの主人公でさ。『ちぇっ、だから女の子ってやつはわからないんだ』なんて文があったりするの。時々まちがって読んじゃったりするんだけどね。あわわ、また『ぼくは』かって。くわばらくわばらって感じよ」

「相変わらず水越さんはテンション高いね」

「このメンバーになると高くなっちゃうのよ」

「あれ、『役立たず』だ。どこに行ったのかと思ってたら」

鴨志田が、犬にまとわりつかれながら入ってくる巧一に目を向けた。

巧一は、さっき転んだ時にぶつけた肘がずきずきするのに顔をしかめていた。ドアを開けたとたん、『役立たず』が後足で立ち上がって覆いかぶさってきて、不意をつかれた彼は思いっきり床に押し倒されてしまったのである。この犬の巨大なことといったら、ほとんどグリズリーのようだ。どうやら後足で立って襲いかかるというのが彼の親愛の情らしいのだが、不意打ちを受ける方はたまったものではない。

「この犬――とっても重いんですね」

巧一が椅子に掛けると『役立たず』が椅子の背から顔を出してぐりぐりと頭をすりつけてくる。

「ははん、やられたね。ずいぶん気に入られたみたいだな。腰をやられないように気をつけた方がいいぞ。こいつに飛び掛かられてギックリ腰になった奴が何人もいるからなあ」

「はあ」

鴨志田がすっくと立ち上がると、ぱん、と手をはたいた。

「よし、夕飯の準備にかかるとするか。皆様、食堂の方へどうぞ」

巧一はきょとんとした。この人が食事を作るのか？　手伝った方がいいのかな？

「あの――」

「いいのよ、この人は料理人なの。銀座の天麩羅《てんぷら》屋の三代目でね。あたしたち素人はテーブルにふんぞりかえって待ってるだけよ。お酒の準備でもしましょ」

四人は立ち上がってぞろぞろと隣の食堂に向かった。

そこはコンパクトな山小屋風の部屋で、カウンターキッチンの脇の大きな木のテーブルの両側に黒い長椅子が置いてあり、会長が隅っこに腰掛けてビール片手に内田百閒《うちだひやっけん》の「御馳走帖」を読んでいた。

「あらま、金子さんたらこんなところに」

「先に飲《や》らせてもらってたよ。ここの方が落ち着くんで」

「そうそう、こういう奴がいるんだよね。部屋で勉強しろって言っても台所の隅で宿題やってる奴が」

鴨志田は腕まくりをすると、大きなエプロンをかけて鍋を火に掛けた。

「皆さん、勝手に飲んでてください。適当に、つまみを出していきますんで」

「はいよ」

見る間に、鴨志田は縦横無尽の動きで料理を作りだした。その素早いこと、見ていてあっけに取られるほどである。たちまち何皿もの料理がテーブルに並べられた。

「あら、素敵。今日のメニューはなあに？」

ワインの栓を抜きながら水越夫人が皿をのぞきこむ。鴨志田は手を休めずに答える。

「全部スーパーからの調達品だけどね。キビナゴの一夜干しが安かったんで、柳川《やながわ》仕立てにしてみたんだよ。それに、春だから菜の花のくるみあえ。セロリと蒸し鶏とリンゴのサラダ。イワシの竜田《たつた》揚げ。こっちは、ブルーチーズを生クリームでゆるめて、おぼろ昆布とマーマレードであえてみた。ちょっとおつな味だよ。ワインにいいかもしれない。あと、帰り道の和菓子屋にうまそうなよもぎ餅が出てたんで、こいつを揚げ出しにしてみた。こんなとこかね。我々は年寄りだからいいかもしれんが、鮫島君は足りないかもしれないな。足りなかったらまた作るから言ってくれ」

みんな、てんでんばらばらに酒を飲んでいる。巧一もビール瓶に手を伸ばした。

ふと耳を澄ますと、窓の外の雨足が強くなっている。このまま一晩降り続きそうだ。いつしか外は漆黒の闇が覆い始めている。鬱蒼《うっそう》とした林を見ていると、ここが東京のどまんなかだということを忘れてしまう。

「春が、ある」

「ん?」

向かいに座っている一色が尋ねた。

「林の向こうに春があるんだそうです。どういう意味ですか」

「ああ。なるほどね」

一色はニコニコした。チーズを舐《な》め、冷酒を気持ち良さそうに飲み干す。

「つまりね、この敷地内には四つの家があるんです」

「四つ? 四つも?」

巧一は目を丸くした。この家だって相当大きな家である。それが四つとは!

「そう。真ん中の林を囲んで建っている。今我々がいるのは『冬の家』。そして、この並びの反対側には『春の家』があるというわけです。大きな桜の木があってね。宴会にはもってこいです」

「ということは、夏と秋の家も」

「もちろん。それぞれいわくがございましてね。本格ミステリのファンが泣いて喜ぶような、ミステリアスな事件がいろいろ起きている」

一色が囁くように呟《つぶや》くと、会長がくすくす笑いだした。

「そうそう。大きな敷地に四つの家と来たら、連続殺人が起きなくちゃね。桜の木の根元には死体が埋められ、竹林に囲まれた日本家屋の座敷には日本刀が突き立てられている。秋の家では密室殺人、そして冬の家では宝さがし。これでなくっちゃ」

全く、どこまでが冗談でどこまでが本気なのか分からない。とにかく、それぞれがかなりのミステリファンであることは確かである。

「そう。ここに、凝った造りで、おのおの異なったいわくのある四つの家が建てられている。ただその事実だけで、楽しめるでしょう。我々はそこから派生する、この先語られるべき物語を予感することができるんです。我々は合理的な解決や、あっと驚くトリックを待っているわけじゃない。そりゃ、そういったものがあるにこしたことはないけどね。でも、それより大事なのは、わくわくするような謎が横たわり、それに呼応する大きな答を予感させる物語が現れることなんです。だから、君にもぜひこのゲームに加わってほしいと思っているんですよ」

「願ってもない素晴らしい前ふりだ。さすが学生相手に喋ってる教授は違うねえ」

鴨志田が立ったままビールグラスを傾け、一品おまけらしい肉じゃがをテーブルに持ってきた。

「どうしてそんなにその本に執着するんですか」

巧一はビールを注ぎながら尋ねた。

「ううん、どうしてだろうねえ。あの本の存在そのものに、どこか我々をくすぐるものがあるんだろうねえ。今日び謎めいた存在なんてもの自体が希少価値だしね。それがなくては生きていけない、というほどのものでないし。そんなところがいいんだね」

会長がふとあどけない表情になってふわりと笑った。

巧一は訳もなくどきりとする。水越夫人が土鍋からキビナゴを取り分けてくれた。

「あの本を書いた人物も、あの本を謎めいたものにしておきたかったらしいわ。二百部の私家版を配付したあとで、回収を試みたあとがあるし」

「回収？」

「そうなの。そもそも、その本を配る時からいろいろ条件があったそうよ。一つ、作者を明かさないこと。一つ、コピーを取らないこと。そして、最後の条件がふるっているの。友人に貸す場合、その本を読ませていいのはたった一人だけ。それも、貸す時は一晩だけ、というの」

「作為的というか、逆にすごい宣伝じゃないですか、今から見れば。口コミくらい確実で好奇心をそそるものないですもの」

「でしょ？　しかも、その本が実際に出回っていたのは半年程度で、そのあと作者の代理人を名乗る人物が回収にあたったらしいの。二百部作ったと言われてるけれど、実際に何人に渡したかは未だにはっきりしないのよ。せいぜい七十部ぐらいじゃないかって」

「回収の理由はなんなんですか？」

「失敗作だったから、というコメントだったみたい」

「ふうん。わざとらしいな。金子会長は、この家を建てた圷さんから本を借りた訳ですよね。他の皆さんは？　どうやってその本を読まれたのですか？」

「いい質問だね。ではそろそろ古式にのっとって、身の上話をする時がきたようだ」

会長はちらりと一色に視線を投げた。君からどうぞ、という合図らしい。

「あ、ちょっと待ってください。そういえば、まだその本のタイトルを聞いてませんでしたよね。タイトルはあるんですよね？」

巧一が会長の顔を見た。会長はちょっと躊躇《ちゅうちょ》した。まるで、好きな女の子の名前を口にするのが恥ずかしい、とでもいうかのように。しかし、一瞬ののち、会長はぶっきらぼうに答えた。

「ああ。『三月は深き紅の淵を』というんだよ」

一色が話し始めた。

「私の場合、自分の授業の学生から借りたんですよ。もうずいぶん前のことになるけど。私の専門は英米文学。授業のほとんどは私の好きな小説をみんなで読んで、どうだ面白いだろうと押しつける、趣味みたいな授業でしてね。やってられんという学生は早々に脱落して、私と趣味の合う学生だけが残るもんで、結構和気あいあいとした授業になるんです。彼女はおとなしい、目立たない学生でした。でも、内に秘めた芯の強さを感じさせる、というタイプの学生です。Nというその学生が、年度末の授業のあとしばらくして私のところにやってきた。『先生、私、明日田舎に帰るんです』そういう。私は元気で頑張れ、みたいなことを言った。そうしたら、彼女がおもむろに一冊の赤い表紙の本を取り出した。『先生に、この本を読んでほしいんです。きっとお好きな話だと思うんです』って言う。あの時、渡された本の印象がね、今でも忘れられないんです。手にずしりと持った感じが。赤い、ちょっと重い感じの色の真っ赤な表紙に、黒い字で真ん中へんに横書きで『三月は深き紅の淵を』。あのタイトルを見た瞬間にどきりとしてね。ひとめぼれ、みたいな感覚ですね。『明日、受け取りに伺います』こういうんだね。しかし、結構な厚さなんですよ。目次を見ると四部作になっているし。一晩で読める自信がない、でもぜひ読んでみたい、君の田舎に郵送するというのはどうか、と私は当然言ったわけです。でも、彼女は左右に首を振る。『駄目なんです。一晩で読んでもらう約束なんです』『約束？　誰との？』聞き返すと、『その本を書いた人とのです』って真顔で答える。ふと、本を見直してみると著者名がない。『作者は誰なの？』既に私は好奇心の塊《かたまり》になってました。でも、彼女はやっぱり首を振るだけ。それも言えないことになっている、と繰り返すだけ。しかたがない、ともかく読んでみよう、と答えて借りた。明日の朝駅に行く途中に寄りますので、と言って彼女は帰っていった。私は本を抱えて家に飛んで帰りましたよ。いろいろ、本を上下左右から眺めてね。何もないんですよ、奥付も何もない。極めて私的な自費出版だということは分かった。そこで期待と不安があいなかばしまして。自費出版した作品、特に小説ときたら、とんでもない駄作の可能性が高い。ひょっとして、がっかりさせられるんじゃないかと、読むのをためらっちゃいましてね。でも、一方で、そのNという生徒は読み手としては確かだったという印象がありましたから、もしかすると掘り出しものの傑作なのかもしれないという期待もある。なんと言いますか、そわそわしちゃいましてね。楽しみにしてる本って、逆になかなか読み出せないじゃないですか。撫《な》でたりさすったり、ちょっとだけ出だしを読んでみたりね。早く読んで返さなきゃいけないってのに、読み始めたのは結局夜も遅くなってからでした。そうしたら、これがはまってしまいまして——あの本の不思議な印象はここにいる皆さんはご存じでしょうが、全編これ、ミステリアスな謎の予感に満ちているという、なんとも『そそる』話なんですね。傑作かどうかはともかく、これは実に私好みの小説だ、と目の色変えて、一行もとりこぼすまいと徹夜覚悟で読んだんですけど、悲しいかな、どうしても読み終わらない。翌朝彼女が来た時にはやっと第二部がもう少しで読み終わる、という状態でしてね。あの時の悲しい心境たるや、今でも思い出すと胸が締め付けられます。私があんまり名残《なごり》惜しそうにしてたので、彼女も気の毒そうにしてました。『先生、いつかうちの田舎にいらして下さい』と、住所を残して去っていったんです。長野の、諏訪《すわ》の方だった」

「その人にはそれっきり？」

巧一は思わず釣り込まれて尋ねた。一色は頷く。

「ええ。一度も会っていません。私も新学期の準備がありましたし、郷里での就職を控えてる人間に本を督促《とくそく》するのもみっともないと思いまして。それでも、それ以来あの本の面影はしっかり胸に焼き付いていて――いつかもう一度きちんと読み直してみたいと決心を固めていたんです。夏に、そのNのいた年度の学生が集まって宴会をしよう、という企画が持ち上がって、Nも来るという話だったんですけど、当日になっても彼女はやってこなかった。そうしたら、遅くに幹事が慌ててやってきて、Nが行方不明になっているという。彼女は、一人で北陸方面を旅行して、その行程の最後に東京に来るはずだったのに、その旅行の途中でぷっつり消息を絶ったままだというんです」

「ますます謎めいてますね」

「半信半疑でね。夢を見てるみたいだった。しかし、彼女はそれ以来今日に至るまで見つかっていないんですよ。一説には、佐渡島に渡る途中、船から落ちたんじゃないかと言われているんです。彼女に似た人が船に乗るのを見た、という目撃者があってね。でも真相は定かではない。事故なのか、失踪なのか、自殺なのか。私にとってはあの本と彼女の失踪事件がいつもセットで浮かんできてね。それからしばらくたってから急にあの本が気になってきて、あちこち手を尽くして本を探したんです。噂は聞いたことがあったんです。他にもあの本を読んだことがあるという人がいるという話は。それで、あの本のコピーの一部を持っているという人を紹介されましてーー」

一色はそこで話を切った。ワインのボトルを取り上げ、空いていた水越夫人のグラスに注ぐ。

軽く会釈して水越夫人が巧一の顔を見た。

「それがあたしなの」

「あたしの家は祖父の代から横浜で小さなホテルを営んでましてね。あたしも一応経営者ということになってるけど、実質的には兄が仕切ってますからあたしはお遊びみたいなものね。ロビーに花を生けたり、バンケットルームに飾る絵を選んだりするのが日課で。うちのラウンジの朝食はおいしいのよ。だから、近所に住む方が朝御飯を食べに来て下さるの。もう、十年くらい前のことね、晩秋の天気の悪い朝。冷たい雨に冬の匂いがしたことを覚えてるわ。メニューにホットチョコレートを入れなくっちゃ、と思ったことまではっきり覚えてる。そのお客は、初老の垢抜《あかぬ》けた紳士でね。天気の悪い中をあたふたと入ってきて。焦げ茶色のコーデュロイの帽子とゴム引きのコート姿。大きな革のトランク。お洒落な人だと思ったのよ。モーニングセットを取ったんだけど、そわそわしてて上の空。二十分もいなかったわね――電話が一本かかってきたの。年配の女性の声で、『小泉《こいずみ》さんをお願いします』。いつも御飯を食べにいらしてる常連の方たちの名前ではなかったし、恐らくそのお客ではないかと、従業員も『小泉様でいらっしゃいますか』と訊きに行ったの。そしたらびっくりした顔で、傍目《はため》にも滑稽《こっけい》なほど必死に否定するのよ。おかしな人だなと思って。とにかく『いらっしゃいません』と電話を切ると、その人は食事もそこそこにアッと言う間に出て行ってしまって。そのあとに、茶色い封筒が残っていたの」

「それがその」

「そう。『三月は深き紅の淵を』だったのよ」

「本ではなかったんですね」

「コピーだったわ。それも、第二部と第三部だけ。だから、あたしは長い間本のタイトルも知らなかったのよ。第二部『冬の湖』と第三部『アイネ・クライネ・ナハトムジーク』というタイトルしか。持ち主の手掛かりもないし、宿泊されてたお客でもないし、二度と現れなかったし。いつか取りに戻るんじゃないかと、暫《しばら》くフロントに置いておいたんだけど、半年経っても何のリアクションもないんで読んでみたのよ。それで、やっぱり、あたしもあの雰雰囲気に魅了されましてね。あたしもミステリーは大好きだったし、ぜひ残りの部分も読みたいと。コピーがあるんだから、本が出てるに違いないと。著者も版元も分からないから探すのに手間取るだろうとは思ったけど、こんなに苦労するとは思わなかったわ。それで、知り合いの出版社の方に訊いてみたら、顔色を変えましてね。その時に初めて、この本の題名とそれにまつわる噂を聞いたんですよ」

「ちょっと疑問に思ったんですが」

巧一が手を上げた。

「その本は、どのような人たちに配られたのですか？　会長のお話だと、もう名の売れてる作家が書いたという説でしたよね。だったら、出版関係者にそれだけの長編の執筆を伏せておくというのはかなり難しいんじゃないですか？」

「その辺も、実に巧妙というか、用心深いのね、この作者は。とにかく、ごく一部の出版関係者に匿名《とくめい》で郵送しているというのよ。あとは本当に、ごく親しい人にしか配らなかったらしいし。未だに作者には幾つもの説があるの。全くの無名の新人の作品だとか、数人の合作だとか。実際、作者を探していた編集者のところに、何人か自分が作者だと言ってきた人がいたそうよ。どれも偽者だったけど。結局素性《すじょう》が知れないんで、出版できなかったらしいわ」

「本を回収に来た代理人というのは？」

「それも変な話でね。ある日、本を受け取った人のところに背広姿の普通のサラリーマン風の男がやってきて、自分は『三月は深き紅の淵を』という本を書いた作者の代理人で、その本の回収に来たというんですって。誰も信用しないわよね。そうしたら、その男は書類の束を取り出して、ここに、本を送った時の送付状の控えがあって、割り印も押してある。これが一致していれば送り主であることは証明できるだろう、と言う。実際、一致していたというのよ。中には納得して返しちゃった人もいるらしいけど、返さない人も多かったみたい。でも、その自称代理人はあっさり引き下がっちゃったというから、ますます奇妙でしょ」

「へえ」

「ホテルに現れた男の話には続きがあってね。別にたいした話じゃないんだけど、あたしはこの話が気に入ってるのよ。うちの常連さんに、舞台俳優の中村伸彦《なかむらのぶひこ》さんがいらっしゃるんだけど、この方は絵が上手でね。よくホテルのお客さんをスケッチしてるの。その朝もスケッチしてらしてね。例の男も入っていたというわけよ。中村さんがその男をスケッチしてたってことは何日か経ってから知ったんだけど、中村さんがそのスケッチを見た時に、面白いことをおっしゃったの。『あれ、この人、小泉さんていったよね？』『分からないわ。でも、本当は小泉さんだったと思うのよ』あたしがそう言うと、彼がね、こう言うの。『この人、小泉八雲《やくも》に似てるね』『ええ？』『ほら、あの、ラフカディオ・ハーンだよ。俺、こないだ小泉八雲記念館に行ってきたばっかりだから。このスタイルといい、顔といい。そっくりだ。

こいつはいいや、小泉八雲が現代の横浜のホテルに旅の途中で寄ったっての、どう？』」

「すごいオチですね。じゃあ、作者は小泉八雲ってことですか？」

「そういう意味じゃなくてねえ。何か、あの朝の不思議な雰囲気とマッチしててね、好きなのよ、この話」

「ふうん」

酒が徐々に回り、お腹もふくらんできて、巧一はこの非日常的状況に不思議な陶酔を味わっていた。奇妙な連中だし、いま話されている内容も奇妙だ。しかし、魅力的ではある。

「どう、おかず足りてる？　鮫島くん」

焼酎《しょうちゅう》のお湯割りを飲んでいた鴨志田が、巧一の皿をのぞきこんだ。

「ええ、十分です。とってもおいしいし」

「そろそろ御飯ものが欲しいかな。ちょっと待っててね、ステーキ丼を作っちゃうからさ」

鴨志田は再び手早く、おみおつけの支度を始めた。醤油《しょうゆ》の焼ける、香ばしい匂いが部屋にたちこめる。

「鴨志田さんの話はどういうのですか？」

巧一が訊くと、鴨志田はよく通る大きな声で話し始めた。

「料理人ていうのは、多趣味な人が多いけど、読書好きな人も多いんだ。俺も本読むの好きだよ。特にミステリは大好きでね。料理とミステリは似ている。本はいいよ、気分転換になるし、仕事の役に立つことも多いし。銀座のはずれに、俺たちみたいな飲食店の人間が、店閉めたあとで行く小さなバーがあってね。そこの親父がまたミステリ好きでね。よく明け方までミステリの話をしたもんだよ。その親父から借りたんだ」

みんなに丼とお椀を配り、鴨志田はエプロンをはずして腰掛けた。

「あの時の親父の嬉しそうな顔ったらなかったね。もう夜半を過ぎてて、客は俺しかいなかった。カウンターの下からこっそりあの本を取り出してね、『とっても面白い本を借りた。この本は変な本でな、借りたら一晩で返さなきゃなんないんだ。でも、幸か不幸かあたしが本を借りた男は出張に行ってて、もう一晩の余裕ができた。ぜひ、あんたに読ませたい』。とにかく早く読め、とせかすんだ。俺も何がなんだか分からずに、その場で少し読み始めてみた。結局動けなくてね。その店のスツールに座ったまま、ぶっ続けで翌日の夕方まで読んでた。女房が、行方不明だとあちこち電話かけて大変だったよ。ともかく、しばらくあの本のイメージが身体の中に残ってて——熱に浮かされたような、不思議な体験だったな。親父も借りた人間を明かさなかったし、そのあと何度もあの本の話をしたけれど、結局、親父も作者については何も知らなかったみたいだな。そのあと親父が身体壊して店を畳《たた》んじまってから、その本についてはそれっきりになってた。それが、何年もたって何かの拍子で、うちのお客さんだった金子さんとあの本の話になってね。他にもあの本を読んでる人間がいることが分かったってわけさ」

熱いご飯を口に運びながら、巧一はふつふつとした衝動が胸に湧いてくるのを感じた。読んでみたい、その本を。時間を忘れて、むさぼるように本を読む幸福。そういう喜びを知ってはいるけれど、最近ではなかなか体験できない。読書経験を積めば積むほど、本に対してすれてくるし、感動も鈍ってくる。しかし、目の前にいる、明らかに自分よりも読書家らしい人々がそこまで夢中になれる、読み出したらやめられない本というのは、どういう本なのだろうか？

「それは、いったいどういうストーリーなんですか？」

「そうだね。話としては実に単純なんだよ。たいして筋はない。この『三月は深き紅の淵を』というタイトルにしても、直接かかわるような意味はなさそうだし」

会長はワカメの味噌汁をずっ、とすすった。

「そうでもないよ。第四部の『鳩笛《はとぶえ》』を読むと、納得する部分はあるよ。それに、通して最後まで読むと、なぜかこのタイトルがしっくり来るんだよね。読み終わった瞬間に、まさにその『紅の淵』がぱっくり足元に裂けてるような気分になったよ」

鴨志田が反論する。

「ええと、すみません、ちょっと整理しときたいんですけど——結局、その本を全部読んだ方は会長と鴨志田さんのお二人ですよね。一色さんと水越さんは、全部は読んでいらっしゃらない？」

巧一が口を挟んだ。

「そうね。あたしは結局、第二部と第三部しか読んでいないの。第一部と第四部に関しては、えらく記憶力のいい読者が作ったダイジェスト版を読んだだけ」

「ダイジェスト版？　そんなものまであるんですか？」

「そう。それも、いろいろバージョンがあるのよね。なまじ文学的素養がある人が作ったのだと、筋は同じでも別の作品をこしらえちゃったりして」

「そうそう。パロディ版だと分かってるのにも、結構面白いのがあるんですよね。私は『梶《かじ》野《の》版』の第一部とか実は気に入ってるんです。あ、うちの大学の日本文学科の、評論家の梶野乙吉《おときち》先生が作ったやつなんですけどね。この人も隠れ本格マニアだから、本物の第一部でさらりと触れられてた事件をいちいち解決させながら話を進めるもんだから、結局本物の三倍くらいの長さになっちゃって。でも面白いんです。ちゃんと解決させてて。あ、すみませんね、鮫島君、まだ話の筋も教えてないのに。そう、僕は第一部から第三部までで、第四部は読んでません。よし、では僭越《せんえつ》ながら私が粗筋《あらすじ》を説明いたしましょう。その前に、コーヒーでも淹れませんか？　まだお酒の人は？　ブランデーでも開けますかね？」

会長がコーヒーとブランデーの用意をしている間、巧一はふと、自分の冷えた右肩に気付いて、無意識にその冷たい腕をさすっていた。絶え間なく降り注ぐ雨の音と、底冷えのする冷気が窓ガラスの向こうから密かに忍び寄っているのだ。腕をさすりながらも、巧一は暗い窓に映る自分の顔を見つめていた。何だろう、この感じは。この、遥《はる》かな記憶を呼びさまされるような感覚は。こうして暖かい家の中で、テーブルを囲み、見知らぬ物語の粗筋を聞いている。この状況にやたらと既視感を覚えるのは、ただの錯覚なのだろうか。ふと、他人の口からお話を——フィクションを聞かされる体験なんて、いったい何年ぶりだろうという素朴な感慨がこみあげてきた。

コーヒーの香りとブランデーの香り。その時、巧一はふと、『至福』という言葉を思った。夜、暖かい家の中で、これから面白い話を聞くのを待っている。恐らく、大昔から世界中で、なされてきた行為。やはり、人間というのはフィクションを必要とする動物なんだな。まさに、その一点だけが人間と他の獣を隔《へだ》てるものなのかもしれない。

「第一部は『黒と茶の幻想』。この四部作にはそれぞれサブタイトルが付いていましてね。この章には『風の話』というサブタイトルが付いています。この四部作は、どれもロードムービー的といいますか、要するに時間の流れにそって進むという形式ですね。第一部と第二部に限って言えば、どちらも旅の途上の話だから、この二つはもろにロードムービーと言えます。第一部は四人の老人の——老人というには気の毒かな、四人の壮年の男女が旅をする話でね。ほんと、これだけなんですよ。場所は、恐らく屋久島《やくしま》だと思うんだけど、はっきり言及はされてません。ちんたら、だらだら旅をする。登場人物の話のはしばしから、彼等は島の最深部にある、伝説の桜の樹を探しに行くのが目的だと分かる。でもね、ちっとも進まないんですよ。迷ったり、さぼったり。彼等の人間関係はよく分からないんだけど、とにかくこの連中がよく喋《しゃべ》る。それも変な事件の話ばっかり。四人のそれぞれが安楽椅子探偵の役割を果たすわけですね。でも、すぱっと真相が明かされるものもあれば、侃々諤々《かんかんがくがく》勝手なことを論じてそれで終わってしまうのもあるし、話を匂わせただけでそのまま通り過ぎちゃう事件もある。そのあたりが全くゆきあたりばったりというか、もしくは恐ろしく計算されているのかは分からないけれど、それぞれの断片が実に魅力的でね。そういう小さなエピソードや警句じみた会話とか、嫌いな人は嫌いだろうけど、私はどっぷりはまりましたね。この『黒と茶の幻想』は、推理作家にファンが多いんですよ。中に触れられているさまざまな謎に解決をつけようと試みる人も多くてね。推理作家が書いたパロディ、私は少なくとも三つは知ってます。凝った人になると、『黒と茶の幻想解決編』というのを拵《こしら》えて、出てきた謎をそれぞれ短編仕立てで書いたりしてる。私が好きな事件は、砂漠の外れの塔で三人の修道士が首を吊る話とか、霞が関の電信柱に小人の手形が付いているという話とか、祭の最中の密室状態の広場から子供たちの集団がいなくなる話とか。今でも時々夜中にがばと起き上がって、謎のリストを作りたくなるんです」

「そうね、他愛のない寓話風の謎解きから、子供の頃に聞いた噂話から、血なまぐさい話や現代の身近な話が大小混ざりあってるとこがいいのよね。ほとんど惜し気もなくじゃんじゃん出て来る。ああ、もったいないって思わず叫んじゃう。お願い、その話ちゃんと一個ずつ順番に説明してくれるっ、て言いたくなるわ」

「俺が驚いたのはね、ほら、以前どこかの学校で校庭に一晩で『9』って数字を机で並べて書いた事件があったでしょ。あれが、この本の中で予告されてるんだよね。一応、理由は説明されてたよね。逆に、この本を読んだ奴があれをやったんじゃないかと疑ったよ」

「――ええと、それで、伝説の桜は発見されるんですか？」

ともすれば話が脱線していきそうになるのを引き止めようとしながら、巧一が尋ねた。

「うん、一応ね。でも、どうしても尻切れトンボという感じは否めないね。そんなこともうどうでもいいや、って感じの終わり方なんだよ。とにかく、途中これでもかこれでもかと変な事件を羅列するのにエネルギーを使い切っちまったって感じだね、あれは」

「でも、そのせいで、あの話は完結したって気がしない。まだまだいつまでも、たくさんの謎が登場人物たちによって提示され続けてるんじゃないかという感じがする。そういうところが魅力ですね。そういう果てしのない雰囲気っていうのは他の話にも共通してますけど」

三人が夢中になって話をしているのに比べ、会長はコーヒーをすすりながらじっと話を聞いている。みんながこの話題を口にしているこの場所に身を置いているだけで満足、というような表情だ。巧一は次第にじりじりした焦燥《しょうそう》を感じてくる。自分だけがその本を読んだことがないという、仲間外れになっているような妬《ねた》ましさを覚えているのだ。

「いかんいかん、こんな調子じゃ話が進まない。第二部は、『冬の湖』。これのサブタイトルは『夜の話』。失踪した恋人を、主人公の女性が恋人の親友と探す話です。キャンピングカーに乗って、ひたすら北へ北へと走る。『黒と茶の幻想』が断片の羅列だとすると、この章では繰り返し同じエピソードが語られます。そのエピソードというのは、一人の女性が死んだ話です。その女性は、失踪した恋人が、主人公の前につきあっていた女性なんですね。状況からして他殺らしいんだけど、まだ犯人はつかまっていない。話の本筋は失踪した恋人を探す話なんですが、全体を通してこの亡くなった女性というのが色濃く影を落としていて、あちらこちらでこの女性のイメージが見え隠れする。自殺か、他殺か。他殺ならば誰が犯人か。語られる度《たび》にほんのちょっとずつ、別の真相が浮き上がって見える。そういう話です。『夜の話』とはよく言ったもので、確かにこの話は、夜の道を黙って静かに遠いところへ走っていく印象が強いですよね。出だしが、『私たちはこうして、冷たい夜の光の海の底を、口を閉ざしたまま走ってゆく。』だったかな？」

「あら、あたしはね、あの話は『恋人の親友』がテーマだと思うんだけどな。恋か友情かっていう三角関係の葛藤《かっとう》は古典的なジレンマだけど、そうじゃなくて、『恋人の親友』。胸騒ぎはするけれど、どことなく悲しいテーマよね。限り無く恋愛関係に近いところにいるんだけど、どこか冷たくて、踏み込めない領域がはっきりしている関係。旅する二人に、その乾いた雰囲気が出てて、あたし好きだったな」

「でも、この話も結局解決らしい解決はないんだよね。青森までたどりついて、失踪した恋人に会えそうだ、というとこで終わってる。どうもわざと解決を避けてる感じがするよねえ。この話はここからここまででハイおしまい、じゃなくて、これはここから、こっちはここから、って糸が何本もずーっと伸びたまんまになってるような感じでさ」

会話がとぎれた。皆、そのとぎれた一瞬のうちに自分の内側にひっこんで、それぞれの幻想に浸っているのが見てとれた。引っ込むだけのおのれの幻想のない巧一だけが会話の表面に取り残される。自分が取り残されたことに気付いた瞬間に、細く黒い糸のような疑惑が忍びこんできた。

「なぜ、出版されないのでしょう」

巧一の乾いた声に、今度は彼等がはっとする番だった。

「なぜ？」

会長が巧一の問いを繰り返して見せる。その目は面白がっていた。

「素晴らしい作品。誰もが魅《ひ》きつけられる小説。こうして話を聞いているだけでも、とっても読みたくなる。ミステリファンのみならず、面白い本が読みたいと思っている人なら欲しくなるはずです。なぜそんな作品が出版されないのでしょう。これだけなんでもありの世の中になっているのに、それほどの作品が、それっぽっちの大した制約でもない条件が付いているからというだけで、今まで出されずにきたという理由がよく判らない。内容が何かのタブーに触れているというわけでもないのに」

「それはもっともな質問だな。確かにそれは不思議な話だ。その問題をつきつめていくと、やはり作者は誰かという話になるわけだ。逆に、あれだけの本を出すことを抑制するだけの力を持つ人物は誰かということになる。あの本を出すことで、小説家としてマイナスになるとは考えにくい。現にこれだけの評判を得ているんだからね。もしあれを書いたのが全くの無名の新人だったならば、一気に名前を売ることができるはずだ。なんといっても狭い世界だし、読者は常に貪欲なものだ。それほど謎めいて面白い本が出れば、たちまち噂になる。だから、ますますこの小説が高名な人物によって書かれたという確信は強まるわけだよ。これはあくまで私的な本だから出さない、と言い切れる人物が書いたというね」

会長は嚙んで含めるように淡々と話した。

「うーん」

一色がちょっと顔をしかめて見せる。

「でもね、面白い本が読まれる、注目されるというのは幻想ですよ。私たちがめちゃくちゃ面白いと思っている本だって、みんなに読まれるとは限らない。面白いのに埋もれている本はいくらでもある。ある作品がスタンダードになるかどうかというのは運不運もあるし、タイミングというのもある。私が天国まで持って行きたい、私の後に生まれる人間にどうしても読ませたいという作品が後世に残るわけじゃない。『三月は深き紅の淵を』が素晴らしい作品だというのは、ここにいる我々や、ほんの少数の人間の共同幻想かもしれない。読書というのは本来個人的なものですから、これはいたしかたない。第一、我々は自分がちょっとばかし本を読んでいると自惚《うぬぼ》れているかもしれないが、これだってとんでもない幻想です。人間が一生に読める本は微々たるものだし、そのことは本屋に行けばよーく判るでしょう。私はこんなに読めない本があるのか、といつも本屋に行く度に絶望する。読むことのできない天文学的数字の大量の本の中に、自分の知らない面白さに溢《あふ》れた本がごまんとあると考えると、心中穏やかじゃないですね。話が長くなって恐縮ですが、だからつまりその、我々が夢中になっている『三月』だって、それほど読者に望まれている作品かっていうと、それは誰にも判らない。闇の中から引きずり出してみたら、色あせてしまうものなのかもしれない」

「ま、そういっちゃあ元も子もないじゃない。これだけ気になる存在であるという意見が一致するんだから、俺はやっぱりある意味で傑作であるという方に一票入れるね」

「お話はよくわかりました。すみません、話の腰を折ってしまって。その問題はひとまずおいといて、後半の粗筋をお願いします」

「鮫島くん、ずっと学級委員やってたでしょう。このメンバーのやりとりの交通整理するってのはたいしたもんだよ」

鴨志田がにやにやしながら茶々を入れる。

「第三部は、『アイネ・クライネ・ナハトムジーク』。サブタイトルは――」

「『血の話』」

一色の言葉を引取るように水越夫人が呟いた。

「だいたいね、この本の作者は男性だという意見が圧倒的なんだけど、あたしは女性だと思うのよ。特に、この第三部だけに限るなら、あたしは絶対に作者は女性だと思うわ。だから、作者が女性でないというのなら、次は数人の合作説を取りたいの」

「そうそう、この本の作者の性別というのもよく問題になるんだよね」

「ちょっと待った。水越さん、また横道にそれる前にこの章はあなたに説明していただきましょうかね」

一色が掌を上げて見せた。水越夫人は肩をすくめる。

「――『血の話』。全くそのとおりよ。とはいってもスプラッタではなくて、血縁関係の方ね。海辺の避暑地に家族とやってきた少女が、生き別れになった腹違いの兄を探す物語なの。そこには毎年やってくるたくさんの家族が閉じた共同体を作っているの。スノッブで、退廃的な大人たちとその子供たち。夏の晴れた日の情景しかないのに、全体のトーンがどこか不気味で乾いているの。そのくせ、昔の外国の少女小説のようにロマンチックでね。親に内緒で兄を探す主人公の少女がまた素敵な美少女で、登場する少年少女たちが皆魅力的なのよ。淡い恋とか、意地の張り合いとか、ささやかなプライドとかね。短い言葉のニュアンスや断片的な知識から兄を探そうというんだから、ミステリーでもあるし。あたしはこの章が一番好き。全部きちんと読んでないだろうと言われればそれまでだけど、でも、クラシカルで、残酷で、美しくて、とても好き」

「これは、この四部作の中ではいちばんきちんと解決してるよね。皮肉できれいな結末といい、『ひと夏の物語』ものとしてはまとまりもいい。女の人が好きなの、判るよね。俺はそんなに執着しないけど。でも作者はやっぱり男だと思うね」

「どこがよ？　あの文章を読めば、どう考えても女性でしょう」

「そうかなあ。女性的な感覚の男なんていっぱいいるし、特にもの書きは女性に近い感覚の人間が多いと思うけどな」

「感覚的なことで言えば、性別は関係ないと思うけど、そうじゃなくて、あれはやっぱり女の人から見た時に気持ちのいい設定なのよ。女が自分を主人公として見た時にひたれる話。ああいう話を書きたいと思うってのは絶対女性よ」

「うーん。俺はむしろその設定にも逆に男を感じる。作為的というか、自分を女の身の側に置いてみたいっていう、誰にでもある願望だよ」

「そうかしら。もちろん、違う性の気持ちを味わってみたいって感覚は誰にでもあるけど、女はフィリップ・マーロウになった気持ちでハードボイルドを書こうなんて絶対に思わないわよ。ジゴロやチンピラの気持ちで女を見てみたいと思うことはあってもね」

「うわ、水越さん、名言ですよそれ。女の人ってそうですよね。意外とヒーローにはひかれない。ヒーローの周辺にいる、しょうもない男やだらしない男の方に感情移入する」

「そうね、ヒーローっていうのはそれ自体で完結してるから、他者の介入をあまり必要としないじゃない？　女から見ると、勝手に一人でハードボイルドしてればっ、て気分になるのよね。女ってのは相手を通して自分を見てるようなところがあるから、相手の欠落を埋めたい、必要とされたいって願望が第一なのよ。要するに自尊心だけなんだけどさ。相手を崇拝したい、憧れたいっていうのはせいぜい十八歳くらいまでじゃないかしら？　だから手間のかかる人、どうしようもない人、だけどあたしじゃなきゃ駄目なのねってとこがないと女にはもてないわよ」

「鮫島くん、今の聞いた？　君みたいにスマートな男は、そこがポイントですよ。女には弱み。これという女にはぽろりと弱みを見せる。この人、こんな脆《もろ》いところもあるのね、あたしにしかそういう部分を見せられないんだわ、って思い込ませるとこが肝心だよ」

「そういえば、この点に関しては、金子さんの意見を聞いたことないわね。金子さんたら、いつもあたしたちに馬鹿話させといて、一人でつらつらお酒舐《な》めてるだけなんだもの、ずるいわよ。今夜ははっきり聞いときたいわ、金子さんはどっちだと思ってるの？『三月』の作者は男か女か」

「それは俺も聞きたい」

突然話の焦点が金子会長に向けられ、会長はグラスから顔を上げた。

「ん？」

「ん、じゃありませんよ。金子さんはどっちだと思ってるの？」

「私にはわからないよ」

「嘘。あなたが判らないはずないわ。口に出さないだけで、絶対どっちかだと思ってるはずよ。あなたは自分の意見をしっかり固めていても、それをおくびにも出さずに正反対のことを口に出せる人ですからね」

徹底抗戦の構えを見せる水越夫人の剣幕《けんまく》に苦笑しながら、会長は手酌でブランデーを足した。

「私は別にどっちでもいいんだけどね。でも、まあ、自分の直感だけで言うならば、だ。書いたのは女だと思うね」

「えっ」

鴨志田が目を丸くした。

「全部の章を？　同一人物の女性が全編を書いたと思われますか？」

一色も腕組みしながら尋ねた。その口振りから、彼は複数説を取っているということが窺われた。

「うん。同一人物の作品だと思うね。しかも、そんなに歳じゃない。若い人だと思う。ただ、書かれた時期にかなりの幅があると思うな。その章ごとにかけた時間も随分違うと思う。第一部はほとんど推敲《すいこう》されてないし、ちょっとずつ書き進められたと思う。書いているうちに時間が経ってしまって、章の始めと終わりでは作者の設定していた人物像も微妙な違いが出てきてしまってるし、書き始める時にイメージしていた章の色合いが、本人が意識していないうちに変化してしまってる。だから文章に濃いところと薄いところがあって、不思議とモザイク状の印象を受ける。一番しつこく推敲したのは第二部だね。ずいぶん考えた話だと思うよ。第三部は割と軽快に飛ばして同じテンポで書き上げたって感じだね。第四部は恐らく一息で書いたんだろう。この本の入口と出口では、書いている方も相当心境の変化があったんじゃないかな」

「ふうん。俺、ショックだ。ずっと男だと思ってたから」

「判らないよ。しょせん、私の個人的な意見に過ぎないんだから。ただねえ、なんというか――ずいぶん特殊な環境にいた女性じゃないかって気がするんだね。閉鎖的で、うんと厳格な雰囲気の家庭で育った人。シニカルで冷徹な表面の下にどろりとした不安定な浪漫を抱えていた人間。自分の中の大きな矛盾に気付かず大人になってしまった人間。昔の社会というのは割りに無茶で奔放《ほんぽう》なところがあって、男女の別ははっきりしていたけど、逆に真面目な顔で性を飛び越えてしまうところもあった。男の子を女の子として育てると丈夫に育つなんて迷信も随分広く行われていたみたいだし、女を男として育てることも珍しくなかった。昔はメディアも交通もそんなに発達してなかったから、男か女か、どんな人間かなんてことを追及するのに限界があったからね。今まで歴史上男だとされていた人物のうち、何人かは女じゃないかなあと思う時があるね。そういう、男として育てられた女——もしくは、女だと信じて育った男が書いた小説、という感じがするんだよ」

「じゃあ、やっぱり男かもしれない？」

「うん、直感では女だと思うんだが、もしかすると自分は女だと信じているし、完全に女としての思考回路を持った男が書いたのかもしれないという疑問が頭をかすめる時があるね」

「なるほど。金子さんらしいね」

「でも不思議ね。作品を読むという次元で見れば、作者の性別なんて関係ないはずなのに、やっぱり本を読む時、どこかで作者の性を気にしている。意識されていないようでいて、実は作者の性別というのは重大な問題なのよね」

「そりゃ、人間が書いて人間が読むんだからしょうがないでしょう。本を読む時に、私たちは主人公の視点で一緒に物語を体験するんですけど、無意識のうちに、さらにそのもう一回り外側のところで、作者の視点で物語を読んでいる。みんな経験上、女の意識、男の意識というのは想像できるから、本を読み始める時に、男の席に座るか女の席に座るか決めたがっているわけ。だから性別の判らない作者の本を読む時に感じる居心地の悪さというのは、どちらの席に座って作者の意識を追体験していくか、方針を決められないところにあるんですね。座る席によって、追体験のしかたが微妙に違ってくるわけだから。うんわかるわかる、と読むか、へええ、どうしてこんなことまでわかるの、と読むか。その違いは作品の印象や評価を決める上で少なからずポイントを稼《かせ》ぐ点ですからね」

しかし、よく喋る連中だ。巧一は次々と繰り出される主張の数々に幻惑されていた。普段の日常会話からは遠いところにある。巧一にとって読書とは、一人でする趣味に過ぎない。他人に自分は読書が趣味であると吹聴したり、他人の感想を求めようとは思わない。どんな世界にもマニアはいるものだが、この連中は『本を読む自分』というものに焦点があると見える。それにしても、話はさっぱり進まない。昼間会長が言っていた賭けの話までたどり着くには、まだ暫くかかりそうである。昼間、会長に家の中を案内してもらったのが大昔のようだ。そう言えば、『役立たず』はどうしたのだろう? ふと思い付いて部屋の中を見渡すと、白熊のようなその犬はキッチンの隅で長々と寝そべって、目を閉じている。人間どもが目の色を変えて論じる昔の本の話なぞ聞き飽きた、とでも言うように。

「さて、鮫島くんも退屈してきたようだし、いい加減に最終章の説明をするといたしましょうか」

ぼんやりしていたのを見抜かれたかのような一色の台詞《せりふ》に、巧一は慌てて冷めたコーヒーをすった。

「第四部。これは、いろいろ問題の多い章です。この章についても我々の見解は分かれていますがね」

一色はにっ、と笑って他の三人を見回す。

「さっき金子さんは、全部同一人物が年数をかけて書いた作品だとおっしゃったけれど、一般的には、この章だけは他の三章と別の人物が書いたんじゃないかという説が有力なんですよ。それほどこの章はまとまりもなく、読者へのサービスも稀薄で、放り出されたままのような感がある。にもかかわらず内包するものは大きいと言われてますが。近ごろは入れ子式になった小説というのがはやりだそうで。一つの物語の中に、幾つもの話がほうり込まれ、最後に包括されるという形式のもの。私は、これは現代の我々の生活が巨大な入れ子であるという状況が影響していると考えています。TVドラマを見て、ドラマのストーリーや人物のキャラクターが商品や記号として語られる。たくさんのゲームソフトの中で、架空の戦争と複数の選択肢が消費される。スイッチを切ったとたん、箱の中の物語は終了。我々はその外側の生活を生きる。新聞を読めば、我々の日常生活はまた、現実という海に多数漂流する小さな箱の一つでしかない。その外側には得体の知れない悪夢のような世界が広がっているというわけです。その昔は、人間がマクロな視点というものを獲得するにはそれなりの努力というものが必要でした。命を懸けて大航海をするか、宗教や、哲学といったものから学んでいくしかなかった。しかし、現在はいとも簡単にマクロな視点が手に入る。航空地図でも、青い地球の写真でも。みんなが神の視点を手に入れたわけです。そのことによって広い世界を獲得した人がいるかもしれないが、実際にはそれほどみんな幸せにはならなかった。自分の存在の卑小さだけが身に迫り、他人との差別化に血道を上げることになる。ゆえに、他人の人生がジェットコースターのように展開され、自分の掌《てのひら》に収まるフィクションが好まれるということになる。自分の人生が他人に消費されているということを否定し、他人の人生を自分が握っているという錯覚に陥ることを望む。自分は外側の世界にいたい、という気持ち。それがこんなに多くの入れ子式構造の物語を産んだ背景ではないでしょうか——って いうような問題が、この第四部には含まれているような気がするんです」

「よくそこまで話を戻したね。また月まで行っちゃうんじゃないかと思ったよ」

「少々強引な引っ張り方だけどさ」

ぼそぼそと叩かれる陰口にも動じず、一色は澄ました顔で話を続ける。

「第四部、『鳩笛』。サブタイトルは『時の話』。これまではかなり徹底した、作者の主観を排した三人称で語られてきたのに、この章は一人称すぎるほどの一人称。場合によっては説明不足とも、一人よがりとも受けとられかねない一人称で話は進みます。最初読み始めはほとんどなんだか判らないんだけど、だんだんこれは、ある物語作家が小説を書いている話だと判ってくる。要するに、世界中のあらゆる物語の起源を取り込んだ小説を書こうと思っている小説家の頭の中に次々と浮かんでくるイメージがまとまりなく描かれているんですね。むろん、彼には普段の生活があるから、その日常生活も描かれ、家族に対する不信や閉塞感《へいそくかん》にも触れられているんだけど、その日常生活とほとんど地続きでそれらのイマジネーションが語られる。箇所によってはラリってるんじゃないかと思えるような表現もある。その小説家のイメージにようやくこっちも慣れてきた頃、そのイメージのところどころにいつも登場する少女がいることに気付く。彼は自分の物語のイメージの原点を象徴するのがその少女ではないかという疑いを抱くんですね。そして、彼は自分がいつどこでその少女に出会ったのかという推理を始める。過去に溯《さかのぼ》り、親戚に会ったり日記をひっくり返したりして。推理をしながらも、彼の頭の中には次々とイメージが去来する。子供の頃に読んだ本や、最近見た映画のイメージもごった煮になってね。この辺はなかなかスリリングで面白い。体験したことがどのように作家の頭のフィルターを通して吐き出されるかという説明になってて興味深い。やがて、彼は見境《みさかい》なく訪れる物語のイメージに飲み込まれそうになりながらも、実はその少女が人類の物語自体の核ではないかと疑っていく。こんなところですかね？」

「オリジナルを読んでいないくせに、よくそう滔々《とうとう》と語れるね」

「私は本編を読んでいないけど、そこから派生した影みたいなものはたくさん読んでいる。みんなが書いた宇宙人のスケッチを見て宇宙人を想像するようなものです。いつかはオリジナルを読んでみたいんだけど、その時に自分のイメージとどのくらい落差があるか確かめるのが楽しみですね」

「どうかね、鮫島くん？　こんなところで本のイメージは想像できたかな？」

会長が巧一に顔を向けた。巧一は夢から覚めたようにはっとする。

「はあ、もう読んだような気になりましたよ。本題が何だったかすっかり判らなくなってしまいました」

四人から笑い声が漏れる。

「まあね、この本の話をするのが楽しみみたいなところがあるからな」

「それで、昼間おっしゃってた賭けというのは――」

巧一は水を向けた。

「そうそう。やっとその話ができる」

会長はテーブルの上で手を組むと、座り直した。

「この家を建てた男、圷比呂央は六年前に亡くなった。家族も借金もない代わりに財産もない。最後に病院に見舞いに行った時も淡々としたもんでね。この家を私に遺贈する、と言うんだね。本も好きにしてくれ、と。さもしい男だと思うかもしれないが、気になっていたので私は訊いた。『おい、あの本はどこにあるんだ？』とね。あの男ニタリと笑いおって、『ある。うちの中に隠してある。家ごと譲るからしっかり探し出せよ』。なんとも嬉しそうな顔をするんだ。もともと性格は良くない男だったが、あの意地悪そうな笑顔は一生忘れられん。私が帰ろうとした時、こう言った、『いやあ、一度ダイイング・メッセージというのをやってみたかったんだよ。お前にそれを残していくからよろしく頼むぜ』。ふざけた奴だろう？　それから一週間位して彼が亡くなって、私宛ての封筒が見つかったというわけさ」

　会長は肩をすくめた。

「それがその」

「全く、ダイイング・メッセージと言ったら一度きりに決まってるのに、何が『一度やってみたかった』だ。本当に根性の悪い奴だ」

　会長は一人で怒っている。

「ええと、内容は何と書いてあったのですか？」

　巧一にとっては、死んだ人間の性格よりもその方が気になる。すると、会長はぶっきらぼうにぼそりと答えた。

「『ザクロの実』」

「えっ？」

「柘榴《ざくろ》だよ、あの赤い粒々の実を付ける。『市民ケーン』じゃあるまいし。ただ一枚の紙に『ザクロの実』とだけ書いてあった。我々はこの言葉の意味を突き止めるために、ここに毎年集って五年になる。君が提案したように、全部の本を引っ張り出して探し出してもいいんだが、それじゃああまりにも悔しいもんでね。新鮮な発想を持つであろうゲストとともに、彼の命日である春になると、彼への恨みつらみをぶつけながら彼のメッセージの意味を考えるわけだ。ただね、私は最近別の可能性に思い当たって不安を感じているんだよ。奴の性格からして、ただ『かっこいいダイイング・メッセージを残したい』というだけで、本当は何の意味もない言葉を残したんじゃないかってね」

ようやく部屋に引き揚げてからも、窓に叩き付ける雨の音も手伝ってなかなか眠れなかった。

闇に目が慣れてくると、ベッドの脇の小さな本棚のペーパーバックの背表紙がうっすらと読み取れた。ここに、あの本があったら、今から小さな読書灯を点《つ》けて読むことができるのに。

『三月は深き紅の淵を』。

印象的なタイトルだ。心の表面をすうっと冷たい手で撫でられたような気になる。

四人に聞かされた話の筋が、ごちゃごちゃしたイメージとなって頭の中に渦巻いていた。

ダイイング・メッセージを説明したあとでの会長の申し出はますます酔狂だった。明後日の朝までに、その『ザクロの実』という言葉の意味するところを考えろというのである。もしそれが正解であったならば、四人がこの五年間でさまざまなギャンブルで（それはどうやら、巧一の選んだコーヒーカップやスリッパも関係しているらしいのだが）獲得している賭け金を非課税で（！）進呈するというのである。それは、どうやら少なからぬ金額であった。最低百万を超えているらしいのだから、巧一の顔色が変わっていたとしてもしかたがあるまい。たとえ四人がみんなでぼけているのだとしても、やってみるだけの価値はある。

柘榴の実。しばらく食べていない。最後に食べたのはいつだろう。思い出せない。

あのぷちぷちして、甘酸っぱい味と歯触り。そもそも、あの色彩といい、皮を剝《む》いた時のグロテスクな見てくれといい、かなり淫靡《いんび》だ。子供心にも、手でつまみだしたり口にしたりするのが恥ずかしく、どきどきしたのを覚えている。

それを食べさせてくれたのが、近所のお寺の住職だったというせいもあるかもしれない。鬼子母神《きしもじん》の話をしながら柘榴の実を子供に食わせるのだから、かなりブラックユーモア的な情景とも思える。よそからさらってきた子供の肉を食べていた女に、代わりにこれを食えと言って柘榴を差し出す釈迦《しゃか》というものに、巧一はどこか割り切れないものを感じ、つかみどころのない恐怖を感じた。そういう女が子供を守る神様になってしまうところにも、信仰というものの不思議さを覚えた。それ以来、柘榴の実を見る度、子供の血が流れているような錯覚を覚えるようになり、手を触れるのが怖くなったのだ。

柘榴の実。

自分だったらどういう意味でその言葉を使うだろう？

赤い実の冷たい歯触りを思い出すうちに、その粒の一つ一つが少しずつ膨らみ、皮から押し出され、やがてはぷっくりした赤い球体となってふわりと浮き上がり始めた。空中に赤い球体が、沈殿《ちんでん》する赤血球のように無数に漂う。それらはやがてぱちんとはじけ、失速して落ち始め、ゆっくりと赤い液体が、テーブルの上に置かれた本の表紙にぼとりぼとりと飛沫《しぶき》を上げる。赤い表紙。『三月は深き紅の淵を』のオリジナルである。俺は今、第四部『柘榴』を書いている。なぜ自分は柘榴の実が怖いのか、つきとめようとしているのだ。今、俺はその真相にたどり着いた。そう、子供の頃近所の寺で、住職にあの実を食べさせられたせいだ。あの住職はほとんどが金歯で、笑うと人造人間みたいで気味が悪かった。しかも、大人たちが寄り集まっては、あの坊主はとんでもない女好きだとこそこそ噂しているのをよく聞いた。あれは秋の終りだった。寺を通りかかったとき、化粧の濃い、口の大きい若い女が寺からこっそり出てきた。巧一の顔を見て一瞬ぎくりとし、そのあとでなぜかにたりと笑った。その女は柘榴の実を食べていたらしかった。歯の隙間と、黒いワンピースの大きく開いた胸元に赤い果汁の染みが見えていた——そう、そうだ、思い出した。あの女はきっと住職と一緒に子供の肉を食べていたのだ。そうだ、きっと俺も住職に、柘榴の実だと偽って子供の肉を食べさせられていたのだ。

巧一の翌朝の目覚めは、爽《さわ》やかとは言いがたかった。

眠りが浅く、総天然色の夢をオールナイトで見ていたのである。最初は子供の頃の夢を見ていたのだが、やがてアッシャー家の長い廊下を、斧を持ったジャック・ニコルソンに追いかけられるはめになった。やっと逃げ込んだ部屋では、巨大な灰色熊が窓枠を突き破って襲いかかってきた。『この家には地下室があるよ』。金子会長が病院でベッドに付き添いながらそっと囁いた。どうやら、顔は見えないが、ベッドで寝ているのは圷比呂央らしい。『それがダイイング・メッセージだ』。この調子でえんえん朝まで続いたのだから、目が覚めた時もまだ夢の中にいるのかと思った。しかも、いつも目覚めるワンルームのマンションではなく、天井の高い立派な部屋での目覚めである。自分の置かれている状況に気付くまで若干の時間を要した。しかし、彼が完全に目覚めるまで大した時間はかからなかった。寝ぼけまなこでドアを開けたとたん、仁王立ちになった巨大な犬が覆いかぶさってきたからである。

「おはよう、鮫島くん。よく眠れた？」

キッチンに入ると、鴨志田の大声が降ってきた。ベーコンを炒《いた》めるいい匂いがする。

昨日と同じ箇所をぶつけた巧一は、いまやじんじんする肘を抱えながら、足元にまとわりつくこの犬に蹴りを入れるか入れまいか迷っていた。

「ええ、まあ」

「今朝はイングリッシュ・ブレックファーストで行こうと思ってさ。まずはグレープフルーツジュースでも飲んでよ」

部屋を見ると、皆既になごやかに談笑している。ゆうべは遅かったし、四人ともかなりの酒を飲んでいたはずだが、今目の前の四人を見るに、そんな気配はみじんもなかった。怪物のような年寄り連中だ、と巧一は隈《くま》のできかけた目をこすった。

雨は上がっているようだった。曇り空で風がある。時折気まぐれに日の光が射しこむ。テーブルに着いた巧一はもじもじした。白いナフキンに淡いグリーンのテーブルクロス、ずらりと並ぶ銀の食器。コーヒーポットから砂糖壺、ガーベラの生けてある花器まで揃いらしい。昨日はスーパーのビニール袋から塩煎餅を出して食べていたくせに、両極端な連中だ。コンビニに駆けこんでおにぎりをひっつかみ、会社の椅子で牛乳と一緒に流し込むいつもの朝食とはえらい違いである。

相変わらず素早い動きの鴨志田が、大きな鉄のフライパンから次々とスクランブル・エッグを皿に盛ってくれる。クレソンと玉葱《たまねぎ》、そして昨日の残りらしい菜の花のサラダが取り分けられる。

一同、寛《くつろ》いで黙々と朝食を摂《と》る。

「あのう、ゆうべあれから考えてみたんですが」

巧一はカリカリに焼いた薄いトーストにマーガリンを塗りながら口を切った。

「単純なところから始めてみますと、坪さんの家の庭に柘榴の木が生えていたり――しませんね」

四人の侮蔑のまなざしに、巧一は下を向いてスクランブル・エッグをかきこんだ。

「まあまあ、可能性は一つ一つ潰していかなくちゃ」

会長がとりなすように言う。

「少なくとも圷の家の庭には、柘榴の木は生えていなかったよ。庭はほとんどなかったし、木を植えると手入れが必要だからと彼は植物の類《たぐ》いを家の中に置いていなかった。とにかく、彼は私生活のほとんどを読書に捧げていたから、それ以外の趣味は全く持っていなかった。これでも家を移築する時は細心の注意を払ったんだよ。まだ彼のダイイング・メッセージの意味も分かっていなかったし、どこかに埋めてあるのでは、と考えないこともなかったし。しかしね、日本のこのじめじめした気候の土地で大事な本を土に埋めるってことはほとんど考えられないね。細心の注意を払っても、たちまち湿気でぼろぼろになってしまう。それでも一応彼の土地は徹底的に調べたよ、その線ははずしてよさそうだ」

会長の口から「徹底的に」という言葉が出ると、さらりとした口調でも凄味があった。本当に、洗いざらい調べたのだろう。

「では、家の中に何か柘榴を意匠とするようなデザインはなかったのですか。フランク・ロイド・ライトに心酔していたというのなら、家具や生活用品のデザインにも興味を持ちそうなものですが」

「ふむ、それもなかったね。彼はそこまでは、日本ではコストがかかりすぎるといってやらなかったし、抽象的なデザインを好んだからね。具体的な意匠は、よほど伝統的なデザインでない限り格好がつかないし、結局子供っぽいものになるからと言って採用しなかった」

　会長はガタリ、と立ち上がると隣りの居間に行き、一冊の本を持ってきた。三省堂の「世界シンボル辞典」である。

「まあ、五年も経ってるからね。私もそれなりに勉強したよ。入谷《いりや》の鬼子母神までみんなでお参りに行ったりしてね。しかし、『柘榴』なるもののイメージと呼応するだけのものはないね。ちなみにここに書いてある柘榴の意味を読んでみようか。私らがイメージできないだけで、君には何かイメージできるかもしれない――ザクロ。ザクロは、不死。一の中の多、多年の豊穣、多産、豊富、を象徴する。【仏教】柘榴は、シトロンや桃とともに、〈至福の三果実〉の一つである。【中国】柘榴は、豊かさ、豊穣、子孫、子宝、幸福な未来、の象徴。【キリスト教】ザクロは、永遠の生命、霊的豊かさ、の象徴。また、ザクロは多くの種が一つに集まっているので、信徒の集まりとしての〈教会〉を象徴する。【ギリシア・ローマ】ザクロは、春、若返り、不死、豊穣、の象徴。女神ヘラ／ユノの持物であり、また大地への春と豊穣の回帰を象徴する女神ケレスとその娘ペルセポネの標章でもある。ザクロは、神ディオニュソスの血から生えた植物ともいわれる。【ユダヤ教】ザクロは、再生、豊穣、の象徴。また、祭司服の鈴と組になって、大地を受胎させる雷と稲妻を象徴する」

　会長は本を閉じた。

「ちなみに、彼は何の宗教も持っていなかった。典型的な日本人だね。植物に関して特に興味や造詣《ぞうけい》が深かったということもなかった」

「ううん、特に何かに結び付くという感じはしませんね。店の名前では？　もしくは地名とか」

「実は、電話帳や日本全国の地図も調べたんだよ。しかし、彼自身『家の中に隠してある』と明言してるんだからね。やっぱりそれはないかと思ってね」

この連中は本気なのだ、と巧一は思った。相当手を尽くしているに違いない。ゆうべ色気を出した百万円は、たちまち宇宙の彼方へと遠ざかっていく。

苺《いちご》と林檎《りんご》の入ったヨーグルトをたいらげながら、巧一は考えこんだ。

この件に関してはよほど論議を尽くしたのだろう、四人が巧一を見守る目は余裕だ。昨日初めて話を聞いたばかりの若造にこの謎は解けそうもない。

「ええと、物理的に考えるとどうなんでしょうね？　本が隠してある。家の中に。となると、ある程度のスペースが必要になる。逆にそのスペースに該当する箇所を見ていけばいい」

「それを言うなら、壁や天井は全部その対象になるね。どこかに一冊埋めこむのはそれほどたいした行為でもない」

一色が腕組みをして口を出した。隣で会長が頭を掻く。

「えーと、だね。ここで告白すると、私も業《ごう》を煮《に》やして、こっそり知り合いの業者を呼んだことがあるんだよ。その、建築工事が手抜きかどうか調べる機械があってね。壁に音波をぶつけて、その反響のしかたで壁の中に適正な強度の骨組みが埋められているか調べられる。壁の中に隙間や上げ底があるとかなりの精度で判る。それを使って――」

「え、その話初めて聞きましたよ」

水越夫人が目を丸くする。

「やっぱりフェアプレイっていうのは難しいもんでね。とにかく、白だね、壁の中は。ばっちり建築基準を満たしてたよ、満たしすぎるほどに」

会長は開きなおった。会長がずるをしたというのは別の機会に追及するにしても、また一つ可能性が潰されたことは確かである。

「駄目、ですね。出直してきます」

「なかなかいい線いってるんだけどねー」

鴨志田が、目の前の暖めたカップに香り高い紅茶を注いでくれた。

「残された結論はやっぱり、木の葉を隠すなら森、かしらね」

水越夫人が遠い目でつぶやいた。

「そろそろ、あきらめて虫干ししましょうか。うちの授業の学生を応援に寄越しますから。本音を言えば、私もいい加減に第四部が読みたい」

「おいおい、まだ賭けは途中なんだから。明日の朝までそういう結論はなしだ」

「ええと、そのダイイング・メッセージですけれど、本当に『ザクロの実』だったんですか？」

「本当に、というと？」

巧一は抵抗を試みた。四人が巧一を振り返る。

「本当は別の言葉が書かれていたとか。字が汚くて他の言葉が書いてあったのに読みとれなかったとか」

「ふむ。それもなさそうだね。奴は製図も恐ろしく綺麗だったし、印刷したような完璧な字を書くんだよ。それに、『ザクロの実』というのは『三月は深き紅の淵を』のキーワードでもあるからな」

「えっ？」

巧一が聞き返すと、四人は顔を見合わせた。一色が慌てた。

「ごめんごめん、まだこの話をしてなかったですね。これもね、あの本をめぐる謎の一つなんです。四つの章のどこかの場面に必ず柘榴が登場するんですよ。さらりと描写されていて気付かないほどなんですけどね。ただの情景描写です。第一部では、エピソードの一つに、おばあちゃんの家の夜の話というのがあって、おばあちゃんの家の奥の座敷に、黒い漆塗《うるし》りの盆に柘榴の実が盛ってある、という描写がある。後ろには『遊びをせんとや生まれけむ』

の歌を書いた金の屏風がある。ただそれだけで、何も言及されてはいない。私も誰かが指摘するまでは気付かなかった。第二部はどこだったかな、ええと、死んでいる彼女が発見された時、台所の流しに柘榴の皮が捨ててあった。この箇所ですね。第三部は主人公の少女が別荘地の少年からうけとるポストカードの写真が柘榴である。これは、はっきり柘榴だとは言ってない。赤い透明なカプセルをびっしりバスケットに埋めこんだおもちゃのような果実、とかなんとか描写されています。第四部は、ちょっとどこだか判らないな。主人公が物語を想像するシーンにやはり柘榴が出てくるという話です。だから、『三月』の隠し場所のダイイング・メッセージに『柘榴の実』というのはなかなか決まっているんですよ」

「その、柘榴が出てくる場面の情景に何かヒントがあるんじゃないですか。漆塗りの盆がしまってある場所だとか、台所の流しの下だとか」

「うん、それは私たちも考えた。でも、台所の流しの下にも、コンポートを入れた棚にも、郵便受けの中にも本はなかったね。このうちに金屏風はないし、和室もない。物語の描写と何かの関連があるとは思えない」

「彼は建築家ですよね。何か建築関係の隠語であるという可能性は」

「それも調べた。彼の仕事仲間を当たってね。なにか柘榴をイメージするような建築物はないかとか、柘榴と呼ばれている家はないかとか。ずいぶん変人だと思われたらしいが」

「うーん。八方塞《はっぽうふさ》がりだなあ」

巧一の弾はあえなく尽きてしまった。思わず天を仰ぐ。
「ま、時間はまだたっぷりあるから考えてよ。何か思い付いたらまた質問して。あ、予告しとくけど、お昼はカレーです」

驚いたことに、四人は朝食を終えると、それぞれ本を取り出し、台所のテーブルの隅っこを占めたり、ソファに転がったり、床に置いたクッションの上に腹這いになったり、肘掛け椅子に座って足をコーヒーテーブルに乗せるという乱暴な姿勢になったりして、勝手に本を読み始めたのだ。彼等はたちまち没頭すると、巧一など目に入らないかのようである。そこで、巧一も部屋に戻って読みかけの文庫本を開くことにした。

しかし、トム・クランシーの新刊を開いても、四人のようにはなかなか没頭できない。頭の中は「ザクロの実」でいっぱいである。たちまちベッドの上に本を放り出し、ついでに自分の身も投げて考え込む。

他に、いったいどんな解釈が成り立つというのだろう？　ダイイング・メッセージを残すからには、ある程度残された方にもそのメッセージに知識があるもの、そのメッセージの目指すところにたどり着ける可能性があるものを残すだろう。会長があれだけ徹底的に調べて見つからないものを、自分が見つけられるものなのだろうか？　第一、自分だけが『三月は深き紅の淵を』を読んでいないのだ。一色は、各章に描かれている柘榴の描写に意味はないと断言していたけれど、じつはその描写の前後の部分に意味があるという可能性がないとは言い切れないのではあるまいか？　その柘榴に鍵があって、小説自体に何か仕掛けがあるのかもしれない。圷はその意味に気付いていて、その意味に関係するメッセージのつもりで残したのかもしれないではないか。

そう考えていくと、巧一は『三月は深き紅の淵を』が矢も楯もたまらず読みたくなってきた。自分が読めば、その鍵がつかめるかもしれない。誰にも開けられない瓶の蓋が、自分ならば開けられるかもしれないと誰でも一度は考えるものである。実際に開けてみると、自分も成功しなかった者のリストにたちまち加わってしまうのだが。

その時、ピシッ、という鋭い音がして巧一は跳ね起きた。

窓の外の風だ。この頑丈な家の中にいると気付かないが、かなり強い風が吹いているらしい。巧一は立ち上がると窓に近付いた。

何の木なのだろう、窓の桟《さん》に不自然に折れまがった枝が数本ひっかかっていた。こんなところまで枝を伸ばして、窓ガラスを叩くとは。見た目にはただの枯れ枝でしかないのに、もう少しすればまた空いっぱいに芽吹くとは、いつ見ても信じられない。

ふと、遠くの林の木々の間に、一人の男の後ろ姿を見た。

その男はゆったりと遠ざかっていった。中肉中背、中年以上の年齢だろう。

焦げ茶のコーデュロイの帽子、ゴム引きのコート。それはまるで、水越夫人が話した、横浜のホテルに現れた小泉八雲のような——

巧一は目をこらして、窓ガラスにはりついた。しかし、次の瞬間には、その男は影も形もなかった。窓のはじからはじまで移動して、きょろきょろ角度を変えて見てみたが、何も生き物の気配はなかった。

見間違えか？　人間を見間違えるものだろうか？　帽子をかぶって、コートを着た人間を？　それとも、居間にいる四人のうちの誰かが散歩をしているのだろうか？

巧一は混乱した。ゆうべ聞いた物語の中に、自分が入り込んでしまったような気持ちだった。今朝見た夢にもこんなシーンがなかったっけ？

巧一は落ち着かず、『役立たず』がドアの外にいないか一瞬確かめてから居間の前を通った。そっとのぞくと、四人はあいも変らず同じポーズで、居間と台所で本を読んでいる。

あの距離からここまで戻ってくるのは無理だろう。四人以外の人間だ。ひょっとして、泥棒？　これだけ広大な土地だ。外部からの侵入者が潜《ひそ》む余地はいくらでもあるだろう。そうやって考えると、広大なお屋敷というのは怖いな。会長に話した方がいいだろうか？　巧一は迷った。しかし、もし不審な人物だとしても、昼間に侵入してくることはとりあえずないだろう、と考えなおした。庭師か何かということも考えられる。昼食の時に訊いてみよう。

せっかくここまで歩いてきたのだから、書庫となっている部屋をのぞいてみよう、と巧一は思い立った。何かの拍子にその本が見つかるかもしれない、という淡い期待があったのも事実である。

しかし、一番手前にあった部屋の扉を開けたとたん、それは無理だと悟った。

とにかくぎっしり、お城の石垣のように本が詰め込まれているのである。それはほとんど芸術的と言えるほどだった。よくまあ、こんなに本を読んだものだ。巧一は改めて感心した。手前に平積みになっている本の背表紙をずっとたどってみる。本当にめちゃくちゃな読み方だ。「カラマーゾフの兄弟」の第一巻があるかと思えば、稲垣足穂《いながきたるほ》全集の第一巻もある。その隣には「あなたも脱税ができる」や、「パチンコ必勝法」というのもある。「長靴下のピッピ」というような児童文学と、「防衛白書」が無造作に積み上げられている。とにかく活字であれば良かったんだな、本当に中毒だったのかもしれない、と巧一はあきれた。試しに一冊引き抜こうとしてみたが、とてもじゃないけれど本は動かない。この調子でどの部屋にも本が詰め込まれているのだとすれば――

「やっぱり、虫干しだな」

巧一は知らず知らずのうちに呟いていた。それとも、本はバリケードで、その後ろに見知らぬ空間が続いているのだろうか？　巧一は本の山の後ろをのぞきこんだ。そこにもびっしり本の背表紙が見える。「カラマーゾフの兄弟」の続きが見え、「魚のおいしい焼き方」という文字も見えた。

「どうだね、本は見つかったかな？」

すぐ後ろで声がして、巧一は飛び上がった。ふりむくと、会長が立っている。

「いえ、とてもとても。よくこれだけ本を詰め込みましたねえ」

「そうだろう？　奴は一度読んだ本はとりあえず二度と読まないからね。初めてこの家に、彼が住んでいる頃来た時は驚いたよ。キッチンテーブルの脇に、読んでいない本が三列くらい平積みになっている。それを、アイロンがけでもするみたいに手に触れたものから順番に読んでいくんだ。この先これだけ読むものがある、っていう確信がないと不安なんだそうだ。列が少なくなるとすぐに補充。そして、読み終わった本をどんどん部屋に投げ込んでいくのさ」

「強迫観念に近いですね。でも、これだけ収納場所があるからできるんですね。僕のところなんか、すぐに本が溜まっちゃうから、どうしても本を買うのをためらっちゃいますよ。でも、面白かった本なんてなかなか捨てられないし、古本屋に持っていくのも面倒だし。坏さんは、借りずに買って読む主義だったんですよね？　こうやって、今までの人生で読んできた本がずらりと並んでるっていうの、羨ましいですね。僕は、最近は専《もっぱ》ら図書館だから。生まれて初めて開いた絵本から順番に、自分が今まで読んできた本を全部見られたらなあ、って思うことありませんか？　雑誌やなんかも全部。そうそうこの時期はＳＦに凝ってたなあとか、この頃はクラスの連中がみんな星新一読んでたなあとか。それが一つの本棚に順番に収まっていて、ぱらぱらめくれたら。そういう図書館が一人一人にあって、他人の読書ヒストリーをのぞくっていうのも面白いだろうなあ。好きな子のを見て、同じ本を探して読んだりして。学校の図書館はカードだったから、時々いたな、好きな子の名前を探して、あとを追って本を読んでる子」

「それは、いいねえ。個人読書録ライブラリー。懐かしいだろうなあ。完全な本棚というのは、ありそうで、ないものねえ」

会長はしきりに感心している。

「何か新しい展開はあったかしら？」

カレーの匂いにつられて居間に入っていくと、森茉莉《もりまり》全集を読んでいた水越夫人が顔を上げてにっこり笑った。

「いえ、何も」

巧一は頭を掻いた。

「でもさ、我々がこうして五年も年月を費やしてきたことを考えると、これで鮫島くんに答を見つけられちゃあ、立場ないよね」

鴨志田がおたまを片手に大声で笑った。

「ところで、この敷地内には、どなたか他に住んでいらっしゃいますか？」

おもむろに巧一が尋ねると、みんながびっくりしたように顔を上げる。

「どうして？」

会長が聞き返した。

「いえ、先ほどですね、僕のいる部屋の窓から、林の中を人が歩いているのが見えたんです。中年の男性でしたね。それが、笑っちゃうんですよ。ゆうべ聞いた水越さんの話にそっくりで。焦げ茶の帽子にゴム引きのコートを着てて、夢でも見てるのかと思いました」

「まあ」

四人は顔を見合わせる。

「千堂《せんどう》さんかもしれないなあ。多分そうだろう。そろそろ桜の季節が近いから、『春の家』の手入れにかかるって言ってたし。ここの家は通年で使うわけではないから、人を頼んで家と庭の手入れをしてもらってるんだよ。家というのは人が住むことが何より大事でね。どんな立派な家でも、無人状態だとたちまちさびれて、壊れてくる。どうしても中に人間が住んで、水を使ったり、窓を開けたり、明かりを点けたりすることが必要になる。人間が使わないと、家もたちまち呼吸不全になるというわけだ」

「家をたくさん持っているのも大変ですね」

巧一も深くは追及せずに相槌《あいづち》を打った。それでも、あの男の後ろ姿が目に焼き付いていた。あの帽子、あのコート。水越夫人が横浜で目撃した小泉八雲が、またしても時を越えて、現代のこの屋敷の庭に現れたのだろうか。彼も『三月は深き紅の淵を』を探し求めているのだろうか。詳しくは知らないけれど、小泉八雲は日本に来るまえにも世界中を旅する旅行作家のような仕事をしていたと記憶している。彼の旅する魂は、今もトランクを抱えて世界をさまよっているのかもしれない――

午後も、引き続き読書三昧《ざんまい》だった。四人の集中力たるや、恐ろしいほどである。巧一もすっかり寛《くつろ》いでしまい、居間に移動してきて床のふかふかしたカーペットに寝そべって本を読むことにした。『役立たず』を枕にすると非常に具合のよいことが判明したので、鴨志田の許可を貰ってその体勢で本を読むことにした。『役立たず』は巧一の軽い頭などものともせず、悠然と寝そべっている。やがて、巧一はあまりの心地良さに、本を顔に乗せたままぐうぐう眠ってしまった。今度は、何の夢も見なかった。

「鮫島くん、もうすぐ夕食だよ」

目が覚めると、既に外は薄暗くなっていた。『役立たず』がおもむろに立ち上がったので、巧一の頭は滑り落とされることになった。

なんという自堕落《じだらく》な一日。お昼のカレーがまだ完全に消化されていないうちに夕飯の時間になるとは。こんなにきちんとした三度の食事を摂るのなんて、何年ぶりだろう。

「よく寝てたねえ。みんなが上をまたいでも、全然起きなかったよ」

「やっぱりゆうべは眠れなかったんでしょ」

みんなが口々に言うので、巧一は恥ずかしくなった。これじゃあ、まるで子供だ。

「僕、ちょっと外の空気を吸ってきます」

「風が冷たいから、上に何か羽織《はお》った方がいいわよ」

水越夫人の声を背に、巧一は廊下に出た。


外に出たとたん、重力から解放されたような、身軽になったような気分になった。

この家にはやっぱり何かある。何か重たいものが。

辺りはすっかり暗くなり、冷たい風が林の木々を揺らしていた。ヒューヒューという音が、どんよりした灰色の雲の澱《よど》む上空を飛び回っているのが見えるようだ。

たちまち身体の芯まで冷気がしみとおってきて震えあがったが、それでも濁っていた頭の中が晴れ上がったようで、気分は爽快だった。

車寄せまで出て、家全体を眺めてみる。

本当にひらべったい、チョコレート・ケーキのような家だ。中に入ると、そんなに圧迫感はないし、実際は天井も高いのに、こうして見ると寸詰まりのようだ。この家を上から見ると、柘榴の形をしてるとか、そういうことはないよな？　もしそうだとしたって、何のヒントにもならない。この家に本があるってことはもう自明の事実なんだから。

ざくろ。ざくろの実。

群青色と灰色が混ざりあう暗い空を見上げながら、巧一は呟いた。

冷えきった身体に気付いて、巧一は足早に玄関に向かった。

すっかり警戒心を解いていた彼がドアを開けたとたん、すぐ目の前に『役立たず』の顔があった。


「今日は『日本の夕飯スペシャル』だよ。ご飯に合うものは酒にも合う。いい日本酒いっぱい用意してあるからさ、ガンガン食ってガンガン飲んでね」

テーブルの上は、大皿惣菜《そうざい》居酒屋のようだった。

鰹節とコンニャクの煮物、小松菜とアサリの煮びたし、ワカメとキュウリの酢の物、イワシの梅干し煮、コロッケ、カボチャの煮物、キンピラ、などなどずらりと料理が並び、テーブルの脇のクーラーボックスには色とりどりの地酒の瓶が顔をのぞかせている。

「おお、こりゃいいねえ。うまそうだ」

会長たちは目を細め、たちまち杯を空にしていく。仕事ができる人間というのは、消化器もエネルギッシュにできているらしい。

一番若いのに、一番体力ないなあ、俺って。

巧一は力なくビールグラスに口をつけたが、頭の中ではさっき玄関で『役立たず』の顔を見た時の違和感に気を取られていた。さすがに三回目となると身体が覚えるのか、今度は『役立たず』にのしかかられず、間一髪のところで逃げ切ることができた。『役立たず』は不満そうな顔をしていたが、巧一はその時、何かが間違っているような奇妙な感覚に襲われたのである。

「今の若い人って、本読むのかなあ？」

巧一の夢想は破られた。冷酒のグラスを手に、鴨志田がカウンターの向うから乗り出している。またしても読書の話題だ。本当に好きなんだなあ、この人達は。

「僕の知ってる範囲じゃ両極端ですね。読む人はマニアックなまでに読む。読まない人は読まない。でも、会社とか見てると、やっぱりみんな読まなくなってると思いますね。女の子はファッションでしか読まないし」

「やっぱりねえ。うちの学生見てても、読んでないですもんね。だいたい顔見ると見当がつく。本いっぱい読んでる学生は、なんといいますか、目と目の間の奥の方にぎっしり何かが詰まってるような顔してる。でも読んでない学生は、目と目の間の色が薄くって、スカッとした感じなんですねえ」

一色が溜め息をついた。巧一は話を続ける。

「だいたいですね、僕はここでこうして本の話してますけど、今の若者世代じゃ本の話なんてほとんどタブーに近いですよ。読んでても、恥ずかしくて、読書してますなんて言えない。『お前試験勉強してるか?』『全然だよ』っていうのと同じです」

「そうかねえ」

「僕は、今の時代、本読む人間は昔よりも憎まれてるんじゃないかって気がするんです」

巧一はビールを飲み干した。

「そいつは聞き捨てならないねえ。どうして?」

「うーん。日本の社会自体、本読む人間には冷たいんですよ。本読むのって孤独な行為だし、時間もかかるでしょ。日本の社会は忙しいし、つきあいもあるし、まともに仕事してるサラリーマンがゆっくり本読む時間なんてほとんどないじゃないですか。本なんか読ませたくないんだな、って気がする。例えば僕が上司に、飲み会を断るとしますよね。『今日は早く帰って、こないだ並んで買ったTVゲームやりたいんです』って断る。上司は苦笑するでしょうけど、『しょうがない奴だな。あいつオタクなんですよ』で済ますでしょう。でも、『今日は早く帰って本読みたいんです』って断ったとしたらどうです? 上司の心中はきっと穏やかじゃないだろうし、きっと僕に対して反感を持つでしょうね。みんなTVゲームは画一的で、本人の思考が入る余地がないこと知ってるから安心できる。でも、本読む奴というのは、みんなと違うこと考えてる、一人で違うことやってる人間だと見なされる。上司から見れば、『あいつ、俺の知らないところで俺に黙って何考えてるんだろう』って風になるんでしょうね。今、価値観の多様化とか言ってるけど、僕は完全に二極化するんじゃないかと思います。そういう多様な世界と、保守的な大多数の世界と。その保守的な大多数の世界――僕が今いる環境とかそうですよね――それは今、ローラーで有無を言わさず一色に塗りつぶされようとしているんですよ。だからその保守派に属する平均的日本人は、多様化の方の世界の人間が何をしようと平気だけれど、自分と同じ保守派に属している人間が本を読むのを憎む。一人で違うことをするな、一人で違うこと考えるなって。日本人て、人間関係をわずらわしがるくせに、孤独にはものすごく弱いじゃないですか。それを解決する方法が、みんな同じことをするという手段なんですね。あの人も私も同じことしてる、だから私は孤独じゃない。それで、自分だけ違うとか、周りにいる誰かが違うことするとかいうのにとっても敏感でしょう」

「ふうん。そうかもしれないね」

「恐ろしい話ですねえ。確かに、これほどこぞってビジュアル化が進むというのは画一化を助長してますよね。オリジナルに触れる機会も、必要もない。コピーはできるし、難解な哲学や世界文学全集にもダイジェスト版やマニュアルが出回る。本なんか読まなくてもいいよ、ほら、こっちにこんな簡単なものがあるだろう、ってなもんで。読むな、見ろ、と。みんなで同じものを見よう、と」

「いきなり深遠な話題になったわねえ。若い人からそういう話を聞けるのは楽しいわ。今年のゲストは大当たりだったわねえ」

水越夫人が嬉しそうに日本酒を注いだ。巧一は一息にしゃべってしまってから、青臭いことを言ってしまったと、また恥ずかしくなった。そして、その時ふと心に浮かんだ疑問を口に出した。

「『三月は深き紅の淵を』を書いた人は、いったい何のためにその本を書いたんでしょうね？」

みんなの動きが止まる。

「何のために、とは？」

会長が尋ねた。

「今の話をしてて思ったんです。その人の目的はなんだったんだろうって」

「目的？」

みんなの目が鋭くなっているのに、巧一はとまどった。

「僕は作文も下手だったし、小説家の気持ちは分からないけれど、いい作品ができたらみんなに読んでもらいたいと思うんじゃないですか？　逆に、誰にも読ませたくない、一人で持っていたいというなら黙っていればいいんですよ。でも、その本の作者はどちらでもない。目の前に餌をぶらさげるようなことをしてひっ込めるという、とても回りくどいことをしている。だから、僕が思うに」

巧一はちょっとためらった。

「僕が思うに？」

　水越夫人が促す。

「その本を書いたこと自体が何かの仕掛けなんじゃないかなあ、って思うんです。特定の誰かに向けたメッセージなんじゃないかって。そういう本を世に出して、回収した。もう、読むことはできない。ヴィーナスの欠けた腕みたいなもので、ないからこそみんなの想像力をかきたてて、謎の名作として残っていく。それが作者の真の目的だったんじゃないかなあって思ったんです」

　みんなが黙り込む。

「そう——そうかもしれないね」

　会長が呟くように言った。

「もしここに、今手元にあの本があったら、こんなに長いこと関心を持続してこれなかったかもしれないねえ。記憶の中にある本、かつて読んだ本ぐらい面白いものはないからね。いや、確かに」

「あの、決してその本が面白くないという意味じゃないですよ。僕も是非読んでみたいと思うし。昨日今日と皆さんを見てて、本のこういう楽しみ方もあるんだなあって羨ましく思いましたもの」

　その場の雰囲気がしんみりしてしまったので、巧一は慌てて打ち消した。しかし、心のどこかでは、それがその奇妙な本の真相なのではないか、という確信があった。

「いやー、なかなか今年のお茶会は実りがあるお茶会だったねえ。最初はどうなるかと思ったけど、鮫島くん、後半の追い上げが凄いじゃない？　ここでもう一晩考えてくれれば、彼なら『ザクロの実』の真相をつき止めてくれるかもよ」

鴨志田が豪快に酒を流し込みながら笑った。

「よし、ここでとっときの酒を開けちゃおう。俺たち、めったに乾杯なんてしないんだけど、なんとなく乾杯したい気分になったな。この若くて素晴らしいゲストのために」

「そうねえ。いいわねえ」

冷蔵庫から小さな、ラムネの瓶のような青い色の瓶の酒が取り出され、五人のグラスにきいんと冷えた透明な酒がなみなみとつがれた。皆がグラスを高く掲げた。

「素晴らしいゲストに」

「坏のダイイング・メッセージに」

「皆様の健康に」

「この五年間に」

「そして、我々が求めてやまぬ『三月は深き紅の淵を』に」

「乾杯！」

杯は一斉に干された。

その夜、遅くまで飲み食いして盛り上がり、部屋に戻ってきてからも、巧一は奇妙な感覚に悩まされていた。何かが間違っている。

ベッドにぼんやり腰掛けると、アルコールで重くなった頭に顔をしかめながら、窓の奥の闇を見るともなしに見つめた。まだ風は止まない。ゴーッ、という遥かな音が闇の向こうに響いている。風の音は怖い。それは、原始的な恐怖だ。太古の世界で、野や山で風から逃れようと身体を縮めていた祖先たちの恐れが蘇るのだ。

ここにこうして座っていると、普段意識してもいないような記憶が次々と浮かんでくる。そして、俺は今、何か引っ掛かったものを取り出そうと必死になっている。なんだろう。何がおかしいんだろう。巧一はうなり声を上げ、ベッドに倒れこんだ。

目に入るペーパーバックの表紙。アッシャー家は炎上し、激しい震動とともに割れた地面に飲み込まれてゆく。『この家の地下には書庫があるよ』会長の声。『読んだ本を次々に放り込んでいくのさ』地下室には誰かがいる。これはスティーヴン・キングか。地下室の扉に『神』となぐり書きしてあった、という出来事から始まる恐怖小説があったな。誰の小説だっけ。

いつのまにか、巧一はチョコレート・ケーキのような家の前に立っていた。

あれ、本当にチョコレートだ。壁を指で押すと、どろりと溶ける。いやいや、チョコレートじゃない。この家は子供の肉でできているのさ。どうだい、舐めてみるかい？　なんたってこの家はザクロの実なんだから。『そんなはずはないぞ。私は建築基準にのっとってこの家を建てたんだからな』会長の怒った声が聞こえる。

玄関のドアには『MARCH』というアルファベットがなぐり書きされている。そうか、この家は『春の家』なんだな。巧一はドアに手をかける。ばたんと開いた扉の向こうに、『役立たず』が後足で立って待ち構えていた。なんてでかい犬なんだ。『違います、違います。私は本当は馬なんですよ』。『役立たず』が突然首を左右に振って口をきいた。どう見ても犬にしか見えないぞ。『今証拠を見せます』すると、見る見るうちに耳がとがり、鼻がするすると伸びてきて、『役立たず』は馬になった。ひひーん、といななき、蹄《ひづめ》を振り上げてみせる。おお、本当だ。『役立たず』は馬だったのだ。ところが、この馬は今度は見る間に縮み始めた。おいおい、どうしたんだ。どんどん縮んでいく。猫よりも小さく、鼠よりも小さく。『あったあった、私のカフスがこんなところに』突然大きな腕がにょっきりと突き出され、今やカフスボタンとなった『役立たず』を、海老沢課長が取り上げた。『鮫島くん、犬なんかにだまされちゃいかんよ』巨大な海老沢課長が腕をめちゃくちゃに振り回しながら指揮棒を動かし始めた。たちまちフル・オーケストラで『ワルキューレ』の演奏が始まる。やめてくれ、お前はフランシス・F・コッポラか。あまりのうるささに、巧一は耳を塞《ふさ》いで外に飛び出した。すると、そこにも『役立たず』の顔が目の前にある。またお前かあ。何が言いたいんだ。『鮫島くん、私に黙ってザクロの実を食べただろう』たちまち金歯をむき出した住職の顔になる。

「あっ」

巧一は自分の叫び声で夜中に目を覚まし、ベッドの上に跳ね起きた。全身が汗びっしょりだった。心臓がどきどきしている。


翌朝は、久々に抜けるような青空だった。

「おはよう、鮫島くん。ゆうべは良く眠れたみたいね。顔が晴れ晴れしてるもの」

「今日で年寄り連中と別れられるのが嬉しいんじゃないの」

相変わらず軽口をたたきながら、四人が巧一を迎えた。

「今朝は中国粥《がゆ》です」

鴨志田がウインクをしてみせる。温かそうな白い湯気がテーブルの上を覆っている。

急に、この四人と別れるのが淋しくなった。こんな朝食ともお別れかあ。結構面白かったのに。

テーブルには梅干しや高菜、シソや香菜を刻んだもの、蒸し鶏やチャーシューの細切りが盛られていた。大きな鍋から、鴨志田がいい香りのする粥をよそってくれる。

温かい粥をすすりながら、この不思議な二泊三日のことを考えた。あの鉄の門によじのぼったのが、はるか昔のことのようだった。澄ました顔で朝食を食べている四人の顔を、巧一はゆっくりと見回した。全く、たいした連中だよ。

居間に移動して、食後のコーヒーが配られた後で、会長が口を切った。

「鮫島くん、お疲れさま。よくつきあってくれたね。大変だったろうが、我々は大いに楽しませてもらったよ。さて、一応この場はしめとこうかな。賭けについての君の意見を聞こう」

「どう？　一晩のうちに真理に到達したかい？」

みんなが巧一に注目する。巧一は左右に首を振った。

「分かりません。お手上げです」

はっきり答えると、会長はじっとしていたが、「そうか」とだけ短く言った。

「——『ザクロの実』というダイイング・メッセージに関して言えば、です」

巧一はそっけなく言い添えた。会長が顔を上げる。

「どういう意味だね？」

巧一は四人の顔を見回した。

「でも、そのダイイング・メッセージはまもなく必要なくなると思います」

四人は狐につままれたような顔をした。

「そいつは面白い。聞かせてもらおうじゃないか」

会長は腕を組むと、ソファの背にもたれかかった。巧一は唇を舐める。


「――最初からなんとなく気付いていたんですよ、ここは変な家だ、と。家に足を踏み入れたとたん、現実世界とぶれた、異次元に入っていくような感じがしました。これだけのお屋敷ですから、家の雰囲気のせいかなあ、と思っていたんです。でも、僕が使わせてもらっていた部屋に入った時も、どこか不安な、変な気分になった。どうしてだろう、とこの二日間、心のどこかで考えていました。でも、まだそれだけでは何の根拠もなかったし、具体的に理由を考えようとはしなかったんです。でも、次にやっぱり変だなあと思ったのは、昨日の夕方、外に出た時でした。僕は初日から、この『役立たず』には痛い目に遭わされています。皆さんもご存じの通り、この犬は後足で立ち上がってどしーんと倒れかかってくるっていうのが愛情の表現なんです。この犬、本当に巨大な犬ですからね、後足で立ち上がると相当な高さなんですよ。ほとんど見上げるような感じになる。ところが、あの時、外から中に入ろうとしてやっぱり彼に出迎えられたんですが」

巧一はコーヒーで口を湿した。みんな真剣な表情で聞き入っている。

「あの時は、彼の顔が、目の前にあったんです。それまで見上げていたはずの、『役立たず』の顔が。そのことに気付いて、僕はようやく分かったんです」

そこでもう一度言葉を切る。

「――この家は、沈んでいるんですね」

「それで説明がつくんです。最初の違和感。玄関から中に入る時に、家の中が低くなっていてかなりの落差があるんですね。だから、足を踏み入れる時にすとん、と落ちていく感じがする。だから外に立ってみると、『役立たず』の身長も低くなる。部屋に入った時の違和感も分かります。あの部屋の窓の外には木が一本立っているんですが、外から見て自分で想像しているのよりも木の幹が高い位置にあるんですね。だから、不安な、下から見上げているような気分になる。実際、地面よりも下から木の幹を見ているから、外の地面に立って見るよりも高いところに木があるわけなんです。家が沈む。それはそんなに珍しいことじゃありません。でも、これがごく短期間となると話は別です」

口の中はカラカラだった。巧一はせわしなくコーヒーを口に含んだ。

「窓の外には木がある。昨日、その枝が窓の桟《さん》に引っ掛かって折れているのに気付いた。春になって伸びてきた枝が、沈んでいく家の窓枠に引っ掛かって折れる。これは、かなりの短期間に家が沈んでいることを意味します。なぜ家が沈むのでしょう？」

四人はぴくりとも動かない。

「よく、木造家屋でも、瓦を積んだ時は、家が沈んで土地に重さがなじむまで暫《しばら》く放っておきますね。あれと同じです。つまり、重いものを載せた時に家は沈みます。ここは木造家屋じゃありません。煉瓦造りの、がっしりした家です。この家を沈めることができるような重いものとはいったいなんでしょう？」

巧一は声を低めた。

「もうお気付きですね？　本です。あの、二十近くの部屋を埋める、大量の本。あれだけ大量の本を運びこめば、相当な重量になるはずです。しかし、ちょっとそれはおかしい。なぜなら、あれらの本は、この家を建てた圷比呂央なる人物が、長い年月をかけてせっせと部屋に詰め込んでいったはずだからです。会長、あなたの話によれば、彼は読み終わった本を片っ端から部屋に放り込んでいった、ということでしたね。でも、それもおかしい。僕が昨日、書庫の一つの部屋を開けた時、一番手前の本の列に『カラマーゾフの兄弟』の第一巻があった。ぎっしり詰め込まれた本の奥の列をのぞくと、第二巻が見えた。この話のどこがおかしいか、お分かりですね？　もし、読み終わったその都度、部屋に本を詰めていたのならば、手前の列には第二巻がなければおかしいのです。全集本ならば後の巻が奥にあっても不思議はないけれど、続きものの小説を第二巻から読み始める人はいませんよね？　つまり、誰か他の人物が、あれらの大量の本を一気にこの家に運びこんだのです。なぜそんなことをしなければならないのでしょう？　その大量の本の中には、何年も探している、大事な本が紛れ込んでいるはずなのです」

巧一はもう一度四人の顔を見回した。誰もがおし黙ったままである。

「木の葉を隠すには森の中。死体を隠すには戦争。でも、その逆も考えられます。この森の中のどこかに木の葉があるに違いないと言えば、誰でも信じるでしょう。また、本当は生きているのに、あの戦争で死んでしまったに違いないと言えば遺族は保険金を受け取れる。要するに」

巧一はすうっと息を吸い込んだ。

「『三月は深き紅の淵を』という本は、この世に存在していないのです」

喋り終えた巧一も、聞き終えた四人もほうっ、と溜め息を漏らした。

水越夫人が立ち上がり、無言でコーヒーのお代わりを注いで回った。

全く、なんという——なんという連中だろう。ありもしない本の存在を信じこませるために、あれだけ大量の本を家に運びこむなんて。海老沢課長の「だまされるなよ」という一言がやけに鮮明に思い出された。これだけ手のこんだ悪戯《いたずら》は初めてだ。ここまで手がこんでいると、感心してしまう。

四人は黙り込んでいる。あまりに沈黙が長いので、巧一はうつむいている会長の顔をのぞきこんだ。どうかしたのかな？

よく見ると、肩が細かく震えていた。笑いを必死にこらえているのである。

「——いや、すごい。これは傑作だ！」

こらえきれずに、会長は吹き出した。それを合図に他の三人も大声で笑い出す。

「すごい。すごいよ、これは。本格ミステリみたいじゃない。俺、感動しちゃった。映画みたいなんだもん」

鴨志田は顔を真っ赤にして笑っている。巧一はきょとんとして、笑い転げる四人をきょろきょろ見回した。

「素敵。かっこよかったわ」

水越夫人も目に涙を浮かべている。一色はくっくっくっ、と笑いながらも感心している。

「いやあ、びっくりしたなあ。ちゃんと筋は通ってるじゃないですか。ここでこういう論理を展開した人は初めてじゃないですか？　今年のお茶会は、本当に大当たりですよ。こんなに楽しめる年がこれからあるかなあ」

「あの、僕、そんなに変なこと言いました？」

巧一はおどおどと会長の顔を見た。

会長はくすりと笑うと、咳払いをした。

「うーん、非常に独創的な意見であることは確かだね。じゃあ、鮫島くんの意見に反論するとしようか。まず一つ、この家は沈んではいない。もとからこういう家だったんです。この家は地下に書庫を作るというのが圷の第一目的だったからね。移築するのも一苦労だった。

一度地上部分の家をどかして、潜函《せんかん》工法といって、先に地下に大きな函《はこ》を沈めるところから始めたんだよ。確かにあれだけ大量の本が入ると重い。だから、函は予想以上に地下に下がってしまって、その上に家を建てたら、床が周りの地面よりも低い、変な家になっちゃってね。この件はいいかな？」

会長はちらりと巧一を見た。巧一は小さくなる。

「だから、鮫島くんの部屋の窓の枝は、家が沈んだせいで折れたんじゃありません。先週降った雪の重みでたわんだ枝が、窓枠に引っ掛かって折れただけです」

いともあっさり自分の推理を覆され、巧一は気抜けした。

「次。書庫の本の件。これも至って簡単な事実でね。まだあの家が移築される前、台風が来て漏水したことがありましてね。あの部屋も水が漏ったんです。だから、圷も渋々本を取り出して、修理してから詰め直した。その結果、ああいう順番になった。以上です」

十分も経たずに叩き潰されてしまうとは。巧一は頭を抱えた。

「——すみません」

消え入りそうな声で呟く巧一の背中を、鴨志田がぽんぽんと明るく叩いた。

「あやまるこたあないよ、すっごく面白かったもん」

「そうですよ。それに、実際我々が鮫島くんをだましていたのは事実ですからね」

一色がさらりと言ったその言葉に、巧一は顔を上げた。

「え？」

四人はにやにや笑っている。

会長は、おもむろに立ち上がった。

「そう。確かに我々は君をだましていた。しかし、それは、君が考えていたような騙し方じゃない」

会長はすたすたと壁に近付くと、二対になった藍色のタペストリーの片方を無造作《むぞうさ》にめくりあげた。


巧一はあんぐりと口を開けた。

そこには、壁にはめこまれた、ガラスの扉のついた本棚があった。

中にはずらりと赤い背表紙の本が並んでいる。ぼろぼろになったもの、日焼けして変色しているもの、糸がはみだしているもの。

それらは皆、どれも同じ本だった。

赤い背表紙に、黒い文字のタイトル。そのタイトルは——

「三月は深き紅の淵を」

思わず立ち上がっていた巧一は、知らず知らずの内に声を出していた。

「そう。初版本のうち、二十九冊がここにある」

会長はこつこつとガラスの扉を拳で叩いた。

「じゃあ、本当に」

「すまんねえ。我々はとっくにこの家から本を見つけ出していたし、ここまで本を集めていたんだよ。誰かにこの本の素晴らしさを訴えようとして、ちょっとこんな悪さをしてみたんだけどね」

「じゃあ、『ザクロの実』というのも」

「うん。あれも本当だよ。あのメッセージを解いて、我々はこのうちの一冊を手に入れたんだ」

「いったい、どういう意味だったんですか？」

「ま、それは今夜寝る時のお楽しみにしておくんだね」

会長はにんまりと笑った。

「楽しかったよ、鮫島くん。ごきげんよう。お仕事、がんばってくれよ」

『役立たず』と四人に玄関で見送られ、門の外に出てきてしまってからも、巧一はあんぐり口を開けたままだった。

背中で門の閉まる音を聞き、ようやく巧一は我に返った。

もう四人の顔など、すっかり頭の中から消え去っていた。彼の頭の中には、あのガラスの扉の内側に入っていた、ずらりと並んだ赤い背表紙の本だけがくっきりと焼き付いていた。その背表紙に刻みこまれた黒い活字だけが。

本当にあったんだ、あの本が。とても魅力的な、読み始めたら最後までやめられないような本が。謎が謎を呼び、いつまでも続いているような錯覚を覚えるような本が。いつか。いつかきっとあの本を読んでみたい——あの赤い表紙の本を手に取って、自分の部屋の本棚に並べてみたい。

丸い輪っかのついた坂道を、巧一は転がるように降りていった。

いつかきっと。

空はすっかり春の青空だった。

「あー、疲れた。でも面白かったよ、今年は。鮫島くん、傑作だったなあ」

背伸びをしながら鴨志田が欠伸《あくび》をした。

「うん。今年の海老沢の人選は正解だったな」

金子は、ガラスの扉を開けて赤い背表紙の本を一冊取り出しながら呟いた。

「見掛けによらず鋭い男だったな」

「あそこで、本を出して見せてくださいって言ったらどうしようかと思ったわ」

水越夫人が金子の手から本を取り、ぱらぱらとめくった。中は真っ白。全てが白紙である。本棚にある、残りの二十八冊の本も、中は白紙だ。それぞれ、古く見せかけるのに苦労している。

「やっぱり、もうちょっと資料を見せないとだめね。コピーの一部とか。今の子は手に取って見せないと信じないんだから」

「でもさあ、駄目だよ、水越さん。話の中で、一昨日見たままの圷の背格好をそのまま描写しちゃうんだもん」

「だって、やっぱり目で見たものの印象の方が強力だから、ついつい使っちゃったのよ。だいたい、圷さんが悪いのよ。なんであんな時間に外をうろうろしてたのかしら。家から出るなって言っといたのに」

「『夏の家』は寒いからさあ。そろそろ呼び戻そうか。あいつ、きっと寒いまんまで半纏着《はんてん》て本読んでるんだろうなあ」

「今何読んでるのかしら」

「最近、ようやく彼も本を再読するということに興味を持つようになったみたいですよ。この二泊三日で、エラリー・クイーンの『ライツヴィル』シリーズをもう一度発表順に読破するっていってましたから」

「それ、いい企画だね。俺もやろうかな」

「全く変な男だよ。死にそうだというから飛んでいったら、栄養失調で、脚気《かっけ》だと。今時珍しいよ。俺のダイイング・メッセージを聞いてくれというから何かと思ったら『ザクロの実』。どんな深遠な意味があるのかと思ったら、これだもの」

金子はコーヒーテーブルの下から丸い木の箱を取り出した。

「奴のお手製のピルケース。蓋を開けると、これ」

蓋を開けると、赤いビタミン剤のカプセルがずらりと縦にさしこまれていた。

「『どうだ、これの下が二重底になってて、ここに本をしまってあるんだぞ』と自慢しやがって。家に入った瞬間に分かったよ。あまりのくだらなさに涙が出たね」

一色はくっくっくっ、と笑った。

「そうなんですよ、昨日も『ザクロの実』って言う度に、このビタミン剤が頭に浮かんじゃって、おかしくておかしくて。笑いをこらえるのに必死でしたよ」

「でも、こんなことばっかりやってないで、そろそろ本当に書き始めましょうよ」

水越夫人がぴしりと言った。

「そうだねえ。前宣伝ばっかりじゃしょうがないからな。では、そろそろ執筆会議を始めようか。みなさん、ノートを持って集まって下さい」

四人はぞろぞろと台所のテーブルを囲んで座った。

「でも、やっぱり書くのは難しいですね。何年も挑戦してるのに、ちっとも進みやしませんよ」

一色が愚痴をこぼした。

「あたしは、もう、半分まで進んだのよ」

「読ませて下さいよ」

「駄目。もっともっと推敲して、あたしがイメージするような傑作にならなくちゃ、とても人様の目には触れさせられないわ」

「ううん。俺は謎の収集が思うようにいかなくて」

みんな口々に文句を言う。

「金子さんはどうなの？　本当に秘密主義なんだから」

水越夫人が不満そうに声を上げた。

「いやいや。まだ全然ですよ」

金子はニコニコとはにかむ。

「だめだよ、そんな可愛い顔したって。噂だけ先行して、羊頭狗肉《ようとうくにく》ってことにはしたくないからね」

「でも、私は楽しくってね。物語が進行中である、というこの瞬間が楽しい。いつまでも終わってほしくない。そうは思わないかね？」

四人の表情がなごんだ。

「そうですねえ。いつだって読者は貪欲ですからね。常に新しい物語を待っている。誰だって、新しい物語は夢でしょう。本を閉じたあとも、本の外に地平線が広がり、どこまでも風が吹き渡るような話。目を閉じれば、モザイクのようなきらきらした断片が残像のように蘇る話」

「人生と愛の謎が秘められた物語」

「人々が書き継ぎ、語り継いでゆき、新たに伝説が伝説を産むような物語」

「そうそう。それが我々の目標だからね」

「先は長そうだなあ」

「私は、毎年、こうやってゲストが帰ったあとで団欒《だんらん》するのが好きなんですよ。なんだか、『華氏四五一度』のラスト・シーンみたいで」

「ああ、あの、ブックマンたちが自分の暗誦してる古典を語り合うところね」

「今、みんなに本を読ませるためには本を禁止するのが一番なんじゃない？」

四人の話は尽きない。窓の外にはとろりと溶けそうな空の青。春は何食わぬ、澄ました顔でやってくる。それぞれの新しい物語を待つ人々のところへと。

第二章
出雲夜想曲

週末の夜の東京駅は、ほのかなセピア色をしている。

昼過ぎまでの東京駅は、日本人のプライベートからビジネスまでを羅列《られつ》しただけの、むきだしの原色だ。しかし、午後五時を過ぎたあたりから輪郭がぼやけたモノクロームになり、喧騒《けんそう》すらも柔《やわ》らかな漣《さざなみ》のように聞こえ始める。日常から非日常へ移行する時間の境目《さかいめ》を楽しむ人々が、駅構内のビアホールの席をいつもより寛大な表情で埋めていく。

店の大部分が圧倒的にダーク・スーツで埋め尽くされている中、堂垣隆子《どうがきたかこ》は黒のジーンズに濃いグリーンのチェックの綿シャツ、着古したジーンズのジャケットという格好で、ぼんやりとグラスの中で消えて行くビールの泡を見ていた。約束の時間を三十分以上過ぎたというのに、江藤朱音《えとうあかね》はまだ現れない。

現れない連れ。それは、これから始まる先の見えない旅の前途を暗示するように思われた。いったんは承知したものの、計画のあまりの無鉄砲さに、思い直してすっぽかしてしまったのだろうか。それとも何かトラブルがあったか。梅雨《つゆ》に入り、六月も半ばというのに肌寒かった。しかし、空気は粘つくように湿っぽい。

時計が気になる。間もなく入線する時刻だ。一人でも行くつもりだった。

荷物をまとめ、隆子が席を立とうとした時、あたふたと店内に駆け込んでくる人影が目に入った。朱音だ。

「堂垣さん、ごめんごめん」

パワフルなハスキー・ボイスに、周囲のサラリーマンが目を向ける。

ベージュの小さな帽子と派手なオレンジ色のパーカーに身を包んだ朱音は名前のごとく華《はな》やかである。これで間もなく四十ウン歳になろうとは思えぬ、ぱっと目立つ美女だ。

やれやれ、という気持ちとホッとする気持ちとが交錯し、隆子は小さく手を振った。

「何番線？　いやあ、あせったあせった。京橋《きょうばし》駅から思いっきり走っちゃったよ」

だらだら流れる朱音の顔の汗を見て、隆子は一瞬でもすっぽかされたのではと思ったことを恥じた。そういう腹芸《はらげい》のできるタイプの編集者ではないのだ。隆子がじっくりとビジネスライクに計画を立てて仕事をするタイプであるのに比べ、朱音はキャラクターで作家たちをつかんで友人関係を築いてから仕事をするタイプだった。

「大丈夫ですよ、九時十五分発ですから。これから入線するとこでしょう。江藤さん、夕食は？」

努めてなんでもないという顔をしながら隆子は答えた。

「これから。任せてよ、あたし食料と酒だけは忘れないから」

ぽんと鞄を叩いてみせる朱音のいでたちを見ると、これまた大荷物である。普段のつきあいから、朱音の健啖家《けんたんか》ぶりは承知していたものの、いささか多すぎはしまいか。

「無人島に行くみたいな格好ですねえ」

「いやあ、実はさあ、今日のことけっこう楽しみにしてたのよ。夜行列車で山陰へ、なんて修学旅行みたいじゃない？　せっかく面白いシチュエーションで酒盛りできるのにつまみと酒がちょっぴりじゃ淋しいでしょう。堂垣さんの分もあるから」

「あたし、軽く夕飯食べちゃいましたよ」

「平気平気。お酒は入るところが別よ」

ケーキは入るところが別よ、という女の子たちの常套句《じょうとうく》はよく聞くが、お酒は入るところが別、というのは聞いたことがない。

「あっ、ビールだけは冷えたのがいいと思って買ってないの。待ってね、新幹線の切符売り場のとこにお弁当屋があったから、ロング缶買ってくる」

隆子に荷物をどっかりと預け、朱音はたちまち駆け出してゆく。隆子も正直言っていける口だが、朱音の酒の獲得にかける執念は見上げたものだ。それにしても、重い。この荷物を抱えて京橋駅から走ってくるとは、たいしたものだ。二つのビニール袋をのぞきこむと、二人で消化するにしてもかなりのつまみの量である。本当に一晩で食べるつもりなのだろうか？

東京駅は、九時ぐらいでは全く人の流れはとぎれない。東海道線のホームの電光掲示板がパッと変わった。前の長距離電車が発車したらしい。次発のところにあった「出雲《いずも》3号」の表示が繰り上がり、旅の始まる前の独特の緊張感が新たになる。

吉と出るか、凶と出るか。旅の行方は全くの未知であった。

青い列車はプシュ、という間の抜けた音をたててそっけなく発車した。

寝台車の混んでいるのに驚かされる。ハンガーの飛び出たスーツの袋を抱えたビジネスマンや、土産を抱えた実直そうな老夫婦、体育会系の学生たち。それぞれの目的に表情もさまざまだ。

ロング缶四本でますます重たくなった荷物を抱え、隆子と朱音はよろよろと狭い通路を進んだ。二人はB寝台の個室である。

「おお、ここだここだ。二番」

ずっしりとした引き戸を開けて、二人は中に入った。個室といえど、二段ベッドとわずかなスペースしかない。しかし、シーツや枕の乗った上の段のベッドは上下できるようになっており、天井近くまで上がっていたので圧迫感はなかった。下の段のベッドは組み立て式らしく、ベッドを真ん中から半分に分け、二つのソファが向かい合わせた形にセットされていた。

「おもしろーい。ほら、ここテーブルになるのね」

　ソファの間の壁にははめこみ式のテーブルが畳みこまれており、朱音は持ち上げて足をはめこみ、買ってきたビールを並べた。荷物とたくさんの食料を床に置くと、たちまち部屋は一杯になる。

「江藤さん、ハンガーがありますよ」

　壁に付いたボタンでベッドを降ろしてみた隆子は、木のハンガーを二つ引っ張り出すと、着ていたジャケットを壁にかけた。靴をスリッパにはきかえ、ソファに座り込む。

「うーん、この狭さ、なごむなあ」

「よくできてますよね。日本人らしいコンパクトな設計」

「しっかし、揺れるわねえ。眠れるかしらん」

　確かに、列車はかなり揺れた。ソファに座っていると、全身が攪拌《かくはん》されて、内臓が遠心分離して飛んでいってしまいそうである。車窓の風景が四角く切り取られているので、風景がコマ送りのように激しく入れ替わるのも目が回る。

「がんがん飲んじゃえばどこでも同じですよ。江藤さん、あのガラの悪い総武線の最終でも座席で横になってぐうぐう寝てたじゃないですか」

「そっかー。そんなこともあったたねえ」

荷物の整理もそこそこに、酒宴の準備である。

「ふふふ。見て見て、今夜のために吟味《ぎんみ》した食料の数々」

朱音が不敵な笑いを浮かべた。ほとんど遠足に来た子供である。隆子はビニール袋をのぞきこんだ。

「あっ、ギンビスのアスパラガスがある。あたしも、これ好きなんです」

「でしょう? これ、昔からあるよね。でも、あたしこの『アスパラガス』って名前にどうしても納得いかないの。どうしてこの細長いビスケットが『アスパラガス』なわけ?」

「さあ。あたしも不思議に思ってました。単に細長い形状がアスパラガスに似てるからじゃないですか」

「きっとさあ、昔はまだアスパラガスが珍しくってさ、これに名前付けた人が細長いものを『アスパラガスみたい』っていうのをお洒落《しゃれ》だと思ってたんだよ」

コンソメチップにトマトプリッツ、あたりめにキムチ、枝豆にチーズ、焼き鳥にネギトロ巻き。朱音は嬉々として次々とつまみを取り出す。もう夜の九時過ぎだというのにこんなカロリー高いもの食べて、また太るなあ、と隆子は思った。狭い客室はたちまち居酒屋のような匂いで充満する。

検札に来た人の良さそうな車掌が、酒とつまみの匂いにびっくりしながら部屋のカード・キーを渡してくれる。

「もう寝てるお客さんがいますから、お手柔らかにネ」

床に並べられたバーボンの瓶とビールの缶に恐れをなしたらしい。

「はあい」

にっこり笑って愛想よく返事をする二人。列車が田圃の中を走る写真のついたカード・キーを代わりばんこに眺める。

「ミステリ作家だったら、ここで何かトリックを考えるんだろうね」

「ここだったら密室ものですかね、当然。『出雲3号、走る密室からバラバラ死体が消えた！』。この電動ベッドの上がり下がりで紐が引っ張られるとか、ドアの上のスペースに薬で眠らせた猫を置いとくとか」

「古いわねえ、あんたも」

「しっかし、なんでわざわざこんな狭いとこで人殺さなきゃなんないんでしょう」

「そりゃあ本格ミステリの性《さが》ってやつですね。そこに山があるから登る。新しい場所を見つけたら密室にする」

二人は編集者だが、勤めている出版社は違う。年齢も十歳ほど離れている。しかし、狭い世界だし、同じ作家を担当していれば、おのずと顔を合わせる機会は多くなる。朱音は純文学畑に強い編集者として、そのパワフルで天真爛漫《てんしんらんまん》な性格とともに有名だった。隆子はエンターテインメント系を中心に単行本を作っていて、朱音のことは知っていたが、自分の扱う本ではあまり接点はないだろうと思っていた。だが、興味を持つ作家が皆、先に朱音が接触しているのに気付き、朱音が実は大変なミステリファンだということを知ったのである。隆子も個人的な趣味として本格ミステリを愛していて、朱音は彼女と好みが非常に似通っていた。隆子はボーイッシュな容姿とは裏腹に、あまり社交的な人間ではなかったが、なぜか朱音とはうまがあった。次第に、何かのパーティのついでに二人で飲んだりするようになり、ふとしたきっかけで今回の旅が実現したのである。

近況報告や、最近の出版界の噂を一通り終え、朱音は最近の彼女の持論である、「物語至上主義」という話をひとくさりした。

朱音には嫌いな種類の作家が幾つかある。まず、一部の例外を除き、他人の作品を読まない作家。例えば、優れたミュージシャンが他人の音楽を聴かないということはありえない。優れたミュージシャンは必ずよく他の音楽を聴いている。次に、マニアが長じて作家になった作家。無論、出発点はそれで正しいのかもしれないが、読者と作者の間には厚い透明な壁がある。その壁を意識せずに、読者の延長上の内輪受けで満足している作家。朱音はもともと好き嫌いのはっきりした編集者だが、嫌いな作家を挙げている時が一番生き生きしているように見える。悪口を言わせると天下一品という人間がたまにいるが、朱音はどうやらその人種であるらしい。さて、その朱音が最近一番嫌悪しているのは、「自己表現の手段として小説を書いています」と称する人間だった。この判で押したような台詞を吐くのは、たいてい『著者近影』が読んでいる時に鼻の先にぶらさがっているような、才色兼備のマルチ人間である。朱音は、この台詞を聴く度に怒りにわなわなと震えるのだそうだ。「たかが一個人の表現手段に使われるほど、物語は小さくない」というのである。「物語をあたかも自分に隷属するもののように扱うのは物語を貶めている証拠だ」と。

先に物語ありき。それが朱音の理想だった。語られるべき、語らずにはいられない物語自体がまずあって、作者の存在など感じさせないようなフィクション。それこそが彼女の理想なのである。物語は読者のために存在するのでも、作者のために存在するのでもない。物語は物語自身のために存在する。しかし、方程式に則った見せかけのフィクションが氾濫する時代、それだけの力強いフィクションを咀嚼する力が編集者にも読者にも欠けており、そういう物語の萌芽があっても育てていけるかどうかが問題なのだという。こういう時の朱音には、言葉を挟む余地はない。ハスキー・ボイスでの独壇場に、隆子は頷くばかりである。

ビールの缶があき、がたんと列車が止まると、そこはもう熱海《あたみ》だった。東京から一時間ちょっとのところにあるなんて、なんとなく意外な感じがした。

朱音がコンタクト・レンズを外しに行っている間、隆子はそっとカーテンを開けて、動き始めた窓の外を眺めていた。外は漆黒の闇である。頼りなげな住宅街の明かりがどんどん後ろへ飛ばされて行く。時折、皓々《こうこう》と照明に照らされた小さな駅のホームが離れ小島のように浮かび上がる。ぽつんとホームにたたずむ背広姿のサラリーマン。その、会社と家庭の狭間《はざま》に立っている背中は、飾り気のない彼自身が表れていて無防備だった。

男って大変だなあ、と隆子はしみじみ思った。あの無防備な背中も、ドアを開けて「お帰りなさい」という声を受け止める時には再び背筋を伸ばさなければならない。そう思うと、ほんの一瞬だけで過ぎ去った男の背中に親近感を覚えた。

次々と、漁り火《いさりび》のようなオレンジ色の踏切の明かりが現れては消えて行く。その幻のような明かりを見る度に、東京から遠ざかっているのだという実感が湧いた。列車は確実に、子供のような無邪気さで目的地へと進んでいる。この旅の終りには何があるのだろう？

ふと、窓に映る自分の青白い顔を意識する。化粧っ気もなく、睡眠不足で肌も荒れている。好きで選んだ仕事だし、今の仕事にも人間関係にも満足しているが、あくせく時間に追われているのが息苦しかった。もっと――もっと、自分の満足できる形で何かができるはずなのに。あたしはここでいったい何をしようとしているんだろう。自分の底に沈んでいた思いがけぬ情念らしきものにどろりと突き動かされて、今ここにこうして座っている。そして、あたしをここまで突き動かしたものは――あの本だ。

隆子は窓に押しつけていた拳に体重を掛ける。また一つ、高く低く踏切の音が外を通り過ぎた。

「——で、そろそろ本題に入りましょうかね。夜は長いようで短いわ」

プラスチックや紙のコップではどうしても酒が飲めない、と朱音はでこぼこして黒ずんだ小さなアルミのマグカップを取り出した。どんな出張や旅行でも必ず持参するのだそうな。表面にはギリシア劇に使うような、小さな仮面の絵が拙《つたな》く刻みこんであり、RED MUSICという不揃《ふぞろ》いなアルファベットが見えた。なるほど、名前の代わりか。

朱音は隆子の分まで（こちらはもう少し綺麗なカップだったが）用意してくれており、とぷとぷとバーボンをついでくれる。鼻の奥に眠っているトカゲがそろりと起きだすような香りが、肩に残っていた昼間の残滓《ざんし》を抜いていく。

ビニール袋にはまだ中身が残っていたらしい。「霧の浮舟」と「元祖柿の種」が登場した。胃袋は満杯なのに、バーボンの香りを嗅ぐとついついスナック菓子に手を伸ばしてしまう。ああ、来週からまた厳しくダイエットしなければ。

相変わらず列車はよく揺れる。トンネルを抜ける音、カーブで連結器が軋《きし》む音、擦れ違う貨車との風の音。それらはかなりの大きさで部屋の中に響く。しかし、それもだんだん聞こえなくなる。激しい雨の夜の家の中のように、部屋の中はどんどん静寂が満ちてくる。その代わりに、二人の頭の中にあるものが、少しずつ光を帯びて部屋の中を照らすようになってくる。それはやがて、部屋いっぱいになる。

壁に取り付けられたオレンジ色の室内灯を見ていると、昔の人が絵に描いたように、光というのは線なのだということに気付く。放射線状の光の矢が、線香花火のようにチラチラと瞬《またた》く。まるで、この列車の中に二人きりのようだ。この小さな四角い函《はこ》だけが、線路の上を走っているかのような錯覚を起こさせる。

これが書斎だったらどうだろう、と隆子は考えた。移動する書斎。電車の中や飛行機の中で、移動中に原稿を書く作家は少なくない。たくさんの人々が同じ場所で、同時進行で勝手なことをしている。その大勢の中の一人である、という気安さが、原稿を書くことも大したことではないという錯覚を起こさせるのだろう。人にもよるが、『自分は今から自分の小説を書き始める』というプレッシャーにはすさまじいものがあるらしい。不特定多数の人間がいるところではこの行為が少し楽になるのかもしれない。この小さな個室の、二段ベッドの上段を小さな収納と本棚にし、車窓の風景を感じながら本を読んだり原稿を書いたりする。とろとろと目覚めると松江。そこで列車を降りて、駅でラジオ体操をして、町に出てごはんを食べ、銭湯につかってまた夕方駅に帰ってくる。列車に揺られて短編を書き上げるとそこは東京。東京は雨。ステーションホテルで朝食を摂り、日比谷で映画を見て友人に会い、友人の家で眠ってしまう。彼の書斎は彼を東京に残し、その日は出雲まで行ってしまっている。無人の個室で、移りゆく風景とともにテーブルの上では万年筆がことんことんと揺れている――

「江藤さん、あたしと出雲に行きませんか」

何のパーティの帰りだったろう。会場のホテルから出て御馴染《おなじ》みの顔ぶれでふらふら固まって歩いているうちに朱音が隣にいて、軽く飲もうということになった。西麻布の雑居ビルの地下にある、ブスッとした女が一人でやっているバーだったが、店は混みあっていた。二人は壁沿いの向かい合わせの狭い席に座った。通路に無理やり置いた椅子らしく、しょっちゅう脇を誰か彼か歩いていて狭苦しいことこの上ない。

朱音は珍しく、やや酔っていた。

理由は分かっている。朱音の嫌いな作家が、取ってほしくない賞を取ったのである。天真爛漫でめったに酔わない彼女が、珍しく神経質な目の動きを見せていて、隆子は意外な感じがした。しかし、それが彼女の本質なのかもしれない、となんとなく思った。彼女の神経質な文学少女時代が透《す》けて見えるような気がした。

朱音は待ちきれないといった様子でグラスをつかむとたちまちジントニックを飲み干した。カウンターの中の女は、全てを無視しているようでいて、客をよく見ていた。つかつかと出てくると、素早く無言で次のグラスと取り替える。朱音はニコリともせずに壁の銅版画をくいいるように見つめていた。

「あの女、あたしがこの絵を嫌いなことを知っていていつもこの席にかけさせるのよ」

隆子もつられて絵を見上げた。

小さく照明が当てられた、小さな絵がかけられていた。夜の部屋。開け放たれた窓の向こうは完全な暗黒。窓には白いカーテンが揺れていた。ふわりと闇の中に浮かび上がるカーテンはなまめかしい一方で、どこか不吉だった。窓の外の闇はブラックホールのように吸い込まれそうで、どこか現実と一線を画した世界へと見る者を誘《いざな》っていた。

「なんで嫌いなんですか。ちょっと気味が悪いけど、魅力的じゃないですか」

隆子は当たり障りのない返事をした。目のすわっている朱音は、顔だちが整っているだけに凄味《すごみ》があったのである。

「わかんないわ。見てるとお尻のあたりがムズムズしてきて、やめろーって叫びたくなるのよ」

隆子は額縁《がくぶち》の下に虫ピンで留めてある紙切れをのぞきこんだ。「烏山《からすやま》響一《きよういち》『畏れ《おそ》』」。

朱音は何を『畏れ』ているのだろう。

そう思った瞬間、その言葉がぽろりと漏れていた。

「——何？　何て言ったの、今」

朱音が怯《おび》えたように隆子の顔を見た。

「出雲に行きませんかって」

隆子は無邪気に繰り返した。朱音はまるで「踊っていただけますか」と言われたかのようにキョトンとしていたが、たちまちいつもの辣腕《らつわん》編集者の顔に態勢を立て直した。

「何で」

「何でって。別に、今まで行ったことないから行きたいなあと思って」

「仕事抜きなの？」

「んー、そうですね。でも、ちょっと仕事もあるかもしれない」

言いよどんだ隆子の表情を見て取るや、朱音の目には射抜くような鋭い光が現れた。彼女の頭の中にはたちどころに百通りもの理由が思い浮かんだに違いない。彼女は直感とキャラクターを売りにしていたが、本当は理詰めでものを考える、非常に頭の回転の早い女なのである。

「言ってごらん」

朱音は低い声で促した。隆子は頭を掻《か》いた。

「馬鹿にされるかも」

「大丈夫よ。そんなにあんたを買いかぶってないから」

「きついなあ」

「褒《ほ》めてるのよ。早く言いなさい」

問い詰められ、隆子は余計言いにくくなった。

「江藤さんは、あの本をご存じですか？」

「あの本？」

「『三月は深き紅の淵を』という本です」

言ってしまうと、朱音がすっと後ろに退《ひ》くのが分かった。予期せぬ、いや予期していた答のような顔をしていた。すっきりしたような、取り返しのつかないような気分で隆子は落ち着かなくなった。朱音は三口くらいで二杯目のジントニックをあけ、タンと音をたててコースターの上に置いた。たちまちカウンターの中の女が怒ったように寄ってくる。

「あんたみたいな若い編集者からその本の名前を聞くとは思わなかったわ」

朱音は三杯目にしてやっと出てきた『お通し』に手を伸ばした。

「噂を聞いたのね？　あれって、何年かおきに必ず浮上するのよ、あの本の作者をつきとめて出版しようっていう話が。誰も実物をほとんど読んだことがないくせに。あたし、あの本の噂を聞く度にいつもあれを思い出すのよ、ほら、『M資金』ていうのがあるでしょう」

「ああ、聞いたことあります。今でもひっかかる人がいるんですよね」

「そうよ。繰り返し現れる亡霊のように。日本軍が隠しておいた巨額の貴金属が眠ってるとか、マッカーサーが吉田茂《よしだしげる》に贈った大金が、国家予算外で手付かずに残ってて、ほんの一握りの人にこっそり破格の条件で融資されるって話」

「どう考えても眉唾《まゆつば》なのにね。実際に囁《ささや》かれると信じちゃうんでしょうか。でも、その一方でいかにもありそうな話なんですよね、あの終戦前後の大混乱を考えると」

「実体なんてないのよ。噂だけよ。たいしたことのない自費出版の本を、みんなが持ち上げて伝説にしてるだけで」

　朱音はすっぱりと言い切った。

　隆子は、ほとんど手を付けていないジンライムのグラスをかちゃかちゃと揺らしながら呟いた。

「そうでしょうか」

　その落ち着いた声色に自信を感じとったのか、朱音が隆子の顔を見た。

「あたし、あの本を読んだことがあるんです」

　隆子は正面から朱音の目を見据えた。朱音の目にはいろいろなものが浮かんでいた。驚き。怒り。当惑。疑問。虚脱。その奥に何があるのか考える暇もなく、隆子は続けた。

「あたし、あの本の作者は出雲にいると思うんです」

　口に出すと、それは確信になった。

　朱音はがっくりとうつむくと、がりがりと頭を掻いた。

「——帰ろう」

　朱音は鞄をつかむと、スッと立ち上がった。隆子は慌てた。怒らせてしまったのだろうか？　朱音の背中に、追いすがるように声をかける。

「でも」

「切符が取れたら電話して」

財布を取り出しながら、朱音は振り向きもせずにそう言った。

「江藤さんも、あの本を実際に読んでいるんですよね？」

数日後、新宿駅のみどりの窓口から「切符を取った」と電話を入れた時の、朱音の「わかった」というどこか絶望に満ちた声を思い出しながら隆子は尋ねた。

朱音はかすかに頷く。

「かなり前だけどね。今はもう亡くなったけど、大御所の純文学作家で、あたしが駆け出しの編集者の頃に可愛がってくれたUさんて方が、何かの折りに読ませてくれたのよ」

「じゃあ、あのルールに則って？」

朱音は今度ははっきりと頷いて、柿の種を口に放り込んだ。

その本には奇妙なルールがあった。実際にその本を入手していたのは八十人くらいと言われていたが、所有者以外への譲渡は禁じられており、所有者は一人だけ一晩のみ貸し出してよい、という作者の決めた『掟』があったのだという。むろん、こんなルールなど無視するのは簡単だ。実際、コピーの一部や、加筆された偽物（？）などがひっそり出回っていたらしい。しかし、作者は自分の決めた『掟』を守ってくれる人間をよほど慎重に選択して本を渡したようで、時代錯誤とも言えるような頑迷さでそのルールは守られた。その結果、時が経つにつれそれは溶解し、手に触れることのできない幻へと変化していったのである。

「読んだ時の感想は？」

隆子はさりげなく訊いた。朱音はマグカップを口元にあてたまじっとしていた。

「――未熟。たぶん、処女作」

「それだけ？」

朱音はぐいっと酒を飲み干した。

「それだけよ」

「ひょっとして、江藤さんの嫌いなタイプですか？」

隆子は突っ込んだ。いつになく大胆な気分になっている。もう旅は始まっているのだし、朱音もその連れである以上、論点ははっきりさせておかねばならない。

「うん。嫌いだね」

「そうかなあ」

「あんた、今日はやけにつっかかるわね」

「でも、江藤さん、この旅行に来てくれたじゃないですか」

「そりゃ、編集者としての興味はあるわよ。賛否両論で実体が伴《ともな》わないとはいえ、幻の本なんだから」

編集者なら誰だって、「これだ」という本をプロデュースしてみたい。後世まで残る本を世に出したい、自分の見つけ出した新人を送り出したい、という望みを大なり小なり持っている。そういう意味では、あの本を出すことができれば、編集者としては名誉なことなのは間違いない。彼等は意思を持った黒子《くろこ》である。自分たちはいつも定点にいて、目の前に現れる表現者たちをすくいあげ、提供する。世間との間に表現者というフィルターを置いて自分たちの意思を示す。それは一種独特で、複雑な歓《よろこ》びである。

「もう何年も、江藤さんと本の話してますよね。あたし江藤さんの趣味は把握してる自信あったんですよ、あたしとすごく似てるから。だから、江藤さんも絶対にあの本好きだと思ったんですけど」

「好きではないね。あたし、あの本の作者、自分と似てるとこがあるからいやなの。本読んでる間も落ち着かなかった。確かに、妙に残る話であることは認めるわ。決して傑作ではないけれど」

「そうですね。残る、って言葉がぴったりですよね。名作や傑作って、インパクトはあるし感激するけど、意外にすこんと抜ける。うまく出来てる小説ってそうです。長く心のどこかにひっかかってる小説って、そういう小説じゃない。印象に残る作品っていうのは、どこか稚拙《ちせつ》で完成度が低いけど、アクの強いオリジナリティのあるものの方でしょう。あたし、前に出張で岡山に行った時に奮発して大きなお皿買ったんです、表面に細かいひび割れがいっぱい入ったごつごつしたお皿。でも、最初にきちんと水に浸しとくとかしないでいきなり使ったら、その細かいひびに食べ物の色が——何の色だったか忘れちゃったけど、染み付いて取れなくなっちゃって。洗っても洗っても駄目。あのお皿を見る度に、あの本を思いだすんです。ああいう感じで、あたしの意識の毛細血管にあの話が残ってる」

二人はしばらく、ごとんごとんと揺れる列車のリズムに身をゆだねた。

時計を見ると、既に十二時を回っていた。

「早いなあ。もう、十二時ですよ。でも、列車に乗ったのが九時過ぎですもんね」

「あっ」

朱音が急に叫び声を上げ、隆子はびくっとした。

「どうしたんですか。何か忘れ物でも」

「今日はあたしの誕生日だわ」

「えー、そうなんですか。ちなみに何回目ですか」

「うるさいわね」

隆子は残っていたブルーチーズに、昼間入った喫茶店でもらったマッチ棒を四本突き刺した。

「ねえ、なんで四本なの？」

「一の位は四捨五入することにしました」

「一本多いじゃないの」

「江藤さん、それってずうずうしくありませんか」

揺れる列車に苦しみながら、マッチに火を点《つ》ける。

「ねえ、個室って禁煙じゃなかったっけ」

そう言いつつ、朱音は神妙な顔で火を吹き消す。

「おめでとうございます」

「ありがとうございます」

お辞儀をしていると、がったんと大きく列車が揺れ、やがて止まった。カーテンを開けてみると、そこは浜松だった。


トイレに立った隆子は、再び動き始めた列車の動きにバランスを崩しながら通路を歩いていった。狭い通路に、細長いドアがいくつも並んでいる。皆寝静まっているのか、人の気配はない。窓の外は漆黒の闇であった。山や森がすぐ近くまで迫っているという感じはあるのだが、闇は深く、重たかった。

隆子はふと、既視感に襲われた。闇を切り裂いて走って行く列車の窓に、何か懐かしくて恐ろしいものが映っているような気がした。

いつも私たちは夜の海を走っている——私たちは闇の底を独りぼっちで、望んでいない結末に向かって走る——

ああ、これも『三月』の一節だ。あんなに昔に読んだ本の一節を覚えていたなんて。

自分でも意外だった。

トイレから出て、顔を洗って通路を戻ってきたとき、ふと、一番奥の個室——隆子たちの隣の部屋だ——に一人の男が荷物を運びこんでいるのが見えた。小柄な男——古びた帽子をかぶり、大きな革のトランクを運び入れている。

はて、こんな夜中にどこからこの男はやってきたのだろう。

隆子が見ていると、ふと、男はこちらを見た。びっくりしたように口を開け、どこか哀しそうに目を伏せる。口髭を生やした、品のある顔だ。男はすっと部屋に入り、扉を閉めた。

外国人みたい。目の色が違っている。

部屋に戻ってから、隆子はその表情のない左目が義眼であったことに気付いた。


「あんたはどこであの本を読んだの？」

再び椅子に座ると、朱音が他の方向を見たまま尋ねた。

「自分の家です」

朱音はその答に驚いたようだった。

「じゃあ」

「ええ。父があの本の所有者だったんです」

「あんたのお父さん、何なさってるの？」

「高校の国語の教師だったんです。三年前に他界しましたが」

「実家はどこ？」

「長野です」

父は教師を選んだが、もともと父の家は大きな農家だったらしい。家の庭にはいくつも蔵があり、父はそれを書庫として使っていた。父の影響もあって読書好きだった隆子は、中学になった時、書庫の鍵を父から渡された。読書三昧《ざんまい》の幸福な日々。蔵の窓から射しこむ柔らかな光を頼りに、「嵐が丘」や「僧正殺人事件」を読んでいた少女時代は、今でも甘い記憶だ。本を読み疲れて眠りこけてしまい、夕方エプロンで手を拭きながら母が起こしに来てくれたのも懐かしい。あの時のような、全身全霊をかけた素晴らしい読書は、もう一生できないだろう。

「書庫に出入りするようになってしばらくしてから気が付いたんだけど、蔵の天井近くの一番高いところに、父が作った小さな戸棚があったんです。南京錠がかけてあって。だんだん気になってきて、『あれは何？』って訊いたことがあったの。中学二年の時だったかな。『友達にもらった大事な本が入ってるんだよ。もっと隆子が大きくなったら読ませてあげるからね』っていう返事でした」

「それで、いつ読んだの？」

「大学を卒業して、就職が決まって、田舎に帰った時です。出版社に行くって決まった時に読ませようと思ってたみたい。あのルールを説明されて、東京に戻る前に一晩で読んだんです」

「一度だけ？」

「ええ。確かに好みの小説だということは読んでる時に確信したんですけど、むしろ読んだあとにだんだん気になってきて。すごいもの読んでるなってことは薄々気付いてたけど、読み終わってからどんどん存在感が大きくなってきたのが不思議で。何度も読もうとしたんだけど、父は二度と貸してくれませんでしたね。本も死ぬ直前に処分したらしくて、家中探したのに見つからなかったんです」

本の行方はしばらくしてから分かった。父は、自分を火葬するときに棺《ひつぎ》の中にあの本を入れてくれるよう母に頼んでいたのである。

「『どうして読ませてくれないの』って、一度父につっかかったことがあるんです。『いったい誰が書いた本なの』って。父は『約束だから』としか言わなかった。でも、しばらくしてからぽろっと漏らしたんです。『これはね、個人的な記録なんだよ』って」

「個人的な記録――どういう意味かしらね」

朱音は今や普段の編集者の顔に戻ってしきりと頭を回転させていた。

「友達――お父さんの友達に知り合いは？」

「全然。でも、父は学生の頃は作家を目指してたらしいんですよ。あたしも父が亡くなるまで全く知らなかったんだけど、当時はかなり有力な同人誌を仲間とやっていたというんです。調べてみたら、その中から何人も有名な作家が出てて驚いちゃいました」

「じゃあ、その中に」

「ええ。そう思ったんです」

『三月は深き紅の淵を』が、既に知られた作家の若い頃の作品なのではないかという説は以前から言われていた。この人では、と実際に名指しされていた人も一人や二人ではない。隆子は書庫に残っていたその『白夜』という同人誌を全部読破した。『三月』が若い頃の作品であるならば、同人誌時代に似たタッチを見つけることができるに違いないと踏んだのである。さすがに青臭いものが多く、読破するのは思ったよりつらい作業だったが、編集者として見て、父の作品になかなかのセンスがあるのを発見したのは嬉しかった。だからこそ、その人物も父に本を贈ってよこしたのだろう。誰しも、自分の作品を理解してもらいたい、尊敬している人にこそ真っ先に自分の本を贈るものである。

しかし、作者探しは難航した。まだ若いためか、一緒に活動をしているためか、彼等の作風はかなり似通っていたのである。

「だから、あたし一時は、みんなの合作かと思ったんです。同人誌仲間の習作を、記念に自費出版したのかなと。あの本は四部作になってるし、みんなでそれぞれを担当したんじゃないか。だとすると、『個人的な記録』というのも分かる。それを裏付ける証拠——と呼べるようなものでもないけど、一つ発見があったんです。『白夜』では、毎月テーマを決めた短編特集という企画があった。『嫉妬《しっと》』とか、『宇宙』とか、『猫』とかバラバラなテーマなんだけど、その中の一つに何があったと思います？」

隆子は言葉を切った。朱音は、今では好奇心も露《あら》わに耳を傾けていた。

「『ざくろ』があったんですよ」

その四部作には、さりげない隠喩《いんゆ》として『ざくろの実』が使われていることが指摘されていた。それぞれの章の、風景の一部として『ざくろ』は登場する。その『ざくろ』がいったい何を意味するのか、いろいろな説が出されている。

「ふうん。それは気になるね。じゃあ、あんたは、作者は四人いると思った訳？　それぞれが四部作を書いたと」

「最初はね。同人誌に参加していた作家を全部読み比べて、私が、タッチの似ている、可能性のある作家として残したのは三人なんです。佐伯嗣瑛《さえきしえい》、両角満生《もろずみみつお》、斉藤玄一郎《さいとうげんいちろう》」

指を折って隆子が挙げた名前に、朱音は目を剥いた。

「すごい名前が出てきたわね。あと一人は誰？」

「恥ずかしながら、うちの父、です」

酒が入っていなければ言えないひとことだ。しかし、同人誌を読んでいたとき、他の作家たちと比べて全く遜色《そんしょく》のなかった父の文章を見て、隆子はその説を捨て切れなかった。

「でも、それは合作説を取っていた時の話です。今はそうは思っていません。現に、今こうして出雲に向かってるんですもんね」

「いやはや。確かに佐伯嗣瑛はよく挙がってた名前だけどね。しっかし、両角満生と斉藤玄一郎とはねー」

朱音は腕組みして天井を仰《あお》いだ。

彼女がショックを受けるのも分かった。今まで全く候補に挙がっていない名前だったのだ。彼等の現在の作風から、あの本を結び付けるのは難しい。しかし、隆子には父の少ない交遊関係に限定できるという強みがあった。父にはシャイなところがあり、友達の友達をそのまま自分の友達にできるタイプではなかった。父が『友達』と言えば、それは必ず直接彼と交遊があった人間に限られているはずである。

「なんで合作説を捨てたの?」

思い出したように朱音が尋ねた。

「それが、それもやっぱり『ざくろ』なんですよ」

考え考え、隆子は答えた。

「四つの作品のどれもが、同じ柘榴なんです」

例えば、赤という色一つとってみても、人それぞれイメージは違う。「赤い服を着た女」と証言してもらうつもりで、ある女性が着ていた服の色を言ってみてくださいと訊かれた時に、みんなが「赤」と答えるとは限らないのだ。「オレンジだ」「ピンクだ」「茶色だ」と、違う答が返ってくるかもしれない。むしろ、それが普通である。最大公約数としての「赤」はあっても、みんなが同じ「赤」をイメージしているわけではないのだ。全く環境の異なる四人の人間が『柘榴』という言葉をイメージした場合。特にそれが寓意の高い果物で、自分の感覚を売りとする表現者たちが表現を競った場合。

「もっと違ってもいいと思うんですよね。ところが、どれも全く同じイメージなんです。色合いも、作者が抱いているイメージも、距離も。もし、この四つの物語に『柘榴』という共通項がなかったら、そのままあたしも合作説で通していたかもしれない。そのくらい、この四部作は印象のばらつきが感じられますもんね」

『三月は深き紅の淵を』には、根強い合作説があった。四部作は明らかに作風が異なっていたからである。一作毎《ごと》に作風を変えてみせる器用な作家はいくらでもいるし、年々変化していって、同じ作家と思えないくらいの変貌を遂《と》げてしまう者もいる。しかし、『三月は深き紅の淵を』は作りものとは思えぬ初々《ういうい》しい稚拙さが残っていただけに、これだけがらりと雰囲気の違う筆遣いを見せるのは、単に異なる人間が書いたからだという理屈だった。

「あんたの説はよくわかった。筋が通ってるのも認める。でも、実はあたしは合作説を取ってるの」

掌を向けて見せ、朱音は初めて『三月』に関して自分の意見を出した。その確固とした態度から、嫌いだといいつつ実はかなり自説を固めていることをのぞかせた。

「どうしてですか？」

「うん。例えばね、あんたが誰かと合作するとするじゃない？　そうしたら、あんたはどうする？」

「どうするって――」

「どういう風に作業を進めるか、よ。あたしが言いたいのはね、合作するときに、アイデアは複数で考えても書くのは一人だってことよ。エラリー・クイーンだって、実際に文章を書いてたのは一人でしょ？　二人で文章を書くなんて、ちょっと考えれば能率悪いし不可能に近い。読者を混乱させるだけだしね。『三月』の場合は、たまたま四部作仕立てになっていた。だから、一部ずつ四人が書いてもとりあえず支障はなかった。でも、これを一冊の本とするからには、必ず誰かが全体を通読して赤を入れたはず」

隆子はあっ、と思った。今まで、誰かが校正をしているという考えは全く浮かばなかったのである。

「もしかして、『柘榴』は彼等の記念品だったのかもね。マスコット・シンボルのようなものとか。あたし、校正をした誰かが、まとめて『柘榴』の部分を加筆したんじゃないかと思っているの。だから、ここのところだけがみんな同じ印象に見える。四部作が、かなりの時間をかけて完成されているのに対して、加筆部分は短時間に挿入されたからよ。この部分が挿入されるまでは、この本はただの作品集、記念文集に過ぎなかった。しかし、加筆者は、この本を一貫性のある一冊の本として完成させたかったのかもしれないね。確かに、それは効果を挙げている」

隆子は唸った。朱音の言うことはもっともだった。そう考えれば、『柘榴』のイメージが同じことをすんなりと説明できる。

「でも、しょせんこれはあたしの仮説。あんたにはお父さんの友人という強力なカードがある。さて、その続きを聞かせてもらいましょうか」

そう、確かにあたしには切り札がある。

隆子は気を取り直すと話を続けた。

「さっきも言ったように、同人誌時代の三人の作家は、作風が非常に似通っていました。他の人が読むとまた違う感じ方をするかもしれないけれど、とにかく今はあたしの勘を信じてもらうしかないですね。では、ここで三人の作家のプロフィールを、おさらいしてみます」

佐伯嗣瑛。言わずと知れた純文学の大家である。作風は繊細にして精緻《せいち》。なのに全体としては大胆で、大河のような流れがある。しかも、詩情豊かである。中高年の男性にファンが多い。一方で、彼は大変な本格ミステリのファンでも知られている。「推理小説はあくまで趣味」と言い切り、ミステリに関する上品なエッセイも書いている。近年、九州の柳川《やながわ》の四季を背景に、老舗の旅館を舞台にした清冽な三部作が映画化されて、男性中心だったファンにめっきり女性も増えた。

本格ミステリの影響が色濃い、匿名《とくめい》の『三月は深き紅の淵を』が登場して間もなく、最初に名前が挙がったのがこの佐伯嗣瑛だった。少年時代からのミステリ・ファンだった嗣瑛が、若き日の習作をお遊びで出したのではないか、という噂がまことしやかに流れたのだった。

直接探りを入れた者も多かったようだ。「いやいや、僕は趣味を仕事にはしませんよ」と、嗣瑛はニコニコ笑って取り合わなかったが、かといって積極的な否定もしなかったことで、当初は佐伯嗣瑛説が強かったらしい。

「佐伯嗣瑛説ってのは今でも通説の一つだけど、あたしは最初から納得いかなかったな。確かに、センスに通ずるものはあるけどね。あの濃《こま》やかでどっかすうっと冷たいとこが。でも、あれだけのミステリ・ファンだもの、たとえあれが若き日の習作だったとしても、もっと凝《こ》りに凝って手を入れて、完璧な作品を出すと思うね、彼なら。今なら力も余裕も資料もわんさとあることだし。書き直そうと思えばいくらでも書き直せるじゃない。素材としては『三月』はとっても優れてる。むしろ、詰め込みすぎたくらいよ。今の彼なら、豪華絢爛《ごうかけんらん》、サービス満点に仕上げることはちっとも難しくないでしょう」

「そうですね。彼はペダンティックなミステリが大好きですし。『黒と茶の幻想』なんか蘊《うん》蓄《ちく》と教養満載、これでもかって長々と続けることもできますよね」

「うーん、それ、いいなあ。今からでもいいからやってくれないかしら」

ミステリ・ファンは欲張りかつ貪欲な人種である。ミステリとして読めるなら、異業種参入でも、新規開拓でもなんでも歓迎だ。たとえそれが純文学だろうがノンフィクションだろうが、魅力的な謎がたくさんあって、文章もうまく、雰囲気があればOK。小道具が多ければ多いほど楽しみは増える。

『三月は深き紅の淵を』の第一部、『黒と茶の幻想』は、小さな謎のオンパレードであり、ミステリ・ファンには人気の高い章であった。森の中を旅する四人の男女が淡々と自分が人生で遭遇してきた小さな事件を披露し、それを推理するという物語なのだが、謎の破片が惜し気もなくちりばめられ、奇妙なエピソードが羅列され、隆子も読んだ時にはわくわくさせられたものである。毎日、夕方わざと障子の同じ箇所を破る老女の話。白い馬の群れが浮かんで見えるという鉄橋の話。「坊主めくり」というゲームの本当の意味。角《つの》のある赤ん坊の死体が埋められている教会の話。恐竜の骨の前で墜落死していた男。リアルで現代的なものから、ファンタジックなお伽話《とぎばなし》、ヨーロッパのジョークや科学のトピックスまで、それらはさまざまだった。あっけない真相が語られたり、議論のまま頓挫《とんざ》したりと、必ずしも解決されるわけではなかったが、そこがまた余白として興味をそそり、解決編を作ろうという人間を数多く生み出したのである。

佐伯嗣瑛ならば、博識で知られた作家であり、幅広いジャンルに趣味を網羅していたから、いくらでも奇妙なトピックスを提供することができるに違いない。それをお遊びで実現するなら、この第一部だけで一冊書けるのではないか。

第二部の『冬の湖』にしても、失踪した恋人を恋人の親友とともに痕跡を追うやるせない女の話だ。嗣瑛が最も得意とする分野の一つであり、白々と明ける夜の描写や、過去に横たわる殺人事件の見せ方など、いくらでも切ない名作にできたはずだ。

第三部も同様である。『アイネ・クライネ・ナハトムジーク』は、避暑地の少年少女たちのひと夏の物語だ。嗣瑛は語学にも堪能《たんのう》で、彼の作品にはヨーロッパ的な洒脱さが漂っていた。デカダンの香りの漂う、フランスのフィルム・ノワールのようなスタイリッシュな小説を書くのだってお手のものだろう。

そして、第四部。『鳩笛』は、小説を書く作家の頭の中と日常とを渾然一体《こんぜんいったい》と描く野心作である。しまいには宗教・神話の域まで手を伸ばそうという作品を、ミステリとして、付加価値のある面白いものにすることだって、彼ならできるはずなのだ。

「そう、彼ならば、理想の『三月は深き紅の淵を』を書くことができた。でも、あの『三月』はそうではない。書けるはずなのに、そうでない作品が存在している。つまり、彼はやっぱり『三月』を書いていないのよ」

こじつけのようだったが、朱音の断定は筋が通っていた。嗣瑛はプロである。プロならば、最善を尽くしてその時点で最高のものを供しなくてはならない。望み得る最高のものを供せる嗣瑛が、匿名とはいえ——匿名だからこそなお——未完成の商品を出回らせるはずがない。彼の自尊心からいっても、それは許せないだろう。むしろ、既成の推理小説を超えようと意気込むはずだ。

「そうですね」

「佐伯嗣瑛説はいいわ。あとの二人の話は初耳だから楽しみだ」

「プレッシャーかけないで下さいよ」

隆子は肩をすくめた。

両角満生はアクの強い、耽美的《たんびてき》な作家として知られている。ほとんどメディアに姿を見せない。地方を転々として暮らしながら、時に官能的に、時に残酷な、『美』をテーマにした幻想的な作品をコンスタントに発表している。大衆的なネーム・バリューはないものの、熱狂的な固定ファンがいた。特に芸術関係者にファンが多く、舞台や映像の世界では原作としても人気があった。

「同人誌時代は別のペンネーム使ってましたから、これがあの両角満生の初期の作品だ、ということが分かった時は本当にびっくりしました。年がいってからのデビューでしたけど、両角満生と言えば最初から完璧な個性とテクニックで登場したって印象があったから。ああいう耽美派は、早熟なタイプが多いでしょ。きっと若い頃からカルト的な風流人だったんじゃないかって思い込んでたんです。でも、全然違うんですよ。純情可憐、品行方正、って感じでね。あの同人誌を読むと、彼が『三月』を書いたとしても不思議じゃないんじゃないかって思う」

「うーん、どうもピンとこないなあ。それを言うなら、彼こそ完璧主義じゃない。自分の美意識に合わないような、初期の作品を出すかしらねえ？」

「でもね、彼は自分の作品に対する思い入れが人一倍強い作家でしょ。ごく初期の作品も限定愛蔵版で作ってる人だし、もしあれが長編第一作だとすれば、本にして残しておきたいと思ってもおかしくないですよね」

「それはそうね。あの人、筋金入りのナルシストだから。でも、彼がミステリ・ファンだというのは知らなかったな。確かに個々の作品にはミステリアスな雰囲気はあるけど」

「彼は十分、ミステリ・マインド持ってますよ。『三月』も、成功してるかどうかはともかく、ミステリ・マインドは横溢《おういつ》してますよね。でも、ミステリ・マインドというのも個人差があるから、どういう部分にミステリーを感じるかという点で、両角満生は『三月』と共通のものを持ってます」

隆子がそれを強く感じたのは、『三月』の第三部だった。『アイネ・クライネ・ナハトムジーク』は乾いた倦怠感《けんたいかん》が溢れているものの、底に流れるのはどろどろした近親憎悪や、複雑で背徳的な人間関係。血縁関係や、『血』そのものに翻弄《ほんろう》される人間の悲劇をテーマにしている。それは、この作品ではあまり毒々しく描かれてはいないが、現在の満生はそういったものを繰り返し執拗《しつよう》なまでにテーマにしていた。『三月』はその萌芽だったのかな、と思わせるようなものがあったのである。

また、第四部の『鳩笛』でも、低音部に似たものを感じた。平凡な、他人のいいなりになる女性に対する目線の高さや冷ややかさといったものに、同質のものが感じられたのだ。それを感じたのはほんの一瞬だし、もしかするとインテリの男性に共通する視線だったのかもしれないが。

それでも、佐伯嗣瑛がただ漠然と「可能な条件」を満たしているのに比べ、両角満生は同じ人の文章なのではないか、と思わせる部分がかすかに感じられるのが候補となった理由だった。

「ふうん。あたしは、両角満生説に関してはあんまりコメントできないなあ。意外だったし」

「じゃあ、三人目に行きましょう。斉藤玄一郎ですね」

斉藤玄一郎は作家ではない。文芸評論家であり、大学教授である。若い頃から活発に評論活動をしており、辛口で尖鋭的な論調で知られていた。間口は広く、サブカルチャー全般に評論を加えられる精鋭を持って鳴らしている。

「あれだけ冷徹な批評で有名な斉藤玄一郎も、かつてはロマンチックな小説を書いていたんですよ。ほんと、同人誌の中でも一番の抒情派。読んでるこっちが赤くなっちゃうようなロマンチストでしたよ」

「ふうん。評論家かあ。大穴だけど、むしろ、確かにあの初々しさは、評論家が自分で小説書いたっていう恥じらいのあらわれかもね。プロの作家というよりも、自分が先にものを発表して人に批評されることに慣れてないっていう感じかも。作家よりも可能性高いわねえ。こうして見ると、三人の中では一番ぴったりかもしれない。本物の評論家は、絶対創造者にはなれないってのがあたしの持論なの。それでいて、評論というのは実は完璧な創造なんだけどね。そういう意味では、あの疵《きず》だらけの作品は、彼が一流の評論家であるという証明かもね」

朱音はしきりに納得している。彼女の持論はともかく、隆子が彼を候補に挙げたのには、もっと現実的な理由があった。

「同人誌にね、彼がミステリらしきものを書いているという記述がちらほら見られるんですよ」

隆子は囁くように言った。

『白夜』は、その構成になかなかの工夫がこらされていた。定例の短編小説や中編の分載、企画ものの競作など、読みやすいようにメリハリがつけられていて、編集のセンスもちょっとしたものだった。そして、座談会を記録したようなものも何号かおきに掲載されていた。文学は勿論、時流や政治経済に至るまで、テーマはさまざまだ。その中に、推理小説をテーマにしたものがあったのである。それを読むと、彼等がけっこうミステリをよく読んでいるのが分かって微笑ましかった。その中に、ふと目を引く文章があったのだ。

堂垣　…どうだろう、我々でもミステリを書いてみちゃあ。良いミステリを書くのは、恋愛小説よりもむつかしいだろうよ。

斉藤　…いやね、僕もちょっと手すさびに書いてみることもあるんだが、あれはやっぱりむつかしいもんだね。どこから謎を構築するか考え始めると、あちこちから水が漏れてきて。

堂垣　…ほう、そいつは楽しみだ。どんなものを書いてるんだね？

斉藤　…それはやっぱり『黒死館』みたいなのだよ。思わせぶりで、謎が大小たっぷり出てくるやつだ。

この部分に、隆子の目は釘付けになった。果たして、数ヵ月先の号の座談会にも、次のような記述があった。

堂垣　…そういえば、斉藤君の『黒死館』ばりのミステリはどうなってるかい？
斉藤　…まだまだだよ。クワルテットのように、全体が響き合う巧緻《こうち》なものにしようと思ってるからね。

斉藤玄一郎を候補にした理由はこの座談会が全てだった。

クワルテットのように。四重奏。それはとりもなおさず、『三月は深き紅の淵を』の四部作を指しているのではないか。

「いささか短絡的な理由で恐縮ですが」

「でも、実際に作品に言及しているという点では一番確実なんじゃない？　とにかく、三人の中では、あたしは斉藤玄一郎に一票入れるわ。言われてみれば、あれは確かに評論家の文章だわね」

朱音はしきりに納得している。

「江藤さんは、本当は誰だと思ってたんですか、作者は」

朱音はチラリと隆子を見た。

「作者は作者よ。あたしは、あの本の作者たちはあの本しか書かなかったと思ってる」

「無名だということですか」

「うん。人間、誰でも一生に一冊の本は書けるというのは本当よ」

「あたしは書けそうにないなあ」

「あたしたちは毎日書いているでしょう」

「毎日？」

「いいものを読むことは書くことよ。うんといい小説を読むとね、行間の奥の方に、自分がいつか書くはずのもう一つの小説が見えるような気がすることってない？　それが見えると、あたし、ああ、あたしも読みながら書いてるんだなあって思う。逆に、そういう小説が透けて見える小説が、あたしにとってはいい小説なのよね」

「ふうん。そんなものですかねえ」

「あたしさあ、子供の頃、本読んでても、誰々作、って意味が分からなかったの。本に作者ってものがいるってことに気付かなかったのね。どの本にも表紙に『××さく・え』って書いてあるじゃない？　これはなんのことだろうってずいぶん長い間悩んでたわ」

「じゃあ、本はどうやって作られると思ってたんですか？」

「さあねー。どこかで筍《たけのこ》みたいに、自然発生的にぽこぽこ生えてくると思ってたみたいね、今にして思えば。小学校三年ぐらいだよ、本というものが、誰かが考えて書いたものだということを悟ったのって」

「それって、遅いような気がしますけど。こういう職業やってる人にしては」

「いやあ、あの時はショックだったなあ。本が全部人間の頭から生み出されて、一字一字が手で書かれてできたものだって分かったときは。あたし、あの当時からあんまり進歩してない。今でも人間が小説を書いてることが信じられない時があるもんね。どこかに小説のなる木かなんかがあって、みんなそこからむしりとってきてるんじゃないかって思うよ。この稼業を選んでずいぶん経つけど、未だにだまされてるような気がする。いつかきっと『ほらーやっぱりそうだったんだー』って、その現場を押さえてやろうと思ってるのよね」

「すごい発想ですね」

「そうかしら」

既に深夜である。部屋の中の薄暗いオレンジの明かりは、共に夜を過ごす者を親密にさせる。部屋の中には旅の夜だけに存在する、濃厚な空気が漂っていた。ちょっぴり感傷的で、ちょっぴり寓話的な空気が。

ふと耳を澄ますと、窓の外の遥か遠くで山の上を低い地鳴りのような風が渡って行く音が、列車の音に混じって聞こえてくる。その音を聞いていると、羊水の中の胎児になったような気分になる。

「それで？　あんたは誰だという結論になったわけ？」

朱音はおもむろに尋ねた。その醒めた声に、隆子は自分がほんの少し、頭の隅っこで眠っていたことに気付いた。

「まあ、この列車に乗ってるんだからもうお分かりでしょうけど」

隆子は苦笑した。

「それがですね。まだ、この犯人探しならぬ作者探しは続くんです」

「えー？　三人に絞ったんだからいいじゃないの。もったいぶらないで言いなさいよ」

隆子は自分のバッグをたぐりよせた。大きな黒のナイロンバッグ。重いのである。

何冊かのハードカバーと雑誌を取り出す。四角いテーブルの上に並べてみせる。

佐伯嗣瑛の単行本。映画化された「霧の中の川」の裏表紙。やや上から見下ろした構図の、書斎の嗣瑛の白黒写真。大きな手で鼻から下を頬杖を兼ねて覆い、執筆に没頭する姿がとらえられている。白いシャツにざっくり編んだカーデガンをはおり、日本人離れしたインテリの香り漂うお洒落な写真だ。中年女性がぐらりとくるのも分かる。

「出たね、マダムキラーが」

「この写真は計算されてますねえ。俺文学者だぜえ、フランス語もしゃべれるんだぜえ、すっごいインテリなんだぜえ、って感じですよね。さあ欲求不満の奥様、どうぞいらっしゃい私の元へ」

「けっこう意地悪だね、あんたって」

「失礼しました。こんな偉い先生を」

もう一冊のハードカバー。赤と黒の、妖艶《ようえん》な雰囲気漂う本である。両角満生の「廃園」

は、異母姉妹たちに幽閉され、歪《ゆが》んだ倫理観を教えこまれて育てられた少女の物語で、異母姉妹とのやりとりのグロテスクさや、エロティックかつ洗練された振る舞いに、若い女の子たちのファンが多かった。舞台化もされている。表紙を開くと、やはり白黒の著者近影がある。作務衣《さむえ》を着て、頭は丸刈り。精悍《せいかん》で端整な、そして一癖も二癖もありそうな顔だち。ただ者ではないという雰囲気が全身からにじみ出ている。写真は、茶室で花を生けているところだった。

「この人すっごい多趣味なんだよね。家はもともと染色業かなんかで。一通り職人やってからこの世界に入ったんだって」

「そういう感じですね。やっぱり環境がないと、ここまでは究《きわ》められないでしょう」

古い雑誌を広げる。数年前の、総合誌のグラビア。各界の有名人の書斎を見せてもらうという企画ものだ。雑然とした一室。積み上げられた本と雑誌。そのわずかな隙間の古ぼけた椅子に座り、煙草に火を点けようとしている斉藤玄二郎。切れ味鋭い論調のイメージとは裏腹に、自分の城でほっと寛《くつろ》いでいる様子があどけなく、好感を覚える。乱雑に積み上げられた難しそうな本の間に、フレドリック・ブラウンの「まっ白な嘘」の背表紙がのぞいているのがいっそう親しみを覚える。

「仕事には厳しいけど、いい人みたいよ、斉藤さんて」

朱音が、グラビアを指差しながら呟いた。

「なんでこんな写真出してきたの、こんな重たい思いして」

急に鋭い目でこちらを見つめてくる。

「あたし、記憶力はとてもいいんですよ。ちょっとした特技。ぱっと本を開いてそのページを見て、写真のように覚えられる。長続きはしないんですけど。学生時代は、一夜漬けの魔術師と言われたものですが。『三月』に関して言えば、部分部分を少しずつ、パラグラフで覚えてるんです。思い出したところを、何年もかけて書き出してみたのがこのノート」

隆子はバッグの底から使い込んだ大学ノートを取り出した。このノートを人に見せるのは初めてである。というよりも、他人に見せることがあるとは思わなかった。

朱音はノートを手に取ってぱらぱらとめくった。顔色が変わる。

「すごい。これ、ほんとに覚えてるの？」

「ええ。時々ふうっと思い出すんです。それもね、その部分の文章と、それを映像化した場面がセットで浮かんでくる」

「そりゃあ才能だわ。他の職業に就けばよかったのに」

「でも、見てそのまま覚えるだけなんて案外何の役にも立たないですよ。長持ちしないし」

「婦人警官とかどう？　交通違反した車のナンバーが一目で覚えられる」

「それだけですか」

「あとさ、ＴＶの懸賞の応募要項が覚えられる。料理のレシピが一目で覚えられる。旅先でバスの時刻表が覚えられる。便利じゃない」

「なんだか、パッとしませんね」

「いいじゃないの。人間は忘れる動物なんだから。忘れた方がいい場合も多いのよ。ふうん、懐かしいなあ。確かにあったよなあ、こんな場面」

朱音は口に出して読んだ。


この部屋、時々鈴の音がするのよ、と彼女は振り返りながら言った。

彼女の包丁の音を聞きながら新聞を読んでいると、何時《いつ》の間にか音が止んでいることがある。そんな時に顔を上げると、決まって彼女は手を休めてこちらを振り向いている。彼女の顔の右側が、キッチンの明かりに白く浮かび上がり、彼女の切っている人参《にんじん》だかキュウリだかの断面が赤ん坊の腕の断面のように見えて少し動揺する。

あなたがいる時には聞こえないんだけどね。一人で煮物とか作ってると、りんりんりん、って音が天井の隅っこから聞こえてくることがあるの。きれいな、澄んだ音で。

そうやってぼんやりとこちらを見ていたかと思うと、空いていた方の手を上げ、何かを打ち消すように何度か気怠《けだる》く手を振る。指輪一つない白くて長い指が、いつも異様に見える。妻はなんて指の長い女なんだろうといつも思う。そして、彼女はまた何もなかったかのように野菜を切り始めるのだった。

これは、第四部『鳩笛』の一節。自分の小説と現実とが地続きになりはじめた主人公が最初に異変を覚えるシーンである。鈴の音の聞こえる女。考えるとかなり気味が悪い。隆子も子供の頃に、夕方田圃の畔道《あぜみち》を歩いていて大きな鈴の音を聞いたことがあった。何もない空に、しゃんしゃん、という音が確かに響き渡ったのである。この一節を読んだ時に、そのことを鮮明に思い出したのを覚えている。

朱音は別の部分を読んだ。

小さな透《す》かし模様の入ったランプ風の明かりを少し右へ押しやった。右の頬がほのかに温かい。

私はたった今まで埋めていた原稿用紙の升目《ますめ》をまじまじとのぞきこんだ。

それは、深かった。原稿用紙の升目と同じ模様をした格子の下に、ちゃぷちゃぷと澱《よど》んだ流れが見えたのである。光の網のような水紋が、なまめかしく、スローモーションのように身をくねらすのが見えた。机の中に――いや、正しくは原稿用紙の底に、地下水路のような川が流れていたのである。それは、箱庭を見下ろしているような奇妙な眺めだった。

これも『鳩笛』である。主人公の物語が、現実を浸食していく。

「うーん、懐かしい。確かにこんな文章があったわ」

「君は悦子に会ったことがあるかい？　あいつ、綺麗な女の子を見ると、すぐに嫉妬するんだ。二十も違う女の子とライバルのつもりなのさ」

「悦子って誰？」

「うちの母親だよ。君みたいな子は、悦子はうんと嫉妬するだろうな」

「どうして？」

「どうして、ってきくとね、悦子はこういうんだ。『あんたには分からないわ、女は女そのものに嫉妬するんじゃなくて、その女の未来に嫉妬するのよ。どんな素晴らしい人に出会って、どんな風に愛されるかを想像するの。そして、その女がそういうふうに愛される自分の幸運に満足し、優越感を味わうところを想像して嫉妬するのよ。どんなに綺麗な恵まれた女でも、あたしは感受性のない女には嫉妬しないわ。たとえ子供であれ、自分を抱き締めたくなるような歓びをちゃんと知っている女にだけ嫉妬するの。』」

「自分のおかあさんと、いつもそんな話してるの？」

「いつもってわけじゃないけどさ。僕は悦子のごみ箱だから。悦子はいつも僕の中に、こすってもこすっても汚れの取れないゴミばかり捨てていくんだ」

「『アイネ・クライネ・ナハトムジーク』ね。あたしは聖《ひじり》のファンだったなあ」

「あたしは黎二《れいじ》兄さんの方が」

「ああ、なるほど」


小さな封筒に入った手紙を手に取り、ナイフを使うのももどかしく、封筒の蓋《ふた》の隙間に指を突っ込んで横に滑らした瞬間、何か指先が暖まる感触があり、まるで封筒の中から溢れ出してきたかのような、真っ赤な血がすうっと封筒の上を流れ落ちた。

「あ」

全身を、見知らぬ誰かの白く燃えるような憎悪で塗り替えられたような気がした。

左手の人差し指を目の前に持ってくると、深く切られた赤い隙間から南天《なんてん》の実のような滴《しずく》が次々と転がりだしてきた。


「これも『アイネ・クライネ・ナハトムジーク』から。他にもいろいろあるんですけど、これを読んで何かお気付きになりませんか」

「何を？」

「あたし、なんでこういうたいしたことのない部分ばっかり覚えてるんだろうって自問自答してみたんです。まあ、母親がまだ小さな女の子を嫉妬するという話は本当に印象に残ってたシーンなんですけど、他はどうってことないでしょ？　別に重要なシーンでもないし、描写が優れてるシーンでもない。でも、鮮明にあたしの記憶に残ってるのはなぜだろうって」

「何か理由があるの？」

「ええ、あったんです。読んでいて、情景を思い浮かべて違和感を感じた部分が記憶に残っていたんですね」

「違和感？　あたし、特に何も感じなかったけど」

「よく読んでください」

再度促す隆子の声に、朱音は首をかしげながらも何度も文章を読み返していた。

「わからないわ。教えて」

「じゃあ、例えばですね、一番最初の『鳩笛』の台所のシーン。私がこうしてまな板の上でものを切っていたとします。はい、途中でストップしてこう振り返る。『彼女の顔の右側が白く浮かびあがっていた』とあります。つまり、右側から後ろをふりむいている。江藤さんが野菜を切る途中で、後ろにいる人間に声をかけようと振り向き、野菜を切るのを止めたとして、包丁を手放しますか？」

「ううん。たいてい持ったまんまよね。話が終わってからそのまま切り続けるわよ」

「でしょう？　このシーンでも、この女性は包丁を持ったまま手を止めたはず。なのに、こちらにいる主人公から見て、彼女の空いている手には指輪がついていない。どうです？」

「え、ひょっとして」

「次のシーン。主人公はそれまで原稿を書いていた。そして、ランプを少し右に押しやる。右の頬がほのかに温かい、とあります。つまり、ランプは主人公の右側にある。少しずらしたけれど、最初から主人公の右側にあったのです。勉強机の照明って、昔うるさくいわれませんでした？　目が悪くならないように、光の方向に気をつけろ。手の影ができないようにしなさいって。あたしだったら、右側には照明を置きません。左側に置かないと、自分の手の影で書いている文字が見えにくくなる。なぜかというと、あたしは右利きだからです」

「つまり」

「ええ。『三月』の登場人物は左利きの人間が多いんです。あたしが無意識の内に覚えていたのは、登場人物が左利きだと推測できる場面ばかりです。さっきの台所のシーンにしても、左手に包丁を持っている人間が手を休めて右側に振り返った場合、空いている手は右手――指輪一つない手、ですね。この原稿用紙のシーンにしても、右側から光を当てて文章を書いている。主人公は左利きだから。あとの場面もそう。封筒に指を突っ込んで開けるとき、やっぱり人間は利き手を使いますよね。でも、この子は左手の人差し指から血を流している」

「要するに、作者は左利きだというのね？」

「そうです。あたしが猫を飼っていたら、自分の猫を見て描写するでしょう。あたしが弁護士だったら、法廷小説を書くでしょう。あたしが右利きだから、当然あたしの小説の登場人物も右利きになるでしょう。伊達《だて》や酔興《すいきょう》で、それこそ何かのトリックにでも使うのでなければ、登場人物の描写が皆左利きになるなんて偶然とは思えない」

「確かに」

「さあ、そこでもう一度そういう観点からこの三枚の写真を見て下さい。どうです、この中に『三月』の作者はいますか？」

二人は再び二冊の本と一冊の雑誌の写真に見入った。

原稿を書く佐伯嗣瑛。万年筆を持つ手は――右手だ。

花器に向かい、黒い剪定鋏《せんていばさみ》を握る両角満生――それも右手である。

そして、斉藤玄一郎。擦《す》ったマッチ棒の火を、煙草に近付けている。――マッチを持つ手は、これもやはり右手である。

「馬鹿な」

朱音が隆子をにらみつけ、隆子は首をすくめた。

「ええ。この三人の中には、『三月』の作者はいないことになってしまうんです」

沈黙が降り、列車の揺れる音が再び大きく聞こえてきた。

「でも、左利きの人って両利きの人が多いよね。この三人のうちの誰かもそうなんじゃないの？」

朱音が気を取り直すように言った。

隆子は小さく左右に首を振る。

「利き手を直すのって、大抵子供の頃ですよね。『三月』は成人してから書かれた作品です。その時点で、左利きで原稿を書いている人がそのあと利き手を直すと思いますか？　それはないと思うんです」

「あんた、自分で自分の首を絞めてるわよ。人がせっかくフォローしてるのに」

朱音は不満そうな顔だ。

「あ、すみません」

隆子は謝った。

「その顔を見ると、まだ続きがありそうね」

朱音は隆子の顔をのぞきこんだ。

「ええ。実は」

「長い夜だわ。酒もなくなってきたし。熱いコーヒーが飲みたいな」

「自動販売機があったと思いますが」

「缶はあんまり好きじゃないの。話が終わるまで我慢しよ」

「朝、お弁当屋さんが来ますから、その時買いましょう」

コーヒーという単語を聞いた途端、隆子も急に香り高い、濃いコーヒーが飲みたくなった。酒を飲んだあとにコーヒーを飲むのを嫌がる友達がいたっけ。コーヒーを飲むと、一日がこれでおしまいという感じがするからだそうだ。

部屋の中に、細長い姿見が据え付けてある。姿見の中に、黒縁の大きな眼鏡を掛けた朱音のぼんやりした顔が映っている。オレンジ色の光に照らされ、鏡の中の彼女は物憂《ものう》げな表情だ。

鏡の中に人の姿が見えたら、相手からも必ず自分の姿が見えているのだ。

何かの一節だ。アガサ・クリスティーだっただろうか？　最初にこのフレーズを読んだ時、理由は分からないが背筋が寒くなったのを覚えている。朱音からは、あたしの顔はどんなふうに見えているのだろう？　目は落ちくぼみ、顔はむくんでいるに違いない。水分の取り過ぎで足のむくみは悲惨なほどだ。足をどこかに上げたいが、場所がない。

今、アガサ・クリスティーが生きていたら、何を書いていただろう、とふと思った。あまりにもメジャーで、文章が平易過ぎると最近あまり話題にもならないが、隆子は、彼女にゴシック・ホラーを書かせたらすごいのではないかと思っていた。テクニックといいイメージ喚起力といい、現代のいわゆるホラー作家はすさまじい力量を持っているが、正直なところ、隆子が今まで本当に恐怖を覚えた小説は、アガサ・クリスティーの「終りなき夜に生れつく」や「スリーピング・マーダー」なのだった。当代の男性作家ならば、技巧を尽くし緻《ち》密《みつ》な計算をした上で読者を追い込むように細部を書き込み、力業でねじふせようとするだろう。クリスティーの恐怖はそうではない。だいたい、クリスティーという人は心理描写も風景描写もほとんどしない人だ。「女性的な感覚」を売りにする訳でもないし、センテンスも短く簡単。なのに、心の底からぞっとさせる。クリスティーに、ビクトリア朝のゴシック・ミステリ大作を書いてもらいたかった。上下巻、二冊分冊のやつを。タイトルはどんなのがいいだろう。彼女の好きな、シェイクスピアの一節からだろうか。シンプルなタイトルがいい。古くてモダンなタイトル。「ねじれた家」や「親指のうずき」みたいな。そんな原稿が発見されたらどうなるだろう？　いかんいかん、またしても編集者根性が。

全身は疲労で重く、重力は早く横になれとしつこく誘う。しかし、意識ははっきりしている。いつもより冴えているくらいだ。

鏡の中の朱音は相変わらずぼんやりとしている。こんなに無防備な、子供のような顔を見るのは初めてだ。普段一緒に飲んでいる時とは全く違う。旅というのは面白いものだ。同じように飲み屋で一晩を過ごしても、こんな顔を見ることはできないだろう。

鏡。そう、鏡だ。鏡の中には、望まれぬ結末が見えている。

「この事実に突き当たって、また、ふりだしに戻って考えてみました。先入観も捨てて、噂も全く聞かなかったつもりで、初めてあの本を読んだつもりになって。最初の自分の勘を頼りに、最初の印象をたぐりよせてみたんです」

隆子は自分に言い聞かせるように言葉を漏らした。

「江藤さん、『三月』を読んだ時にどう思いました？　あれは、どんな人が書いた本だと思います？」

「あんた、ずるいわね。早く結論言いなさいよ、もう」

「聞きたいんですよ、江藤さんの説」

「最初に言ったわ。未熟。たぶん、処女作」

「それは本についての感想でしょう。そうじゃなくて、作者についてです。作者はどんな人でしょう？」

朱音は溜め息をついた。

「そうね」

渋々、唇を舐めてから話し始める。西麻布のバーで見たような、神経質な目の動きが一瞬だけ現れた。

「優等生タイプ。周りにはおとなしくて真面目な人だと思われてる。でも、本当は感情派。ちょっと不安定なくらい自意識過剰で、どんなふうに見られてるかいつも気にしてる。本当は注目してもらいたがってる。あまり友人と遊ぶようなことをしない。そもそも、他人に自分をさらけだすことに恐怖を覚えてるから、長時間友人といるのが苦痛である。たぶん、家と学校との往復。狭い世界。執筆当時はかなり若かった」

「嫌がってた割りにはすらすら出てきましたね。江藤さん、本当は密かに研究してたんじゃないですか」

「うるさいわね。あんたの希望通り印象を言ってるだけじゃないの」

「あとは？」

「そうね。家庭的にはあまり恵まれてないような気がする。恐らく一人っ子で、親とは没交渉。威圧的な親かもしれない。要するに、一人でうじうじするタイプね。こういう女が、学生運動に走ったり、いきなり水商売に入っちゃったりするのよね」

「あれ、今、『こういう女』って言いましたよね？　江藤さん、作者は女だと思ってるんですか？」

朱音はぎくりとした。が、大きく鼻から息を吐いた。

「――ええ。作者はきっと女だわ」

今度は、隆子が安堵《あんど》の溜め息を漏らす番だった。

「やっぱりね。やっぱり、江藤さんはあたしと同じ感想ですね」

「じゃあ、あんたも？」

「はい。最初に読んだ印象は、『女の人の書いた本』だったんですよ」

何がそう思わせたのかはよく分からない。しかし、初めて『三月は深き紅の淵を』を読み始めた時、隆子はそれを女性の書いた文章として自然に読んでいた。完成品とはいいがたく、明らかに濃い薄いのある文章で技巧にもばらつきがあったが、日常生活レベルの視点にリアルなものを感じさせられたのだ。

「でも、佐伯嗣瑛とか、父の同人誌とか、作者は男性であるという通説や証拠がぞろぞろ出てきてたじゃないですか。だから、なかなか作者は女性であるということは言いにくくて」

「そうね。いったん流布してしまった固定観念をひっくり返すのは難しいよね」

「実際、どちらか分からない文章はどんどん増えているでしょう。文章もユニセックス化が進んでいて、男か女かなんてナンセンスになってきている。その一方で、男か女かということは前よりもいっそう追及されるようになった。それは、性別が付加価値の一つになったからですね」

「あんたはどこで女だと思ったの」

「どこという訳じゃないんですけど——やっぱり全体ですかね。物の見方というか、距離の取り方というか——男性って、なんのかんのいってもやっぱり視野が広いじゃないですか。男は社会的な動物だしね。『三月』は、作者の見届けられる範囲が女性のものなんですよ。男性だったら、もっとつきつめて考えるか、大きく取るかなんですよね。どちらでもない。こう、半径五十メートルくらいの世界に安住する感覚。それは女性だろうと」

「うん、その感覚は正しいと思う。女は他者を通してでしかマクロな視点を持てないものね。意見が一致したのはうれしいけどさ、じゃああの三人は前座に過ぎなかった訳？　せっかく写真まで持ってきたのにね」

「いいえ。そんなことはないです。最初の印象では女だと思っていたけれど、三人の文章を読んだ時は、その中にいると確信したほどですからね。やっぱりね、『三月』の文章は『白夜』の三人の影響を受けているんですよ。『三月』の作者は『白夜』を読んでいるか、『白夜』の三人の近くにいるんです。一部では有名だったけれど、純文学の同人誌を読んでいる人間がどのくらいいると思います？　作者は、すぐ近くにいるはずです」

「三人のうちの誰かの、ごく親しい女性ということね」

朱音は頷いた。隆子も頷き返す。

「そうです。そう思いついて、もう一度『白夜』と、三人の作品をひっくり返してみました。今度は、小説ではなく、エッセイや身辺雑記やゴシップのようなものを徹底的に探していったんです」

隆子は会社の資料室に入り浸った。文芸誌や雑誌、新聞。三人の周りの女性に関する情報を求め、三人の歴代担当編集者を追いかけた。

「『三月』が発行されたのは一九七五年から八〇年頃とされています。その当時、二十代から三十代の女性というのを念頭に置いて探してみました。年齢設定はちょっと不安だったんですけどね。早熟なティーンエイジャーだったのかもしれないし、初めて小説を書いてみた五十代の女性だったのかもしれない。文章と年齢は必ずしも比例しないですから。でも、きりがないんでえいやっと」

「それで?」

「全然駄目。全く絞り切れなかったし、何も浮かんでこなかったんです。奥さん、姉妹、親戚、女友達。純文学者の家族構成なんて、全然マスコミに上がってこない。三人とも、自分のプライヴェートをさらけ出すタイプじゃないし、エッセイも二、三冊。手掛かりが少なすぎてお手上げ。ましてや、斉藤玄一郎の奥さんや従姉妹が左利きかなんてどこにも載ってるわけない。つきあいの長い編集者だって覚えてない。何日もかけて資料室をひっくり返したのに、がっくりきちゃいましたよ」

「そりゃそうだわ。確かにそんなこと調べる人いないわよねえ。両角満生あたりだったら、熱狂的なファンが研究書でも書くかもしれないけど、それにも交遊関係のあった女性が右利きか左利きかなんて載らないわな。しかし、ガッツあるねえ、堂垣さん。正直言って驚いたな。若いということは素晴らしいねえ」

「若くないですよ。疲れました」

「今どこでどうしてるのかしら、この作者は。きっと素知らぬ顔して平凡に生きてるんだろうなあ」

「あたしもそう思います。この人にとっては、最初で最後の作品だったんでしょうね」

「記念だったのかな。そもそも、発表する気があったのかしら」

「どうなんでしょう。でも、自費出版したってことは、やっぱり発表する気はあったんじゃないですか。ある程度の部数を刷ってるんだから、人に読ませるつもりだったことは確かでしょう」

「それはそうなんだけど、そうじゃなくて、自分に向かってるのよね。人に読ませることをあんまり念頭に置いてない、表現が外に向かってないって気がするの。そりゃあ、小説なんだから、誰かが読むというのは心のどこかにあるでしょう。ましてや、あたしが不思議に思うのは、『三月』がミステリだということよ。例えばね、純文学だったら小説の舞台が小さな箱の中でも、四方を絶壁に囲まれた無人の世界でも構わないけれど、ミステリというのは必ず客のいる舞台で演じられるものよ。純文学だったら、徹頭徹尾《てっとうてつび》自分の為に書いても構わないわけ。でも、ミステリではそれは許されないの。何かを勘違いした奇妙奇天烈《きみょうきてれつ》な『アンチ・ミステリ』は除外して、推理小説というのはその性質上、必ず読者の理解と意識をどこかで仮想しながら書かなければならない。そういう制約があるからこそ面白いんだけどね。推理小説ほど第三者の目を気にしながら書く、『外に向いた』小説はないわけよ。でも、そういうところが『三月』にはないんだな。客はいないのに、存在していない客の意識は仮想されている。そういうところが奇妙だわ」

「ああ、何か言ってることは分かるような気がします」

隆子は大きく頷いた。

『三月』には異様な危うさがある。咲き始めた大輪の花が、素晴らしい香りを漂わせ始めたところで、既に根元から腐り始めているような。この大きな疵《きず》が、読んでいると今にもざっくり裂けて致命傷になりそうで、はらはらするのだ。

「あんた、本当に作者を見つけたいの？」

おもむろに、朱音が訊いた。眼鏡の奥の大きな瞳が、こちらをじっと見つめている。

隆子はぼんやりと見返した。

朱音は、首の後ろに手を組んでソファの背にもたれかかった。

「もう、いいんじゃないの。あの本はいつまでも噂だから面白いのよ。あんたの記憶力には舌を巻くけど、今もう一度読んで面白いかどうか分からないでしょう。かなり説得力のあるカードだったわ。恐らく今まで出てきた中で、一番真実に近いところにいたんじゃないかな。その話をどこかですれば、きっと評判になるよ」

「江藤さんは、作者を知りたくないんですか？」

隆子はためらいながら尋ねた。

朱音はつかのま沈黙していたが、小さく答えた。

「知りたいけど、知りたくないわ。なあんだ、ということになって魔法が解けるのが怖い。

つまらない。夢中になって読んでいた大長編が終わるのは淋しいわ」

朱音の気持ちも分からなくはなかった。自分の心の中でも、そっとしておくべきだという声が度々聞こえた。しかし、走りだした夜行列車は止まらない。列車は刻一刻目的地へと向かっている。隆子の中の、熾火《おきび》のような昏《くら》いものは転がりだしてしまったのだ。

「分かりますけど」

隆子は申し訳なさそうに呟いた。

「でも、あたし、突き止めてしまったんですよ。作者が誰か」

朱音はたっぷり十秒は黙っていた。

「――え？」

隆子はどういう表情をしたものか迷った。泣き笑いのような、情けない表情になってしまっているのが自分でも分かる。

「ほんと？」

朱音が目を大きく見開いて身を乗り出してきた。隆子は反射的に後ずさる。

「ええ。恐らく。突き止めた、と思ったんですけど」

隆子はしどろもどろになった。

朱音は憮然とした顔になる。

「まだ話の続きがあったのね」

「はあ。やめときますか？」

お伺いを立てる隆子に対し、朱音は思い切り鼻息を荒くした。

「聞かせていただきましょう」

再びどっかとソファにもたれかかり、腕組みをして顎をしゃくる。

隆子はおどおどしつつ話し始めた。

「実にあっけない結末なんですよ。どんでん返しも、神のような論理もなくて、ミステリ・ファンとしては情けないんですけど、なにしろ、きっかけがただの偶然だったもんで」

隆子は、バッグの底の透明な青いクリアファイルから、小さな紙切れを取り出した。

「これを見て下さい」

それは、お酒の瓶についていた小さな能書《のうが》きだった。

隆子は日本酒が好きである。自然と、友人たちは旅行に行くとそれぞれの土地の地酒を買ってきてくれるようになった。

つい一ヵ月前のことである。出張で松江、出雲を回ってきた大学時代の友人が一本の地酒を持ってきた。友人も、時間がなかったので、県の自治体の経営する大きなアンテナ・ショップで目についたものを買ってきたのだと言っていた。

それは、「かみありさけ」というシンプルなラベルのついた緑色の瓶だった。

十月は神無月《かんなづき》と言うが、日本中の神様が集まるので出雲だけは神在月《かみありづき》と言うのは有名な話だが、それをもじったネーミングなのだろう。

地酒のラベルや、金色のゴムで首にかけてある二つ折りの小さなパンフレットを見るのは楽しいものだ。隆子もいつもどおり、小さな能書きを瓶から外して読み始めた。

そこに、『白夜』で隆子が絞りこんだ三人の内の一人の名前を見つけた時は、おお、こんなところにこの人が書くなんて、と思っただけだった。郷土の商品のパンフレットに、その町の出身の有名人が宣伝文を寄せるのはよくあることだ。彼は酒にうるさかったから、この酒は期待できるかもしれないな、と思った程度だった。「いい酒ほど飲み口が水に近くなる」という説が流行《はや》った結果、近ごろ「さらりとした淡麗な味わい」を謳《うた》い文句《もんく》にした酒が増えた。地酒も例外ではない。しかし、「飲み口が水に近い」のではなく、本当にただの水を大幅に加えた酒が大量に出回っているのだ、と近所の酒屋の親父が怒っていた。日本酒らしい日本酒は、今日びなかなかお目にかかれない。

隆子はその能書きをさらりと読み終えた。

しかし、読み終えた瞬間、頭の中に何かがスパークした。一瞬にして、全身の血が逆流する。

これは、ひょっとして。

頭の中がかあっと熱くなり、もしかして、もしかして、という声がぐるぐると駆け巡った。気を落ち着けようと、小さく深呼吸する。

隆子はもう一度、震える手でその短い一文を読んだ。

そこには、彼女が長いあいだ探し求めていた答が書かれていたのである。


朱音は、しばらくの間その小さな薄紫色の紙に手をつけようとしなかった。

硬直したように、その紙を見つめている。でこぼこした和紙で作られたその紙には、雲紋と呼ばれる渦を巻いた雲の模様が地模様として刷り込まれていた。隣に置かれた、この個室のカード・キーと同じ模様なのがお揃いのようでおかしかった。


「読んでみて下さい」

隆子は低い声で言った。

朱音は躊躇《ちゅうちょ》した。なかなか手を伸ばそうとしない。

隆子はその紙を取り上げ、開いて朱音に差し出した。

朱音は怯《おび》えたように隆子の顔を見たが、決心したように紙を取った。

神は佳酒《かしゅ》とともに在り

小説を書き始めた頃、私は現在と違うペンネームを使っていた。二人の娘の、生まれた月の名前を繋げただけの、実に安易なペンネームであった。

神無月。我が郷里では神在月という。その意味するところを考えれば考えるほど、彼等のイメージが時空を超えてこちらに迫ってくる。その名を口にするたび、私の中では月が飛び、雲が歌う。

この酒はかなり以前から知人に何度も贈られていたが、なかなか口にする機会がなかった。しかし、当時よちよち歩きだった娘が、夜な夜な晩酌し、一人酩酊《めいてい》する父親の生態を日々観察していたためか、やがて日が暮れる時分になると、台所に並べてある一升瓶を引きずってくるようになった。生まれながらの左党であるこの娘が、とある晩に奥から引きずってきたのが、この酒である。それ以来、この酒はどこに住んでいても、出雲の神々とともに私の部屋にある。

両角満生

読み終わってからも、朱音はしばらくじっと文面を見つめていた。

固唾《かたず》を飲んで見守っていた隆子は、朱音が自分と同じ結論に達したのを感じ取り、不意に胸がいっぱいになった。朱音とともに、今一つの小さな旅を終えたのだ。

朱音は小さく溜め息をついた。それが、彼女の納得を示していた。

「両角満生の娘、か」

「二人目の娘が生まれて三年くらいして、彼は離婚しています。彼は子供を二人とも奥さんに渡し、数年後に再婚している。小説を書き始めたのはさらに十年くらい後。あたし、ずっと彼は子供がいないんだと思ってました。別れた奥さんとの子供だったとはね。なかなか名前が出てこなかったはずです。この、左利きの娘は弥生《やよい》さんというそうです。執筆当時は二十二、三だったでしょう。両角満生は、今は北九州に住んでいますが、彼女はご主人と一緒に出雲に住んでいるそうです」

弥生。彼女もまた自分の名前を作品に詠み込んだのだ。父親の小説を、彼女はどこで知ったのだろう。多感な時期、父親の小説を読むのは少女にとってはどきどきする体験だったに違いない。しかも、父親のペンネームは、自分に関係した名前だった。どんなイメージを膨らませながら少女時代を過ごしたのだろうか？

やがて、彼女は父親のタッチを真似て小説を書くようになる。遠くにいる、父親と同じ世界を共有するようになるのだ。

「住所は分かるの？」

「ええ。昔の担当者の手帳をひっくり返してもらって探してきました」

「アポは？」

そこで隆子はすうっと息を吸い込む。

「全然」

「えーっ」

朱音は叫び声を上げた。

「しーっ」

隆子は慌てて人差し指を立てた。

「いけませんよ、そんな大声出しちゃ」

「大声出すようなこと言うからよ。つまりその、なんですかい？　全く相手の予定も分からず、どういう状況かも分からないのに、いきなりこうして夜行列車で、出雲まで乗り付けるというスケジュールなわけ？」

「その通りです」

「ここまでの周到な推理と調査の果てがこれ？　おいおい、緻密《ちみつ》で冷静な堂垣隆子の名が泣くわよ」

朱音は今やあきれ顔に変わっていた。

「でも、それこそ冷静に考えてみてくださいよ。本を書いてから二十年も経って、『あなたがあの本の作者でしょう。ぜひお話を聞かせてください』と東京から電話が入って、『ああ、そうですか。はい、確かに私です』と会ってくれると思いますか？　これまで完璧に隠しおおせてきたのに？　これは奇襲しかありませんよ。行楽シーズンじゃないし、静かに暮らしてるご夫婦らしかったんで、この週末はいると踏んだんです。思い詰めた顔の女が二人、荷物抱えて『東京から来ました』といって玄関に上がりこむ。これなら相手だって、わけが分からないうちに家に入れてくれる可能性高いですよ」

「いやはや。だまされたわ」

朱音はぐるぐる首を回した。そう言いながらも、すっきりしたような表情だった。

「はらはらしたわよ」

隆子を睨みつけ、小さく欠伸《あくび》をする。隆子もつられて欠伸をした。

列車は減速している。少し前から町中に入った気配があったが、やがて列車はごとごとと呟き声を上げて止まった。

二人で目をしょぼしょぼさせながらカーテンをめくってみた。

はじっこが白み始めた青い夜の中の駅名は、京都だった。


まだ酒の匂いの残る部屋を手早く片付け、二つの狭いベッドをメイクすると、挨拶もそこそこに二人は毛布にもぐりこんだ。相変わらず揺れは強く、ごつんごつんと壁に身体がぶつけられるのと、頭の芯がほてっているのとで、隆子はなかなか眠れなかった。

朱音はもう眠ったのだろうか？

天井を見つめるが、何も聞こえてこない。朱音も、弥生に至るまでの過程を反芻《はんすう》しながら、天井を見つめているのだろうか。

魔法のような夜は終わりに近付いていた。長いような、短いような不思議な夜だった。目を閉じながら、隆子は『三月は深き紅の淵を』をめぐる、自分の長い旅も終わりに近付いているのをじわじわと実感した。満足感と虚脱感、これが終わったらどうなるのだろうという不安とが混ざりあって、徐々に眠りにひきずりこまれていく全身を浸した。

やっと会える。あなたに、会える。

小さな幸福感に包まれ、唇に笑みすら浮かべながら、隆子は誰かにそう呼び掛けた。呼び掛けながら、隆子はこの『あなた』とはいったい誰なのだろう、と心の中で首をかしげていた。

弥生？　満生？　それともお父さんだろうか？

安堵。疲労。期待。武者震い。眠りに落ちながらも、隆子は自分の中に『三月は深き紅の淵を』とともに封じ込めていたさまざまな感情が解き放たれ、ゆらゆらと浮かんでは消えるのを夢の中で感じ取っていた。

どのくらい眠ったのだろうか。重いものを乗せた台車が通り過ぎる気配がした。

柔らかな物売りの女性の声に、関西に来たのだなあという実感が湧く。

がたん、と天井が揺れた。ぎしぎしと音がして、身軽な黒い影が窓に取り付けられた梯子《はしご》から素早く降りてくる。

重たくて目が開かない。

「おはようございます。お弁当くださーい。コーヒーもあります?」

起きた瞬間から全開の朱音の声。えー、また食べるの、と隆子は寝ぼけた頭の中で叫んだ。

「堂垣さん、お弁当買ったよ」

朱音の声が降ってくる。

「おなかいっぱいです……」

夜通し喋っていたために嗄《か》れた声で答えると、朱音が一喝《いっかつ》する。

「駄目だよ、朝きちんと食べないと、ゆうべの酒が排出されないよ」

酒、という言葉を聞いただけで少し気分が悪くなった。こんなうわばみとペースを合わせて飲むのは二度とやめよう。堅く心に誓う。

「コーヒー、熱くておいしそうだよ」

今度はやや猫撫で声になる。要するに、早く起きて、ベッドを畳んでテーブルを作れ、という意味なのだと気付いた。

「こーひー」

ぼんやりと繰り返すと、よろよろと身体を起こす。全身が文字通りみしみしいった。ベッドから振り落とされまいと、あちこち踏ん張ったせいらしい。

目を乱暴にこすり、首を揺さぶり、激しく瞬きをして、ようやく目が開いた。髪も浴衣もぼさぼさになっているのが分かる。あたし、きっとものすごい顔してるんだろうなあ。まぶたも頭も重い。全身が水分の取り過ぎでむくんでいるのが分かる。なんて不健康な一夜だったことよ。床にまとめられたスナック菓子の残骸を見て、己の飽食の罪深さに恐れおののく。

隆子が起き上がったと見るや、朱音は毛布とシーツをひっぺがし、たちまちソファを組み立て始める。

「顔洗ってらっしゃい」

足を床に降ろし、よろよろと黒のポロシャツに着替えている隆子に、朱音はタオルを押しつけた。

列車の揺れなのか、寝ぼけているのか分からぬまま、隆子は通路に出た。ジャージ姿の親父と擦れ違い、ようやく成人女性としての自覚が復活してきた。

大きくとった通路の窓の外には、曇り空の田園風景が広がっていた。空は重く、雨は落ちてはいなかったものの、何かどんよりしたものが雲の上に蠢《うごめ》く気配がした。

あの、幻想的な夜の名残はもう跡形もない。あるのは朝だけだ。人間の生産活動の予感に満ちた時間が、窓の外にも感じられた。

そう、今日は活動あるのみ。思索と推理の旅はもうおしまい。あとは、ひたすら前進あるのみである。隆子は自分を鼓舞した。洗面所の鏡の前で背伸びをし、唸り声を上げる。

鏡の中を、すっと茶色い帽子が横切った。

あれ、隣の部屋の人だ。

少し経ってから通路をのぞいてみると、猫背の男はゆっくりと通路を歩いていった。部屋に入らず、そのまま通り過ぎて、曲がって見えなくなった。

隆子は自分たちの部屋の前を通過して、隣の部屋をのぞいてみた。

扉は開けてあった。きちんとベッドは片付けられており、部屋の主は荷物を運び出したあとだった。

どこで降りるんだろう。不思議な人だったな。でも、どこかで見たような――

隆子は訝《いぶか》しげな顔で部屋に戻った。

部屋の中は、コーヒーの香りに満ち、すっかり朝の部屋に変わっていた。

朱音は既にきちんと着替えて化粧も済ませ、地図とガイドブックをチェックしている。

ううむ、このフットワークのよさ、見習わねば。

そう思ったものの、隆子はよろよろと椅子に座り込むのが精一杯だった。朱音がコーヒーを寄越《よこ》してくれる。

　熱いコーヒーで、やっと人間になったような気分になった。

「家はどの辺りにあるの？」

「出雲大社の近くです。出雲駅からバスで二十分くらいのはず」

「さて、どうしよう。朝いちで──と言っても、出雲に着くのは十一時近く。ちょうど昼どきに着くことになるな。いくら奇襲すると言っても、ちょっと迷惑だわね」

「土曜の午後だし、出かけたりするかも」

「ここまで来たんだから、いなくても、一時間おきくらいに何度か訪ねればいいでしょう。近所の人をつかまえられるかもしれないし。あとは手紙を用意しといて玄関に挟んどくのね」

　朱音はビニールケースに入ったレターセットを素早く取り出す。

「ほら、いなかった場合の手紙を書いときなさい。住宅街でテーブルになるようなものを探すのは難しいよ。名刺も入れて」

「出版社の人間だとこの時点で明かすのはどうでしょうね」

「名乗らない方がよっぽどマイナスよ。何かを明かしてもらおうと思ったら、あたしたちみたいに何の権威も財力もない人間は、全てをさらけ出して誠意を見せるのが一番」

　朱音は、おもむろに弁当の蓋を開けてぱくぱく食べ始めた。見ているだけで気分が悪くなる。

「なあに、その気持ち悪そうな顔は」

睨み付けられて、隆子は思わずゲップが出た。

「しっかりしてよ、これからあたしたちは世紀の秘密を聞きだしに行こうってとこなのよ。二十年沈黙を守ってきた、頑固で自衛心の強い女性の殻を叩き割ろうってんだから。ちゃんと腹拵《はらごしら》えしときなさい」

「はい、あの、もう少ししたら」

自分の分の弁当を力なくテーブルの隅に追いやって、隆子はズルズルとコーヒーを啜《すす》った。何気なく窓の外に目をやる。

「あっ、海だ」

つられて朱音もそちらを向いた。

初夏の木々のあいまから、灰色の水平線がのぞいている。

「ほんとだ。中海《なかうみ》かしら?」

「えー、日本海じゃないんですか?」

「そっかー、中海は米子《よなご》より先ね」

二人は地図をのぞきこんだ。

窓の外の海は、遠くに来たという感じをいっそう強める。

朝御飯を終えてから出雲に着くまでの数時間はぽっかりと空いた牧歌的な時間で、二人は言葉も交わさずぼんやりと座っていた。通路に立って、緑の色の濃い田畑を眺めたり、読みかけの原稿を読んだり。まるで、もう帰りの列車のようだった。

普段の不規則な生活が祟《たた》り、週末の午前中をほとんど泥のような睡眠に奪われている隆子は、昼までの時間のあまりの長さに驚く。この時間を有効に使えば、家の中は片付くしもう一冊新刊が読めるのになあ。いつもと違う早さの時間。荷造りをしてしまうと、あまりののどかさに欠伸が出る。もはや一仕事終えたような気分である。いつのまにか再びうとうとしていると、車内のアナウンスは終点を告げた。

こぢんまりとした駅だった。もっと古めかしい駅を想像していたのに、意外と飾り気のない、近所のおばさんのような実用的な駅だった。待合室のプラスチックの座席には、列車を待つ人々が気長にじっと座っていた。

駅前には、小さなロータリーがあり、バスの走る通りがすぐ前を横切っていた。

「あっちがバス停みたい」

朱音の指差す方向に、屋根のついた一列のバスターミナルがあった。

二人でそちらに近付いてみる。出雲大社行きのバスは間もなくやってきた。

サラリーマンや学生に混じってバスに乗り込む。空気は湿って蒸し暑かった。相変わらず空は低い。擦れ違う車も少なく、舗装された広い道路をバスはゆったりと進む。

小さな川の水量は多く、水位は高かった。白いヘルメットをかぶった中学生たちが自転車を漕いでいる。

「なんでこんな時間に走ってるのかしら、この子たち。サボってるようには見えないけど」

「今って、もしかして試験期間かなあ。中間考査って奴ですよ、きっと」

「あったわねえ、そんなもの。大昔で覚えてないわ」

「真面目だったなあ、中学生って」

「二度とやりたくないわ」

朱音は吐き捨てるようにいった。

気のせいか、個人の家の庭でも松の木が多い。見事に手入れされたものも多く、美しい緑の松は違う文化圏に入ったという気分にさせられる。

ゆっくりと田園風景の中を走っていくバスの行く手に、なだらかでこんもりとした山々が近付いてきた。低い雲に身体を縮め、ごろりと横たわっているような、いろいろな神様が住んでいそうな山々である。

巨大な石の鳥居が見えてきた。ゆるやかな黒い瓦屋根の家々の中で、首一つ抜きん出ている。

松の木の並ぶ石畳の坂の上に、山の懐に抱かれた神社の参道が始まっていた。

弥生を訪問してから神社に行くか、お参りしてから弥生宅に向かうか二人は迷っていたが、もし運よく家に入れてもらえて、もしかしてゆっくり話が聞けた時のために、先にお参りを済ますことにした。

長い参道の奥に現れた神社は、それまでの道の人気のなさとはうらはらに、長距離バスで送り込まれた観光客で賑わっており、そこだけくっきりと色濃い、やけに現実的な場所だった。どこかに似ているな、と思ったら、原宿の明治神宮に似ているのだった。あまりに巨大で有名で、大きなオフィスとなんら変わりない。やり手の実業家に運営されている、管理の匂いが、このリアリティの原因だろうか。参道の神秘的な雰囲気に魅了されていただけに、境内の雰囲気の落差にはとまどった。まあ、もともと日本の神様というものは、現金で生臭いものではあるが。

神妙にお参りをし、おみくじを引いた。「失物《うせもの》　出る」「旅行　よろし」というのを見て、隆子はなんとなくホッとした。

「おみくじの文句って、面白いわよね」

朱音がおみくじをしげしげと眺めながら呟いた。

「願望、結婚、移転、病気。このあたりの項目は分かるんだけど、『失物』と『待ち人』の項目がよく分からないわ。子供の頃から不思議に思ってたんだけどね。どういう意味があるのかしらね。色っぽい意味かしら」

「『三月は深き紅の淵を』のことですよ」

「そうか」

「『失物』、出ますかね」

「今のところはね」

一雨来そうな、蒸し暑さだった。

軽口を叩いていた二人も、無口になった。番地を頼りに、弥生の家を探し始めたのである。

そこは、眠たげで静かな、白昼夢のような住宅街が広がっていた。

えんえんと続く黒い瓦屋根。ゆるやかに曲がりくねった道。細い路地裏。手製の牛乳受け。擦れ違う猫。

そこには、静かであまり人の姿が見えないものの、その奥には人間の営みの気配が漂っていた。暗い店先で揺れる簾《すだれ》。その向こうを横切る人影が視界の隅をかすめる。

どのくらいの人がこの町の中にいるんだろう？

隆子はふと、大勢の人々が家の中でひっそりと暮らしているさまを想像した。

この中のどこかに、彼女が暮らしているのだ。

そう思うと、心臓がどきどきしてくるのを押さえられない。

二人は徐々に興奮してきた。さりげなさを装いつつ、郵便受けに書かれた住所をチェックしていたが、目的の番地が近付いてくると、めっきり無言になる。

もうすぐ。もうすぐ会えるのだ。

気はせいていたものの、一方で二人の足取りは重たくなってきた。会いたいような、会いたくないような。

いったいどんな女性なのだろうか？　満生に似ているのかしら？

隆子は最初にかける言葉を探していた。なんと言って切り出そう。

――両角さんのお嬢さんですか？

いきなり家族関係から入るのは失礼かなあ。

――わたし、何年もあなたを探していたんです。

うん、こういう路線だな。

――やっと、お会いできましたね。

これはくさいなあ。

――一冊の本についてお話しするために東京から来た者です。

警戒されるかしら？

いろいろな言葉が浮かんでは消えていった。家の呼び鈴を押す。暗い家の中から、ぱたぱたという足音がする。見たことのない二人の女が玄関に立っているのを見て、とまどいを隠せぬ女。そこに声をかける隆子。上品な初老の女性だろう、という気はしたが、どうしても顔はぽっかりと空いたままだ。

朱音はずっと無言だった。俯《うつむ》き加減に道を歩いている。やっぱり、彼女は『三月』をそっとしておきたいのだろうか。

町の中はとても静かだった。昼過ぎで、食事を終えたばかりのところなのだろうか、人影もほとんどない。町の中を流れるゆったりとした低いトーンに、二人の歩くテンポまでが飲み込まれそうだ。

遠いところで、かすかに雷の音を聞いたような気がした。

時間が経つにつれ、隆子は少しずつ焦《あせ》りを覚えてきた。

目的の番地が、どうしても見つからないのである。

続いているはずの番地が飛んでおり、この辺りだと思って歩いていくと、そこはもう別の町になっているのだった。

「おかしいなあ」

首をかしげる隆子に、朱音が尋ねた。

「区画整理でもしてるのかしら」

「そんなことはないと思います。他の番地はそっくりそのまま残ってるんですから。聞いた住所が間違ってたのかなあ。でも、そこって両角満生の生家なんですよ。彼がそこに住んでいた頃の葉書を見て書き写したんだから、間違うはずは」

心の隙に、黒い不安が忍び込んでくる。

自分の説は間違っていたのだろうか。符合するのは偶然で、ただの勘違いだったのだろうか。この旅自体が単なる道化で、多くの編集者たちが繰り返してきた徒労の一つとして葬りさられてしまうのだろうか。

今朝の高揚した気分はどこへやら、不安はどんどん膨らんでくる。

この旅を、間違った仮説を積み重ねて思い込みで突っ走った恥ずかしい記憶として、いつか朱音と赤面しつつ語り合うさまが目の前に浮かんだ。急に恥ずかしさが込み上げてくる。あんなに偉そうに一席ぶったのに。ゆうべの列車の中での会話すらも、恥ずかしくてたまらなくなった。

何度も同じところをぐるぐる回っていて、隆子はどうしていいか分からなくなった。

町の中はゆるやかな坂になっていて、目指す番地をたどっていくと、いつも小高い丘にある小ぢんまりした寺に出た。そこでずっと境内《けいだい》を掃いていた女性に、隆子はとうとう声をかけた。

「あのう、ちょっとお尋ねしたいんですが、この辺りに只野弥生さんという方が住んでいると伺って参ったんですけれど、ご存じでしょうか」

女性は、少しびっくりしたような顔をした。

「弥生さんのご親戚の方ですか？」

逆に聞き返される。

「いえ、違います。お話を聞くために東京から来た者なんですが」

「まあ、違うんですね」

その口調に残念そうなニュアンスが漂っているのに気付き、隆子は不吉な予感がした。

「弥生さんは、ここにはいらっしゃらないんですか？」

女性は躊躇《ちゅうちょ》したが、ためらうように言った。

「もう、ここ数年姿を見た人がいないんですよ」

「え？」

隆子は耳を疑った。

女性がぽつぽつ語ったところによれば、弥生は二十歳近く年上の夫と、ひっそりと暮らしていた。二人が何で生計を立てていたのかはよく分からなかったが、弥生の方が財産を持っていて、それを頼りに暮らしているらしいというのが周りの一致した意見だった。

しかし、夫が脳梗塞《のうこうそく》で倒れ、寝たきりになってからしばらくして、弥生は誰にも知られずにふっつりと姿を消してしまったというのである。

置き去りにされていた夫は、衰弱して口もきけなくなっていたところを発見されて施設に引き取られ、家は無人となった。只野家を訪ねてくる者は全くなく、弥生の行方も依然として知れず、そこは荒れ放題の廃屋《はいおく》となった。

隆子は暗澹《あんたん》たる気分になった。

確かに弥生は存在していた。しかし、この悲惨な結末はなんだろう。

聞かなければよかった、と隆子は一瞬この訪問を後悔した。

「よろしければ、家の場所を教えていただけますか？」

教えられた場所に行ってみて驚いた。ほとんど他人の家の軒下《のきした》を通るような、本当に狭い私道を通った、中庭のような場所に家が建っていた。そこです、と促されても、入るのを躊躇するような通路だ。これでは、見つからないはずである。

薄暗い路地を抜けると、思いがけなく広いところに出た。ぽっかりと空いた、忘れ去られた空間に、既に持ち主もなくさびれた廃屋がひっそりと残されていた。平屋建ての質素な木造住宅である。なぜ、人の住まない家は窓ガラスが割れるのだろう。子供たちが入り込んで遊んでいるのだろうか？　汚れて真っ白になった窓のあちこちがギザギザに割れていて、家の中は真っ暗だった。錆びた赤い郵便受け、庭先に転がっている鳥かご、軒下に引っ掛かっている針金のハンガー。どれもが、無人になってから長い月日が経つことを証明していた。

家の周りの雑草が伸びているが、それでも誰かが定期的に草取りをしているに違いない。でなければ、この時期に、これしか伸びていないということは有り得ないだろう。昔ながらの共同体が機能していることが窺われた。

家の前に一本の樹が立っていた。

よく分からないが、桜の樹のような気がした。ゆっくりと時間に押し潰され、朽ち果てていく背後の家に対し、どっしりとした幹に青葉が眩しく繁っている。家から養分を全部吸い取ってしまったようにも見えた。しょせん、人間の作ったものなど植物には勝てない。残酷な対比が、そこに住んでいた弥生の運命をますます痛ましいものに見せた。

二人は、殺伐とした目の前の風景に、呆然と立ち尽くした。

隆子はよろけるように一歩前に出た。

「――こういう終り方って、なんだかあんまりじゃありません？」

「ま、こんなもんじゃないの、現実なんて」

誰にともなく呟く。

朱音は淡々とした声で言った。

「でも、『三月は深き紅の淵を』の謎の答を求める旅の結末としては、ふさわしいかもしれないわね。作者だと思った人物は行方不明。真実は永遠に闇の中。果たして彼女があの本を書いたのかどうかは、相変わらず謎のまま。こうしてまた一つ、『三月』は一つの可能性とエピソードを付け加えたわ」

朱音は煙草とマッチを取り出すと、素早く片手で火を点《つ》けた。

隆子はぼんやりと煙草の煙を眺めていた。

「すごいわね。化け物のような小説だわ。ただその存在だけで、どんどんベールをまとっていく。既に実体もなく、知る人もほとんどないというのに、指一本動かさずに手の届かない所に行ってしまう。でも、本当の物語って、そういうものかも。存在そのものに、たくさんの物語が加速して加わって、知らぬ間に成長していく。それが物語のあるべき姿なのかも」

ふうっと煙を吐きだしながら、朱音は静かな声で呟く。

その低い声を聞いていると、隆子はほんの少し前まで感じていた焦燥や後悔がすうっとどこかに抜けて行くのに気付いた。

ゆるやかな風に青葉が揺れ、火照《ほて》っていた全身を急速に冷やす。

そう、自分もその過程に加わったに過ぎないのだ。物語が形成されていく過程に。自分もまた、知らず知らずのうちに、伝説の一部を作っていく。あの謎めいた、大きな疵《きず》のある物語の伝説を。

「ねえ、家の中をのぞいてみない？　何か面白いものが見られるかもしれないわよ」

朱音は先に立って、玄関に向かって歩き始めた。

引き戸になっている玄関は、立て付けが悪くなっているものの、なんとか開いた。

梅雨《つゆ》時である。カビ臭い、重い空気に跳ね返される。

黄色くなった新聞が落ちており、ひび割れた革靴がオブジェのように転がっている。

目が慣れない。闇の奥から何かが出てきそうで、足を踏み入れるのに勇気を要した。

土足のまま中に入る。

壁を何かが動く気配がした。どきっとして後ずさると、ヤモリがちょろちょろと闇に消えていく。

「なんだ」

徐々に目が慣れてくると、家の中に、置き去りになった生活用品が浮かび上がった。スリッパ掛けにカレンダー、芳香剤、ヘルスメーター。当たり前のものが何とも言えぬ空しさと不気味さを強調する。二人は寄り添いあって、神経を尖らせながら進んでいく。外光の差しこむのは居間だけだった。それ以上奥には、真っ暗でとても入る気がしない。

朱音は落ち着いた顔で家の中をゆっくりと見回していた。

よく見ると、居間《こま》の壁にはいろいろなものがかけられていた。家の主は民芸品を飾るのが好きだったらしい。弥生の趣味だろうか？　それとも弥生の夫の？

小さな凧や、竹細工や独楽、木彫りの仮面などがきれいに並べられていた。すっかり埃《ほこり》をかぶり、変色してしまってはいるが。

あれ、どこかで見たことがあるような――

隆子は頭の片隅で首をかしげた。

「人間が住んでいないと、こんなにあっというまにぼろぼろになっちゃうのね。人間の営みなんて、はかないものね。なんだっけ、どっかの考古学者が言ってたんだけど、人類の歴史は掃除の歴史なんだって。ちょっとでもサボると、文明なんてすぐに埃に埋もれてしまう。埃でなくたって、植物がどんどん繁殖して、たちまちジャングルに飲み込まれてしまう。雨や風だって、容赦なく文明を削り取っていく。密閉されたマンションだって、一週間掃除しないだけで、埃だらけになっちゃうものね。十年、百年と放っておけば、銀座だって砂と土に覆い尽くされるのよ。人類はひたすら必死に掃除をして生き延びてきたんですって。実感するわね、こういうの見ると」

朱音は砂だらけになった畳の上をゆっくり歩きながら、低い声で話した。靴の下で砂が音を立てる。

薄暗い部屋の中で、何かが動いた。あれ、と思うと、柱に掛けてある細長い鏡に、煙草を吸う朱音が映っているのだった。

醒めた横顔が映っている。鏡の中に小さな煙が昇っていく。

うん？

隆子は鏡の中の朱音を見つめた。

何かが、変だ。

瞬時にそう思った。頭の中で何かが蠢《うごめ》いている。前に、これと似たようなことがあったはずだ。何かが目の前の風景と結びつこうとしている。

何がおかしいのだろう？

隆子はもう一度、盗み見るように鏡の中を見た。

よく考える。どこもおかしくない。いや、待てよ。そんなはずはない。あたしの感じた違和感は——煙草を吸う朱音。さっき目の前で、彼女は煙草に火を点けた。片手で素早く。違和感はその時から始まっている。もう一度その場面を思い出してみる。

彼女は火を点けた。左手で素早く。

それで分かった。鏡の中の朱音は、右手で煙草を吸っているのだ。

「——どうかした？」

朱音の声にはっとした。鏡の中の朱音が、こちらを見つめている。

鏡の中に人の姿が見える時は、相手にもこちらの姿が見えているのだ。

「江藤さんて、左利きだったんですか？」

隆子はかすれた声で尋ねた。ああ、と朱音は煙草を持った手を見下ろした。

「あたしは母親に徹底的に矯正《きょうせい》された口なんだけどね。煙草だけは駄目なの、母親の目を盗んで覚えたせいかしら」

朱音は気に留める様子もなく、ゆっくりと歩いて、外に出て行く。煙草の匂いが糸を引いて部屋の中を横切った。

隆子もあとに続いた。二度とここに来ることはあるまい。もう一度振り返り、部屋の中を隅々まで見回して、中にあるものを頭に焼き付けようと努力した。目の奥にある自分のカメラは、ちゃんと覚えられただろうか？

暗い家の中から外に出て行くと、分厚い雲に覆われた空でもまばゆいほどの明るさに感じられた。

「喉が渇いたね。国道に出て、海の方にいってみない？　車道に沿っていけば、自動販売機があると思うわ」

朱音は疲れたように歩いていく。

「そうですね。相当蒸し暑いですよ、今日は。少し歩いただけですごく疲れる」

返事をしながらも、隆子はさっきの部屋の中にあったものを順番に思い浮かべてみた。

凧があったわ――あれは、高価な祝凧《いわいだこ》だった。観光客ですら、今はなかなか手に入らない。竹細工の馬、藁細工の家。三春駒《みはるごま》の立派なのもあった。郷土のものに限らず、いいものが揃っていた。かなりの目利きが集めた民芸品だったと見える。

狭い路地を抜け、先ほどの寺の境内を通る。きれいに掃き清められた箒《ほうき》の跡が清々《すがすが》しい。

「ふうー、ちょっとタイム。口の中が埃っぽくなっちゃった。うがいしてもいい？　堂垣さんもどう？」

水飲み場に近寄ると、朱音はかついでいたバッグからアルミのマグカップを取り出した。

その瞬間、隆子の目は、そのマグカップに刻まれた模様に吸い寄せられた。

小さな仮面。あの部屋にあった仮面によく似ている。いや、そっくりだといってもいい。

単純な線だけだが、あの仮面の特徴を見事に抜き出している。目や鼻の切れ込み、木目の継ぎ目。欠けた額。なぜこのカップにこの絵が？

仮面の下に刻まれた文字。

RED MUSIC

朱音の名前。

何かが頭の中でくっついた。

両角満生の最初のペンネーム。二人の娘の生まれた月を組み合わせただけの、安易なネーミングで――

みなづき　やよい

これが、彼の『白夜』時代のペンネームだった。

弥生。これが長女の名前だ。次女にも月の名前を付けたのだろうか？　だとすると、どう付ける？　次女にはみなづきという名前を？

その瞬間、隆子は、朱音の名前が、『あかね』ではなく他の読み方もできることに気が付いた。

朱音。JUNE。

今日はあたしの誕生日だわ。ねえ、なんで四本なの？　一本多いじゃないの。

ゆうべ、列車の中で聞いた朱音の声が、大きく頭の中に響いてくる。

いっぺんに冷や汗が吹き出してきた。弥生の家を探していた時とは違う、冷たい汗が。

「江藤さんて」

何気《なにげ》ない声を出そうとしたのに、堅い声になっている。

しゃがんで水を汲《く》んでいる朱音の背中に変化はなく、がらがらとうがいをしている。

「――六月生まれなんですね」

朱音は不意に動きを止めた。隆子もつられて動けなくなる。

朱音はしばらくじっとしたままだった。マグカップを膝の上に乗せたまま。

隆子は息を呑んでじっとその背中を見つめる。

やがて、朱音はゆっくりと振り返った。

静かな目。こちらを見るその目には、何の表情も浮かんでいない。

「――ええ、そうよ」

朱音は立上がり、カップを振って水を切った。何もなかったかのように歩き出す。

隆子も慌ててついていく。

ソバージュの朱音の髪が、風に揺れている。どこからともなく、ふわりと黒い揚羽蝶《あげはちょう》が現れた。映画のワンシーンのようだ。

国道に出ると、交通量が多く、たちまち喧騒《けんそう》に引き戻された。

白昼夢のような町並みは、あっというまに記憶の底に押し込まれていく。

しかし、隆子の頭の中には車の音は聞こえなかった。昨日から今までの朱音との会話が、次々と押し寄せる波のように、繰り返し響いてくる。

——実体なんてないのよ。噂だけよ。たいしたことのない自費出版の本を、みんなが持ち上げて伝説にしてるだけで。

——未熟。たぶん、処女作。

——好きではないね。あたし、あの本の作者、自分と似てるとこがあるからいやなの。

——こういう女が、学生運動に走ったり、いきなり水商売に入っちゃったりするのよね。

——ちょっと不安定なくらい自意識過剰で、どんなふうに見られてるかいつも気にしてる。

——家庭的にはあまり恵まれてないような気がする。

その一つ一つが、今は別の意味を持って迫ってきた。

ゆるやかな坂を登って行くと、先の方に開けた空間の予感があった。

「そうね。もう一つ、別の伝説を作ってみせてあげましょうか」

突然、朱音が口を開いた。

「あるところに二人の姉妹がいました。顔も性格も似ていて、双子のような姉妹でした。早くに父親を亡くし——二人は、父親は死んだと聞かされて育ったのよ——母親は必死に二人を育てたけれど、二人の姉妹はとても情緒不安定な子供でした。母親が必死になればなるほど、二人は無表情に、かと思うと攻撃的になったりしました。学校にもろくろく行かず、友達もいない。何日もものを食べなかったり、家を出なかったり。母親は二人を養うのが精一杯で、仕事も忙しく、二人を構う暇もない。二人の少女は、閉鎖的な環境で、互いを貶《おとし》めあって生活する。合わせ鏡のようなお互いを嫌悪しながらも、離れて生きていくことはできなかった。憎む相手も、愛する相手も、互いに一人しかいなかったからよ。あまりにも濃密な、あまりにも不自然な——そんな時期がずいぶん長く続いたの」

朱音は、表情を隠すかのように、帽子を深くかぶりなおした。

「でも、ある日、見知らぬ作家から手紙が二人のもとに届いたの。死んでいたはずの父親から。二人の世界は突然違うものになったのよ。彼は、二人の危機的状況をどこかから漏れ聞いたらしくて、ずいぶん長い手紙だったわ。繰り返し繰り返し一週間も、ずっとその手紙ばかり二人は読んでいた。会いに来たことはなかったけれど、手紙は何度か送られてきた。母親には長いあいだ気付かれることはなかった。父親は二人に本を読むことを勧め、文章を書くことを勧めたの。本を読むようになって、ようやく二人は離れて相手を見ることが可能になってきた。少しずつ少しずつ、地べたを這っていくように、二人は変わっていく。やがて、父親の文章を手本に、二人はお互いの姿をモデルにしあい、小説を書き始めた。二人はセラピーとして、毎日少しずつ文章を書いていく。ちょっとずつ書いて、互いに読んで、『その意味は？』とか、『これを書いた時どんなことを考えてたの？』とか、文章を叩き台にして、自分を客観的に話すように努めるの。最初はうまくいかなくてね。癇癪《かんしゃく》を起こしたり、喧嘩になったり、何日も口をきかなかったり。吐きたくなるようなつらい作業だったのよ、その二人にとっては。でも、遠くにいる父親に、自分たちの失敗だけは見せたくなかった。そんなふうにして、小説は、長い月日をかけて完成した。二人は成長したけれど、自分たちの内部との闘いにげっそりとやつれて空っぽになっていた。でも、とにかく成果は上がった。自分たち二人が精神的な危機から脱出する過程の記録として、自分たちが治療されたということを示すために、二人は精《せい》も根《こん》も尽き果てた状態で、その小説を父親に送ったの」

坂を越えると、灰色のゆるやかな弧を描いた水平線が見えた。進んでいくにつれ、少しずつ灰色の部分が増えていく。

「しばらくたって、それは製本された本として二人のもとに送られてきた」

空を、先ほどからついてきた黒い揚羽蝶が舞っていた。

ふわりふわりと軽やかに横切る姿は、まるで二人を海へ海へと誘っているかのようだ。

「二人はどうしていいか分からなかった。作者名は入っていなかったし、それが父親の好意でなされたものだと分かったからだ。でも、二人にとってそれはショックだった。それは、二人の個人的な、恥ずべき記録だったから。その本を見た時の衝撃はすさまじいものだった。闇の底から這い上がってきたはずの二人を、もう一度突き落とすことになりかねないような激しい衝撃だったのよ。二人は悩んだあげく、父親に本の回収を依頼する。父親は慌てて本を回収したが、それは世の中に流布したあとだった」

遠くから、かすかに潮騒《しおさい》が近付いてきた。曇り空の下に、灰色の日本海は、優しげな顔で波打っていた。

「二人は沈黙を守ることにした。父親にも、父親の友達にもそれを誓ってもらった。三人は、その本の存在を無視することにした」

朱音の口調に熱がこもった。

「なのに、なんて皮肉なの。意に反して、むしろ逆効果となって、その本は人々の記憶の底に残っていく」

自嘲ともなんとも言い難い笑みが朱音の唇に浮かんでいた。

「拭い去ろうとしても、無視しようとしても、その本は繰り返し亡霊のように浮かび上がって来る。その影はあちこちに痕跡を残し、深く沈んで夜毎の夢に現れる。二人の最悪の日々が、逃げても逃げても追って来る。一人は夜の世界へ逃れたけれど、結局は悪夢に飲み込まれてしまったようね」

今度は、はっきりと笑みを浮かべていた。

「そして、もう一人は」

真剣な口調になる。

「それを打ち負かしてくれるようなものを見つけることに活路を見いだそうとした。開き直ったっていうんですか。そんなものなどものともしない強い世界を見つけようとね。今もそれは続いている」

隆子の中に、不意に涙ぐみたくなるような、熱い感情が込み上げてきた。

「——とまあ、こんなのはあまりにも陳腐《ちんぷ》よね。これじゃあ、残念ながらたいした伝説にはなれそうにないわ」

朱音は隆子を振り返ると、からからと声を上げて笑った。

隆子は無言で、左右に首を振った。

「駄目よ、物語は物語自身のために存在するの。物語は一人で歩いていき、次々と新しい伝説のベールをまとっていくの。これじゃあだめよ、あまりにも月並みな話だわ。こんなつまらない話、あたしは許さない。もっと力強い、もっと独創的なストーリーを探さなくちゃね。あたしはいつか必ず、『小説のなる木』を見つけだしてみせるんだから」

隆子は小さく、何度も頷いた。

朱音はそれきり口をつぐんだ。

二人は前を見て、並んでゆっくりと歩いていく。

灰色の、巨大な水平線はすぐそこまで迫ってきている。

第三章
虹と雲と鳥と

それは、その冬初めての本格的な冷え込みを記録した、十一月も末の朝のことだった。

人口十五万足らずの城下町である。町の中でも高台に位置する城址《じょうし》公園の崖下《がけした》に、二人の少女が折り重なるようにして死亡しているのが発見された。死因は全身打撲。前日までは異状のなかった、公園の展望台の手すりが壊れていたことから、二人はここから転落したものと判断された。

二人の身元はすぐに判明した。市内の公立高校三年の篠田美佐緒《しのだみさお》と、別の私立高校二年の林祥子《はやししようこ》である。二人が発見されたのは月曜日の朝だったが、二人はその前の週の土曜日の午後から姿を消しており、それぞれの親から日曜日に捜索願いが出されていた。

二人の死に、不審なところはなかった。二人とも美しくて成績も良く、人気のある生徒だった。二人の死は周囲に衝撃を与えたが、それ自体は不幸な事故として処理された。

盆地の冬は冷える。雪はほとんど降らないが、空気は透明に凍り付き、その中で動く者の耳やほっぺたを切り裂こうとする。冷たい地面から、ドライアイスのような冷気が無言で立ちこめ、人々の動きを鈍らせる。丸裸になった木々の枝先が、鞭のように鋭くしなって寒々とした風景に突き刺さる。

空は、青く晴れ渡っていた。その遠く遥かな高みから、誰かが降りてきそうなほど恐ろしく澄みきっていた。

季節外れの城址公園は、無人だった。

一人の少女が、息を白くしながらサーモンピンクのマフラーをはためかせて登っていく。あの事故があってから、二度目の土曜日だった。

少女の手には、小さな花束が握られていた。白い頬と鼻は、寒さに赤くなっている。長い黒髪はさらさらと揺れ、瞳には、揺れては浮かぶ迷いと猜疑心《さいぎしん》があった。

長い坂道を登るにつれ、自分の足音と心臓の音が気になった。公園はとても静かだった。さっきまで聞こえていた、車が国道を走る音も今はない。祥子の人生の終焉《しゅうえん》の場所に向かっているのだと思うと、だんだん胸がどきどきしてきて、自分でも滑稽《こっけい》なほどだ。

祥子が死んだ、と聞いた時、殺されたのだ、と穂積槙子《ほづみまきこ》は思った。

祥子は殺された、と槙子は確信した。犯人は一人しかいない。美佐緒さんだ。祥子の仇を取らなくちゃ、と決心した。

だから、美佐緒も一緒に死んでいた、と聞いてびっくりした。

なぜ？　なぜ美佐緒さんが祥子と一緒に死ななければならないのだろうか？

祥子が抵抗したのだろうか、と槙子は考えた。

その光景が目に浮かんだ。人気のない城址公園で揉《も》み合《あ》う二人。恐ろしい形相《ぎょうそう》で祥子を突き落とそうとする美佐緒。彼女の腕をつかみ、振り落とされまいとする祥子。あっと叫ぶ美佐緒。がくんと折れる手すり。一瞬にして落ちていく二人――

想像するうちに槙子の肩はがくがくと震え、ぐらりと足元が沈むような錯覚を覚えた。

あたりはしんと静まりかえっていた。

槙子は恐る恐る周囲を見回す。一人で殺人の現場にやってきたことを、彼女は後悔した。どこかに死の気配が満ちているのではないかと、晴れた青空を落ち着きなく見上げる。

槙子の恐れとは裏腹に、その場所はすぐそこまで近付いていた。石垣の向こうに、大きくカーブした道路。そのゆるやかなカーブすらもが槙子には怖かった。舗装《ほそう》されたアスファルトや、整然と組まれた石垣の一つ一つが生々しく槙子の心に迫ってくる。

何をこんなにびくびくしているんだろう。誰かがあたしに危害を加えるわけじゃないのに。粟立《あわだ》つような肌寒さを覚えながら、槙子はひとりごちた。

カーブを曲がると、その人影が目に入った。

黒い学生服。羽を閉じた鴉《からす》のようなシルエット。

縄の張られたその場所に、ぽつんと立っている。壊れた手すりはそのままだった。そこだけ欠けた空間が、頼りなげにぽっかり開いていた。工事現場のような鉄板の立て札が幾つも重なり合って置かれており、その周りに、たくさんの花束やお菓子が積まれていた。既に多くの人々が訪れていたのだ。

少女はゆっくりとその場所に近付いた。学生服の少年は、ぴくりとも動かずに立ち尽くしている。どこの制服かしら？　黒い背中はなぜか禍々《まがまが》しい気配を漂わせていた。犯罪者は犯行現場に戻ってくる。ふと言い古された文句が頭に浮かんだ。

槙子の近付く気配を感じたらしく、突然少年がこちらを振り返り、槙子はびくっとした。

「誰？」

鋭い目。こんなに離れているのに、心臓を射抜かれたような気がした。

「あなたこそ」

槙子は少しムッとして言い返した。

二人は五メートルほどの距離を置いたまま、敵意に満ちた視線で見つめ合った。

「あたしね、今神崎《かんざき》君とつきあってるの」

電話の向こうの冷たい声を聞いた時は、信じられなかった。

神崎？　神崎だと？　嘘だろ？

「冗談だろ？　今から行くよ」

啓輔《けいすけ》は平静を装って呟《つぶや》いた。

「駄目よ。今から彼が来るの」

美佐緒の声は剃刀《かみそり》のように啓輔の心臓を切り裂く。混乱していて訳が分からなかった。

「行くよ」

頭が真っ白になっていた啓輔は、美佐緒の返事も聞かずに受話器を置いた。

落ち着け、落ち着け。女のことなんかで動揺するんじゃない。俺らしくない。たいしたことじゃないのに。たいしたことじゃ。

聞いたか？　啓輔の奴、女に振られたらしいぞ。

どこの女だ？

神崎に鞍替えされたんだとよ。

神崎ぃ？　あのお坊ちゃまに？

部活の連中の嘲笑が聞こえてくるようだ。美佐緒に冷たくされたショックよりも、彼等に哀れまれることの屈辱の予感にひりひりとこめかみが痛んだ。

　小料理屋を営む両親が、高校二年にもなった図体の大きな息子を顧《かえり》みる暇はない。めっきり冷え込みの厳しくなった窓の外を睨《にら》みながら、啓輔はこの春札幌に嫁に行った姉が贈ってよこしたカウチン・セーターをシャツの上に着ると、重いスポーツ・シューズをつっかけて外に飛びだした。闇《やみ》の中の自分の吐息を確かめ、ふと空を見上げた。

すげえ、星がきれいだ。

降るような星に、一瞬見とれる。

こんなに星がきれいな晩に、俺は生まれて初めて本気で好きになった女に振られようとしている。

その、胸を押《お》し潰《つぶ》されそうな痛みは、彼を激しく混乱させた。

こんなことがこの先何回もあったらたまらないな。啓輔は暗闇の中で力なく笑った。俺、ぐれちまうぞ。

背中から首筋にかけての皮を剝《は》がれるような焼け付く痛みは、冷たい夜の空気の中を駆ける間も続いていた。

日頃陸上部で鍛えた足をもってすれば、二十分も走って、町外れの美佐緒の家までたどりつくのはたいしたことではなかった。しかし、激しい息切れの苦しさよりも、首筋のちりちりした痛みは大きくなるばかりである。小さな林を抜けたところにある、古い木造の家に美佐緒は住んでいた。彼女の家は母子家庭で、母親は大学の教授をしていた。地質学者という性格上、一年の半分は調査で家を明けている。彼女はほとんど一人暮らしに近かった。あの大人びた醒《さ》めた瞳はそのせいかもしれない。

母子家庭というものが、年ごろの少年に何らかの幻想を抱かせるのは否めない。ドアを開けた時に「失礼ですが、君は？」と睨みつける父親が出て来るよりは、勤めから帰ってきたばかりのタフな母親が、煙草を吸いながら娘と作る夕飯で迎えてくれる方が、男としてはよほど居心地がいいではないか？　空いていた椅子が、自分のために用意されていたのだと錯覚してしまってても無理はない。

美佐緒の母親は、まさにそういうタフな母親だった。化粧っ気もなく度の強い眼鏡をかけていて、言葉遣いもぞんざいだった。だが、啓輔にとっては、キャーッと叫んで笑うばかりの可愛い女の子たちより遥かに魅力があった。

「お父さんは何してらっしゃるの？」「どちらの大学を受けるつもりなの？」と訊《き》かれるよりは、「うちの娘はわがままだから、甘やかしちゃ駄目よ。あの子、ちゃんと学校行ってる？」「どんな音楽聞いてるの？」と訊かれた方が楽しいに決まっている。

胸をどきどきさせながら、この家に通ってきたのはつい先日のことだった。

ほんの数週間で、家はとげとげしく見え、彼を拒絶しているように思えた。

美佐緒の部屋の明かりがついている。

啓輔は少し躊躇《ちゅうちょ》してから低い生け垣を乗り越え、出窓になっている美佐緒の部屋の窓ガラスを叩いた。

中で人の動く気配がして、ギッとガラス窓が開いた。古い窓ガラス。

不機嫌な顔の美佐緒が顔を出す。

「あら、廣田《ひろた》君。こんな時間に何か用？」

色白の顔に豊かに覆いかぶさる黒い髪。その瞳には全く隙がなかった。啓輔はたじろぐ。

「そんな」

ついつい声に恨めしさと哀願が滲《にじ》んでしまう。

この瞬間でも、美佐緒はとても美しかった。神秘的で、冷たくて、吸い込まれそうで。

一度でも、自分がこの娘とこの部屋で寝たことが夢のようだ。

「帰って。もうすぐ神崎君が来るわ」

白いハイネックのセーターを着た美佐緒は、にべもなく言い放った。

「嘘だ。なんでそんな嘘をつくんだ」

啓輔は、いらだちを隠しきれない声で叫んだ。

「しっ。嘘じゃないわ。あたしが今一番好きなのは神崎君なの」

「馬鹿いうなよ」

「信じないの？　じゃあ、そこで見てるといいわ」

啓輔がてこでも動かないと悟ったのだろう、美佐緒はさっと部屋にひっこむといきなりマフラーを投げてよこした。

「今夜は冷えるわ。静かにしててね、騒いだら110番するわよ」

美佐緒は啓輔の目の前で窓を閉めると、ジャッと音をたててカーテンを引いた。

それと入れ違いに、門がキイッ、と開く音がした。反射的に啓輔は暗がりに隠れる。

背の高い、色の白い少年が入ってきた。頬が赤く上気しているのは、寒さのせいばかりではあるまい。この家の中に、自分を待つ美しい少女がいると思えばこそ。

彼は闇の中で立ち止まると、自分の身なりをチェックした。いじらしくも、小さなケーキの箱を抱えている。さすがお坊ちゃま、市内でも一番の高級店のケーキだ。

少年は、そっとケーキの箱を抱え直した。啓輔は、その手つきの優しさと、恋に焦がれた純粋な表情に一瞬打たれた。俺もあんな顔をしてここを訪れていたのだろうか？　そして――そして、もしかして、あの時もこの暗がりに誰かがいたのだろうか？

闇の中で、この品のいい端整な顔の少年を見ているうちに、啓輔は何やら気恥ずかしいような、妬《ねた》ましいような、励ましたいような、複雑な気分になってきた。今まさに、一人の少年が男になろうとするところを目撃しているのだと気付いた。神崎は女のように綺麗《きれい》な顔をしてしているために、同年代の男たちに馬鹿にされていた。啓輔も普段は彼等に口調を合わせていたが、正直なところ彼を嫌いではなかった。彼は、自分の恵まれた資質に胡座《あぐら》をかかずに努力するタイプの人間だったからだ。

こんちくしょうめ。なんでよりによって神崎なんだ。啓輔は窓の下に膝を抱えて座り、美佐緒が投げてよこしたマフラーに顔を埋めながら心の中で毒づいた。

それから部屋の中で起きたことは、かつて啓輔が経験したことの繰り返しだった。意識のしすぎでちぐはぐな会話。おずおずと伸ばされる手。濃密な沈黙。やがてからみあう視線。ぎこちないくちづけ。

美佐緒が、どんなに低く優しく恥じらいをもって囁《ささや》くことだろう。神崎が、どんなに強く不器用に彼女の背中を抱きしめることだろう。二人の幼いあえぎと小さな叫びが、恐れとかすかな後悔に縁どられて暗い部屋に満ちることだろう。

啓輔は出窓の下で、地面からしんしんと冷えてくる尻をそっとさすりながらじっとその一部始終を聞いていた。耳を塞《ふさ》いで逃げ出したいという衝動と、飛び出していって窓ガラスを叩き割ってやりたいという衝動とが、彼をまっぷたつに引き裂こうとするのと戦いながら。しかし、結局、彼は最初から最後までぴくりとも動けなかった。何やってんだろう、俺は。変質者かい。

やがて、再びキイッと門が開き、童貞を失った男が出ていくのが見えた。ボーッとしていて、地に足がついていない。

乱れたシャツの襟《えり》をおふくろさんに会う前に直せよ、と啓輔は闇の中から心の中で話しかけた。おめでとさん、俺たちの美佐緒はよかったよな?

神崎が家から離れたのを見届けると、啓輔はシャツの胸ポケットから、隠し持っていたライターと煙草を取り出した。煙草に火をつけると、指先はすっかり冷えきっていた。

暗黒の夜空に向かって、白く細い煙が昇っていくのを見上げる。

何だか妙にすっきりした気分だった。

ギッと窓が開く。

「あら、まだそこにいたの」

悪びれもせずに美佐緒が窓の下の啓輔を見下ろす。情事のあとでも、美佐緒は相変わらず凛《りん》として綺麗だった。

「ん、もう帰る」

啓輔は煙草を吸いながら立ち上がった。

「あたしにも吸わせて」

美佐緒は手を出した。啓輔は自分が吸っていた煙草を手渡す。美佐緒はおいしそうに一口吸う。啓輔は思わずくすりと笑った。一仕事のあとの一服ってわけか。

「――軽蔑する？」

美佐緒は、形のいい小さな唇から煙草を離して啓輔の目を見た。啓輔は小さく首を左右に振った。まさか。こんな、遥かに自分たちより上手《うわて》の女を軽蔑なんて出来るもんか。

突然、美佐緒はぎりっと啓輔の腕をつかんだ。

「どうしてよ？　軽蔑して。憎んで。あたしを憎んでよ」

声には噴き出すような怒りがこもっていた。目がぎらぎらと光っている。

「なんだよ、来るなといったり憎めといったり」

啓輔があきれた顔をすると、美佐緒はぱっと手を放し、顔をそむけた。

「ほんと、むちゃくちゃね、あたし。ねえ啓輔、誰かにうんと憎まれたこと、ある？」

「さあね、わかんないや。うんと憎まれてても、俺が気が付いてないだけかもしれないし。美佐緒は？　誰かに恨まれてるの？」

「うん。一人、いる。すごく憎まれてる。あたし、殺されるかもしれない」

「まさか。俺みたいに振られた男かい？」

「違うわ。とても可愛い女の子」

「分かった、そいつの彼氏を取っちまったんだろう？」

「そんなんじゃないわ」

美佐緒はゆるゆると首を左右に振り、吸っていた煙草を再び啓輔の唇にそっと押し込んだ。そのかすかに湿った感触に、啓輔は一瞬目の前が真っ赤になるような欲望を覚えたが、かろうじてこらえた。二人はちょっとの間俯《うつむ》いていた。やがて、美佐緒はあらたまった顔で啓輔を見た。

「──おやすみ、啓輔」

その言葉に込められた別離を、一瞬ためらってから啓輔は受けとった。

「おやすみ」

窓ガラスは静かに閉められた。啓輔はちょっとの間その閉じた窓を見つめていたが、不意に背を向けると、かじかんだ足で生け垣を飛び越えた。

美佐緒の貸してくれたマフラーをつけたまま帰ってきてしまったことに気付いたのは、一度も休まず全速力で走り続けて、自分の家に着いた時だった。


この子、見たことある。美佐緒さんと同じ、西高の子だ。うちのクラスでも騒いでる女の子がいたわ。

敵意をむきだしにした少年の顔を見ながら槙子は考えていた。

確かに、気の強そうでどこか危なっかしい、それでいて強く惹《ひ》きつけるもののある少年だった。

「祥子にお花を持ってきたのよ」

槙子はわざとふてくされたような声で答えた。

少年はいかにも軽蔑したように鼻を鳴らした。

「人殺しに花供えてどうすんだよ」

低く呟く。槙子はその悪意に満ちた声にカッとなった。

「人殺し？　人殺しは美佐緒さんの方よ」

思わず吐き捨てるように叫んだ。

今度は少年が顔を凍りつかせた。まるでビシッという音がしたかのようだった。槙子は一瞬ひるんだ。

「――なんで」

気まずい沈黙のあとで、少年が低く尋ねた。ぎらぎらした目で槙子を見据えている。しかし、彼の表情には、さっき初めて振り向いた時の拒絶した感じが消えていた。敵意を見せつつも、強い興味がのぞいている。

「え?」

「なんで美佐緒が林祥子を殺すんだ」

少年が美佐緒を呼び捨てにしたのに、槙子は驚いた。同時に、少年と美佐緒の関係に初めて気付いた。恋人だったのだ、彼は。篠田美佐緒の。美佐緒さんの方が一歳年上だ、と下世話なことを考えている自分に槙子は少し驚いた。自分にそんな先入観はないと思っていたのに。

「美佐緒さんは、祥子を妬んでたのよ」

槙子は努めて大人っぽい声で話した。

「祥子はずいぶん美佐緒さんに嫌がらせをされてたわ。悪口を書いた手紙をしつこく送ってよこしたり、無言電話をかけてきたり。何ヵ月もよ。祥子はここんとこずっと悩んでたもの」

少年はじっと話を聞いていたが、そこで初めて薄い笑みを浮かべた。

「証拠は？」

「えっ」

「美佐緒が林祥子に嫌がらせをしていたという証拠だよ。あんた、現場を見たのかよ？」

槙子は動揺した。

「現場なんて――でも、手紙を見たわ。祥子が見せてくれたのよ」

「ふうん。手紙ねえ」

少年は意味ありげに繰り返して、じっと槙子を見た。槙子は落ち着かなくなった。

この子は何を言おうとしてるんだろう？　祥子が嘘をついたとでもいうの？

槙子は、祥子に見せられた、紫色のインクで書かれた白い便箋を思い浮かべた。

外は霧雨が降っていた。教室の高い天井が薄暗く、生徒たちの声も思わず囁き声になってしまうような、どんよりした肌寒い朝だった。

祥子は一時間遅れてきた。

教室の後ろの扉がゴトリと鈍く開き、祥子が静かに入ってきた。

祥子が入ってきたのにすぐ気付いた槙子は、彼女の真っ青な顔に驚いた。幽霊みたいだ、と思った。いつもの溌剌《はつらつ》とした、溢《あふ》れるような躍動感が、彼女から失われていた。

祥子は天然パーマだ。色の薄い、綺麗な茶色い髪がくるくるとゆるやかに巻き、色白の美しい顔に愛らしさを加えていた。真っ黒な重い髪の槙子は、いつも祥子の軽やかな髪を羨ましく思っていた。髪の毛だけではなかった。ぱっちりした明るい茶色の瞳。華奢《きゃしゃ》でほっそりした容姿。並んで歩けば、擦れ違う男の子が皆振り返る。いつも自信に溢れ、ものおじしない、会話や動きにキラキラした輝きを持った祥子は、内気な槙子にとって常に憧れの対象だった。祥子はいつも槙子を引っ張っていってくれた。高校二年になって祥子と同じクラスになれたのはラッキーだった、と槙子はいつも思っていた。今では祥子のいない高校生活など考えられない。それぞれにペアを見つけている女子校のクラスの中でも、祥子と槙子のコンビは最も強固だった。祥子は社交的な性格だったからクラスでも人気者だったが、槙子は祥子が人気者であることをまるで母親のように誇らしく思っていた。

その祥子がげっそりと青ざめ、目の下に隈《くま》をこしらえている。

「ショーコ、具合悪いの?」

駆け寄る槙子に祥子は笑いかけようと努力していたが、それは成功していなかった。

「あとで話すよ。すっごいショックなことがあって」

祥子は話すのもつらそうだった。親友の苦渋に満ちた表情に、槙子は動揺した。

放課後、二人はこそこそと逃げるように下校すると、市立図書館の近くの静かな喫茶店の隅を占めた。

「――手紙が来たの」

祥子は低く呟いた。

「誰から？」

槙子も低く尋ねる。

「差出人の名前は書いてないけど、あの人よ。こんなことする人だと思わなかったわ」

祥子はわなわなと震えていた。茶色い瞳の焦点は、テーブルの上の一点を見つめたままだ。

「何が書いてあったの？」

槙子が恐る恐る尋ねると、祥子は顔をしかめ、鞄の中から封筒を引き出し、中から手紙を抜き出すと、忌まわしいもののように封筒をしまい、手紙を槙子の方に押しやった。槙子はその封筒をチラリと見た。

『林祥子様』という大人っぽいさらりとした宛名と住所、市内の消印が見えた。切り取られた上の封を見ると、中は二重になっていた。用心深さと執拗《しつよう》さがかいま見え、槙子は気味悪さを覚えた。女性の字だ。

中は、定規を当てたようなかくかくした字だった。素早く内容を見ると、読んでいるだけで顔が熱くなるような嫌らしい中傷の手紙だった。これを書いた女はどういう性格なのだろう。祥子のことを、清純を装いながら男と遊び歩いている魔女みたいな女として扱っていた。紫色のインクが、余計にねちねちした印象を与えている。槙子はこんなことを書いて祥子に送ってくる人間が存在していること自体にショックを受けた。こんなものを自分宛てに受けとったら、あたしなんか完全な人間不信に陥ってしまうに違いない。

「あたし、怖いわ」

祥子はテーブルの一点を見つめたまま小さく呟いた。

「ショーコ」

槙子は何と言って慰めたらいいのか分からなかった。

「あの人がこんなにあたしを嫌っているなんて」

『あの人』が篠田美佐緒を指していると気付くまで、しばらくかかった。

「どうしてなの」

「分からない。つい最近までお姉さんみたいに思ってたのに」

祥子は顔を歪めた。目には涙が浮かんでいる。

今年の春頃から、時々二人が会っているのは知っていた。学校の違う篠田美佐緒がよく校門で祥子を待っているのを見掛けた。

煉瓦色の壁に髪の長い美佐緒が寄り掛かっているところは雑誌の写真のようで、鮮やかに印象に残っている。祥子も美少女だったが、美佐緒はまたタイプの違う美人で、同じ高校生とは思えない大人っぽさだった。西高は進学校だったからそういうイメージがあったのかもしれないが、美佐緒は際立って知的な雰囲気で、しかもどこかアンニュイなところがあった。二人が揃って歩いているところを見ると、槙子は気後れした。祥子にはああいう人の方が友達としてふさわしいのかなあ、と卑屈《ひくつ》になったこともあった。それほど、二人でいる時の祥子には、槙子の手の届かないところへ行ってしまったような空気があった。二人がどこで知り合ったのか、槙子は何度も尋ねたが、祥子はいつも笑って教えてくれなかった。あの美佐緒がそんな陰湿な面を隠し持っていたとは意外だったが、目の前の祥子が肩を震わせているのを見ると、あのクールさが逆に不気味なものに思えてくる。ふと、槙子は美佐緒の祥子に対する妬みが理解できるような気がした。いつも無垢で愛らしい、誰よりも誰からも愛される祥子。その陽性の光を、美佐緒は憎んだのではないか。槙子はそれを理解した自分にとまどった。それは、とりもなおさず自分の祥子に対する賞賛と愛情の裏側に潜んでいる感情だということに。

祥子は細い身体を縮めるようにして歯を食いしばり、涙をこらえている。

その姿を目の前にしては、美佐緒の感情など構ってはいられなかった。槙子にとっては、美佐緒は親友を苦しめる陰険な敵として、その時から位置付けられたのである。

啓輔は、サーモンピンクのマフラーをした少女の話を興味深く聞いた。

こいつ、全然分かってないな。啓輔は改めて目の前の少女を見た。

真面目で頑固そうで「廣田くん、きちんと掃除当番は守って下さい」とか言いそうだ。きっと林祥子の一面しか見ていなかったのだろう。四六時中くっついているくせに、林祥子という女がどういう人間か全く知らなかったのだ。

無言電話？　中傷の手紙？　篠田美佐緒には全く似つかわしくない。そんなくだらないことにエネルギーを使うくらいなら、煙草吸って英単語でも覚えてる方がいいと美佐緒は思うだろう。

無言電話。中傷の手紙。それはまさに、林祥子がしそうなことだ。啓輔は林祥子という女のことを知っていた。

だが、彼女が目の前の少女に見せた封筒と手紙は？

啓輔は頭をめぐらせ、すぐに真相に気付いた。二重になっていた封筒。林祥子から送られてきた手紙を、美佐緒は封を切らずにもう一度封筒に入れ、そのまま林祥子に送り返したのだ。憎しみをこめた手紙を読んでもらえず、しかもすぐに自分が出したことを見抜かれて送り返された林祥子は、屈辱に逆上したに違いない。送り返された手紙を最初から自分に宛てられたものとして友人に見せつける機転と大胆さには恐れ入る。あのお人形のようなあどけない表情の裏に、こんなしたたかな奸計《かんけい》が隠されていたとは。林祥子の美佐緒に対する憎しみの深さに、啓輔はぞっとした。

林祥子。啓輔はかつて数ヵ月間彼女とつきあっていた。篠田美佐緒と異母姉妹であったその少女と。

私に血のつながった妹がいると知ったのは、高校に入学した時のことだった。

ちょうど母方の祖父の十三回忌にあたったその三月に、日頃音信不通でめったに集まることのない母の兄弟が、この春の遅い盆地の町にやってきたのだ。母の兄弟は母を始めとして皆学術関係者か企業の研究職を勤めていた。高校生になるかならないかの私から見ても、彼等はどことなく世間ばなれしていた。その十三回忌にしても、そういうものが世の中にあるということを初めて知ったという感じで、あまり仲の良くない友達の誕生会に呼ばれた子供みたいな顔でぽつぽつとやってきたのが印象的だった。

机の上に広げたノートを目の前にして、野上奈央子《のがみなおこ》は当惑を隠しきれなかった。

久しぶりに帰った自分の部屋は、もう着られなくなった古い服のようなものだ。愛着はあるけれど、もはや自分の生活のテンポから外れてしまっている。受験勉強をした小さな学習机も、今の彼女にとってはせますぎる。その机の上には、封を切ったA４の角封筒と、ルーズリーフになった赤いノートが載せられている。

篠田美佐緒が死んだと母から電話がかかってきた時、奈央子の頭をよぎったのは「自殺」

という言葉だった。思い当たる理由があったわけではない。無意識のうちに、その言葉がすっと浮かび上がって消えたのだ。

卒論の締切に当たっていたために葬儀に出ることはできなかったけれど、春に就職活動を始めてから卒論を仕上げるまで一度も実家に帰っていなかったので、奈央子は報告がてら長野に帰ることにした。帰った彼女を待っていたのは、差出人の名前のないA４の角封筒だった。高校時代の友人からだろうか、と思って封筒を開けてみると、中からノートが出てきた。文章が黒の万年筆で書かれており、最初のページに「虹と雲と鳥と」というタイトルがぽつんと記されていた。

美佐緒からだ、と奈央子は直感した。今度は「遺書」という言葉が頭を過《よぎ》った。それもかすかな瞬きのようなもので、すぐさま消えてしまったが。

奈央子は、ノートを手にしたまましばらく開くことができなかった。そのノートが、開けてはならないパンドラの匣《はこ》のような気がしたのである。彼女がやっと最初のページを開いたのは、久しぶりに会った家族との団欒《だんらん》を終え、うだうだと弟とTVを見てようやく部屋に引き揚げた深夜になってからであった。

少し読んでみて、奈央子は混乱した。それは、日記とも、手記とも、小説ともとれた。いったい美佐緒はどういうつもりでこの文章を書き、しかも奈央子にこれを送ってよこしたのか？

篠田美佐緒と林祥子が異母姉妹であるということは、薄々感づいていた。

奈央子の母が大学で事務職員をしており、美佐緒の母と親しくしていた関係で、美佐緒が中学生の頃から奈央子は彼女の家庭教師をしていた。もっとも、美佐緒には家庭教師など必要なかった。彼女は勉強ができるばかりでなく真に頭のいい生徒で、自分が何をどう勉強すればいいのかよく分かっていた。奈央子は単にペースメーカーを務めていただけであり、むしろほとんど一人暮らしに近い年ごろの娘のカウンセラーとして付けられた節があった。美佐緒もそれを承知しているようなところがあって、逆に母親を安心させるためにあえて奈央子につきあっているといった方が正しかった。長年に亘ってそれぞれの役割分担を淡々とこなしてはいたが、その一方で二人は非常にうまがあった。他人の中に進んで踏み込んだり、自分を押しつけたりしないところで共通していた二人は、一緒にいて気楽だった。

その美佐緒が、この春休み、林祥子を奈央子に紹介したのだ。

「あたしの秘密の妹なの」

美佐緒は冗談めかして笑ったが、目は笑っていなかった。奈央子はどう受け答えしたものか迷った。隣にいる少女に目をやって、その美しさに、奈央子は驚いた。二人が並んでいるところは、陳腐な表現だとは思ったが、さながら太陽と月のようだった。林祥子が外部に自分の生命力を発散させて光るタイプなのに対し、美佐緒は黙っていても吸い込まれていくようなタイプの娘だった。

「奈央子先生のお母さんには内緒にしといてね、あたしたちが会ってること。うちの母親に知られたくないの」

美佐緒は真剣な表情で人差し指を唇に当て、隣の少女を見た。

「祥子だって隠してるんだもんね」

隣の少女はこくんと頷いた。

「うちの両親に余計な心配させたくないわ。自分たちに不満があるんじゃないかなんて思われたくないし」

二人は共犯者めいた微笑みを交わした。奈央子はその瞬間、激しい嫉妬を覚えた。こんなに美しい二人が、そんなに甘美な秘密——その時の奈央子には、異母姉妹という響きが非常にロマンチックな、特別なものに思えたのだ——を共有しているなんてずるい、と。

あんなに美しい、仲睦《むつ》まじかった二人が、今は骨となって冷たい土の中に埋められているなんて。奈央子は改めてその事実に愕然《がくぜん》とした。崖から落ちるなんて——転落死だなんて——落ちていくその瞬間、意識はあるのだろうか？　どんな気持ちで落ちていくのだろうか？　地面に叩きつけられるその瞬間は？　背筋に冷たいものを感じ、奈央子は思わず両腕を抱き締めた。不幸な事故だったのだろうか？　美佐緒がこのノートを送ってよこしたのは、単なる偶然だったのだろうか？

少年は、突然顔を歪め、おもむろに背を向けて歩き出した。

「あ」

槙子はあっけにとられた。まだ話は続いていると思っていたのに。

少年はずんずんと坂を降りていく。その背中は、最初の時のように声をかけることを拒絶していた。

槙子はなぜかみじめな気持ちで少年の背中を見送っていた。手に握っていた花束の根元のアルミ箔がすっかりぬるくなってしまっていた。

展望台に少女を残し、啓輔は激しい怒りに駆られて坂を降りていた。

なんだ――なんだ、あの花束は。ああやって泣いているふりをして、あいつらは美佐緒をただの死人にしてしまうんだ。涙を流しておきながら、帰ってケーキかなんか食べるんだ。ちくしょう。ちくしょう。あんなつまんない、美佐緒の足元にも及ばない偉そうな顔したガキに花なんか供えられちまって。美佐緒は嫌がるに違いない。美佐緒はおおげさなことや嘘っぽいことが大嫌いだった。そもそも、林祥子なんかと一緒に死ぬなんて。悔しくないのかよ？　あの女に殺されたんだろうか？　あのしつこい、ずるがしこい女の手にかかって？じゃあ、なんで林祥子は死んだんだろう？　美佐緒と相打ちになったんだろうか？

いつのまにか啓輔は坂を駆け降りていた。加速がついて止まらない。顔が冷たい。のども冷たい。大事な膝に負荷がかかっている。それでも彼は、乱暴に坂を駆け降り続けた。

ちくしょう。神崎と寝ようが、誰と寝ようが、構わない。冷たくされても、無視されてもいい。それでも生きてれば。生きててくれさえすればよかったのに。

日曜日の朝。

奈央子は城址公園に足を踏み入れた。あのノートを読んでいるうちに、どうしても美佐緒の最期の場所に行ってみたくなったのである。

昨日とは一転して、どんより曇った空だった。とりあえず雨は降りそうになかったが、気温が上がらず、気分が滅入ってしまうような寒さだった。

この季節の城址公園を、市民が訪れることはほとんどない。実際、美佐緒と祥子が公園に行ったところを目撃していた人間はいなかった。二人が月曜日まで発見されなかったのも、この人気《ひとけ》のなさが一因だった。誰かに二人が突き落とされた可能性はあるだろうか？　それは考えにくいことに思えた。展望台の手すりに、無理に力を加えられたあとはなかったと新聞にも書かれていた。手すりは自然に腐食して、破損したものと見られていた。最後の藁《わら》を積んだのが、美佐緒と祥子であったと。

奈央子は昨夜読んだノートのことを考えながら坂を登っていった。

ノートの中の文章には、日付がついていた。文章は断続的だった。気取った散文風のものもあれば、一日の出来事を義務的につづったものもあり、メモ書きのように単語しか書いていないものもあった。あの「虹と雲と鳥と」というタイトルはなんだろう？　全体を総合すると、とても小説とは言えなかった。日記に付ける名前にしても、おかしい。ただ、ノートの内容は、「私」と「異母姉妹」とのことに限定されていた。そういう意味では、明確な目的を持ってあのノートは書かれていたようだ。

ノートに書かれていた内容を総合すると、高校入学の春に、「私」は不用意な親戚の発言から、異母姉妹の存在を知る。「私」の母親と別れる寸前の父親は、既に別の女性とつきあっていたのだ。妹が一歳しか違わないという事実に、彼女は不愉快な感情を覚えている。しかし、「私」の母親と別れてその女性と一緒になったものの、その生活も長くは続かず、父親はその女性とも二年足らずで別れている。その女性は連れ子で再婚した。その連れ子が「S」である。父親はその後行方知れずで、どこかで交通事故で亡くなったらしい。

「私」＝美佐緒は辛抱強くこの事実を探りだし、淡々とノートにつづっていた。

二年の間、美佐緒はまだ見ぬ妹に対して複雑な感情を抱えていた。好奇心と、愛情と、憎しみと。しかし、やがては好奇心が勝った。彼女は我慢しきれずに、「S」＝林祥子に会いに行く決心をするのである。

三月二十一日

どうしても我慢できなくて、Sに会いに行く。Sが家から出てくるのをじっと待つ。

三時間も待った。なんと挨拶していいものか分からず、「こんにちは」とだけ言う。Sはぽかんとしていた。無理もない。頭のおかしな女だと思われたかもしれない。名乗ろうかと思ったが、何も知らないSがSの親に私の名前を言ったりしたら、Sの親はショックを受けるだろう。それは避けたい。今日はそれだけで、逃げるように帰る。学校も違うし、めったに会う機会もない。とても可愛い子で、どきどきした。

あんな可愛い子が妹だなんて。妹という響きが現実味を帯びる。

この日を境に、美佐緒は度々祥子に接触を試み、祥子も美佐緒に興味を覚えたようだ。祥子の方でも、自分の父親が本当の父親でないことを子供の頃から気付いていたらしく、やがて美佐緒は祥子に秘密を打ち明け、二人は意気投合する。

四月二十八日

とうとうSに打ち明ける。Sは私に抱きついて大泣き。Sも薄々気がついていた様子。

家族が一人増えて、変な感じ。

二人の蜜月時代は夏まで続いた。一人っ子どうしだった二人が、年の近い、美しい姉妹を得た喜び。抑えた文章にもその有頂天な様子がにじみでていた。

しかし、夏の終りを境にそれは激変する。

八月十日

Sと旅行に行く計画を立てる。これは二人にとって、特別な旅になるだろう。

この日から二ヵ月以上記述がなく、この間に、二人にとって決定的な何かがあったらしい。次の記述は十月半ばだ。

十月十七日

久しぶりにSに会う。Sは私を激しく非難した。Sは私のことを絶対に許さないだろう。Kとつきあっていることも Sをひどく怒らせている。Sはプライドが高い。Sの怒りが爆発すると、何も言えない。

やがて、二人の仲は険悪になる。

十月二十四日

手紙が来る。これで、今週三通目だ。Sの筆圧の強い字がとても怖い。あの茶色い大きな目で、夜中にこの手紙を書いているのだろうか。信じられないくらい汚い言葉を使う。これがあの上品な妹の書く言葉だろうか。

十月三十日
腹が立ったので、手紙をそのまま送り返したら、今度はしつこく無言電話をかけてくる。出ないでいると、いつまでもベルを鳴らし続ける。母親がいなくてよかった。勉強ができない。あの可愛い顔で、受話器をずっと握っているところを想像すると、怖い。

十一月二日
あたしは間違っていた。Sに会いに行くべきではなかったのだ。でも、あたしは会いに行かずにはいられなかった。もう一度やりなおせたとしても、あたしはやっぱりSに会いに行っただろう。あたしたちは引き返せない。あたしたちはひどく間違ったところに来てしまった。Sとはもう一度ゆっくり話し合わなければならない。Sを責めることはできない。あたしはSを地獄の道連れにしてしまった。後悔していないのが不思議だ。あたしはやっぱりおかしいのだろうか。こんな、利己的で残酷なことをしておきながらも、満足感すら覚えている。

ノートはここで終わっていた。これからひと月足らずの間に、二人は死ぬことになる。二人の死が事故であるかどうかはひとまず置いておくにしても、二人の間に何か深刻なトラブルがあったことは確かなようだ。

卒論卒論で椅子に座りっぱなしだった身体に、坂道はこたえる。こんな体力で、出版社のハードな仕事についていけるだろうか。奈央子は足を止めて大きく息をした。真っ白な息に、改めて寒さを感じた。

ノートを読んでいて、気になったことがあった。

万年筆のタッチが均一なのである。奈央子も日記をつけているから分かるのだが、毎日つけている日記をあとから見ると、字にむらができているものだ。体調によって筆圧も違うし、万年筆ならカートリッジのインクがなくなる前と入れたばかりでは全然濃さや太さが違う。このノートは、タイムリーに書かれたものでなく、あとからまとめて清書されたものだ、と奈央子は確信した。つまり、もしこれが本当に日記であるのならば、どこかにオリジナルがあって、「私」と「S」に関する部分だけ抜粋して清書したのだということになる。また、これが純然たる創作だという可能性も捨てきれない。「虹と雲と鳥と」というタイトルが頭の隅っこから離れなかった。タイトルを明記することによって、「これはフィクションですよ」と断り書きをされているような気がしてならなかった。昔、美佐緒は作家になりたいと言っていたことがあった。美しい異母姉妹を題材に、少女らしいロマンチックな葛藤《かっとう》の物語を書こうとしていたのだろうか。

「奈央子先生って、将来何になりたいの?」

辞書を閉じて中学生の美佐緒が尋ねた。辞書からはみだしているしおりの紐《ひも》を指でもてあそんでいる。しおりには、帽子をかぶって両手にトランクを下げた男の後ろ姿が描いてあった。

「んー、一応ね、編集者」

奈央子は紅茶を注ぎながらちょっと照れた。自分の密かな夢を誰かに話すのはこれが初めてだった。

「へえー、雑誌の?」

美佐緒は珍しく興味をむきだしにして身を乗り出した。

「ううん、雑誌よりも、文芸書を作りたいな。あたし、とんがったタイプじゃないし。じっくり作家と一対一で本作る方があたしには向いてると思うから」

「ふうん。そうだね、奈央子先生聞き上手だし、辛抱強いし、きっと向いてるよ」

「ありがとう」

美佐緒は聡明でお世辞を言う子ではなかったから、中学生とは言え嬉しかった。

「美佐緒ちゃんは？」

ここでは同じ質問を返すのが礼儀というものであろう。

美佐緒は、真剣な顔になった。

「他の人に言っちゃだめだよ。あたし、これきっと奈央子先生にしか言わないよ」

声が低くなる。もちろん、奈央子は強く頷いた。

「あたしね、小説家になりたいの」

奈央子は意外に思った。美佐緒はよく本も読んでいたし芸術方面にも関心を持っていたが、なんでもよく出来る生徒に見られるような、オールラウンドな趣味の一つだと思っていたのである。社会的地位の高い仕事についているけれど趣味にも凝る、みたいな路線を目指すタイプだと。

「へええ、何か今も書いてるの？」

「うん、ちょっぴりね。全然へたくそだけど」

「ふうん。あたしが編集者になったら、見せてもらって本にできるかもね」

「だったらいいね」

美佐緒はにっこり笑った。そして、再び真顔になった。

「あたしね、一冊だけ本を書くの」

「マーガレット・ミッチェルみたいに？」

「あんな豪勢な本じゃなくってね。四部作になってるの。暗ーい話書くんだ」

「純文学？」

「そんなにかっこよくないの。すっごく情けない話なの。読んだ人が、情けなくて、自己嫌悪で死んじゃいたくなるような小説を書くの」

「えーっ」

「そう。読んだ人は次々と自殺するの。死んだ人の部屋の机には、いつもあたしの書いた本が広げてあるわけ。ああ、またこの本だ。またおまえの書いた本のせいで人が死んだって、非難ゴーゴーになって、みんなに後ろ指さされるのが夢なの」

「なんだか屈折してない？」

「いいの。ただの夢なんだから」

奈央子の回想はとぎれた。

坂を登り切った展望台のところに、紺のコートを着たポニーテールの少女がうずくまっているのが目に入ったからだ。泣いているのだろうか？　美佐緒の友達？　それとも林祥子の？

手すりはまだ修理されていなかった。工事を予告する白いプレートが縄に吊してあった。今回の事故を機に、手すり全部を取り替えることになったようだ。手すりの周りにはたくさんの花やお菓子が積み上げられ、さながら祭壇のようだった。

奈央子が近付いて行くと、少女がこちらを振り返った。眼鏡を掛けたそばかすだらけの顔が、何か言いたげに奈央子を見る。

「美佐緒ちゃんの友達？」

奈央子がさりげなく訊くと、少女はホッとしたような顔で立ち上がった。どうやら彼女も西高の生徒らしい。

「はい。美術部で一緒だったんです。あたしはまだ一年生だけど。あの、ひょっとして、美佐緒さんの家庭教師の先生じゃないですか？」

「そうよ。美佐緒ちゃんが中学の時からね。あたしが大学行っちゃってからは、帰省した春とか夏とかだけだったけど。美佐緒ちゃんから聞いてたの？」

「はい」

二人はどちらからともなく近寄ると、並んでそばの木のベンチに座った。座ると、余計に寒さが足元から上がってくる。

「よかった。林さんの友達じゃなくて。亡くなった人には悪いけど、あたし、あの人もあの人の友達も苦手で」

少女がボソリと呟いた。

「林祥子さんも知ってたの？」

「話したことはありませんけど。よく下校時間に美佐緒さんを迎えに来てました。彼女きれいだったし、あたしのひがみかもしれません。でも、なんとなく」

淡々と話す少女に、なぜ美佐緒がこの少女と親しくしていたのか分かったような気がした。飾らず、押しつけず、率直だ。美佐緒の好きなタイプの女の子だ。それと同時に、奈央子は少女の言葉に共感している自分を分析していた。自分も林祥子が苦手だった、ということを初めて認めたのだ。なぜだろう？　ほんの数回しか話をしたことはなかった。感じも良かったし、人懐っこくて愛らしい、頭のいい娘だったのに。

怖かったのだ、とその時気付いた。あの子はどことなく怖かった。思い込んだらひとすじに、というところがあった。言葉がうまく見つからないが、どこか狂信的な感じがした。美佐緒にべったり惚《ほ》れこんでいたが、それがいつ別のものにくるりとすり替っても不思議ではない緊張感があった。奈央子は彼女を見たときに、最近ビルの屋上から投身自殺をしたアイドル歌手の顔を思い浮かべていたことを思い出した。彼女の自殺直後に、多くのティーンエイジャーが続けて自殺した。彼女はとても真面目な努力家で、芸能界入りを拒んだ親の出した条件をクリアするために、死に物狂いで勉強して、成績で一番を取ったという記事を読んだことも思い出した。

あの子は怖かった、と奈央子は自分の中で改めて確認した。

「美佐緒さんが死んだって聞いた時、あたし、自殺じゃないかって思ったんです」

　隣の少女が前を向いたまま口にした台詞《せりふ》を、奈央子は驚きをもって聞いた。思わず少女の顔を見る。この子は、まるで奈央子の無意識の底に沈んでいたものを次々とすくいあげていくかのようだ。少女の感想は、そのまま初めて奈央子が悲報を聞いた時の感想と同じだということに気付かされた。

「どうして？」

　そのことをおくびにも出さず、奈央子は少女に尋ねた。

「特に理由はないんですけど、なんとなく。美佐緒さんて、すーっとどこかに消えちゃいそうな人じゃなかったですか？」

「そうかなあ。昔から淡泊なとこはあったけど、そういう感じじゃなかったと思うなあ。でも、ここ半年以上会ってなかったし、分からない。最近はどうだったのかしら？　ええと、あなた、お名前は？　あたしは野上。野上奈央子です」

「早坂《はやさか》です。早坂詠子《えいこ》」

「最近、何か悩んでる様子でもあったの？」

「そうですねえ。美佐緒さんは三年生だったからあまり部室にも顔出してなかったし。あたしも週に一回会うか会わないかでしたけど」

　詠子の口調がゆっくりになった。

「虹と、雲と、鳥と、どれがいい？」

「え？　何がですか？」

久しぶりにふらりとやってきた美佐緒が、詠子の隣に座ってクロッキーブックに鉛筆を走らせながら尋ねた。

「この次生まれて来るとしたらよ」

「なんでその三つなんですか」

「今思いついたの」

「もう一度言ってくれます？」

「虹と、雲と、鳥」

「うーん」

石膏デッサンを続けながら詠子は唸《うな》った。

校庭の隅にある、木造の美術室はもう薄暗くなっていた。この美術室には天窓がいくつかついており、石膏や静物に微妙な陰影が付けられるところが美術部員の気に入っていたので、デッサンを続けている間は、暗くなっても電灯を点《つ》ける生徒はめったにいなかった。

美術室には詠子しかいなかった。文化祭が終わったばかりで、遅くまで制作をする生徒はいなかったのである。美佐緒もそのことは承知していたに違いない。入ってきた美佐緒は、中に詠子だけがいることにも驚かなかった。詠子は軽く会釈をしてデッサンを続けた。

「詠子、虹が出てるわ」

「ほんとに？」

部室の窓から外を見た美佐緒につられて、詠子も席を立った。

ついさっき、季節外れの激しい夕立があったからだろう。雲が切れかけてまだ半分暗い墨色の空を横切るように、二つの虹が二重にかかっていた。

「うわー、ほんとだ。すっごく久しぶりに見ました」

「きれいね」

「何回見ても不思議」

「ちょっと怖いよね」

しばらく二人は虹を眺めていたが、やがて中に戻って並んで座ると、それぞれに炭と鉛筆を手に取った。そこで、美佐緒がその質問をしたのである。

「やっぱり、鳥かな。あちこち飛んでいける」

詠子はしばらく考えてから答えた。

「美佐緒さんは？」

「虹か雲かで迷ったんだけど、虹」

「虹？」

「いいじゃない。いつのまにか現れて、またすうっと消える。おいしいとこだけ持ってけるでしょ。綺麗だし、謎めいてるし、後腐れないし」

「ふうん」

「それに、虹ってね、あんまり縁起よくないんだって。昔の人は凶兆だと思ってたみたいよ」

「キョウチョウ？」

「よくない前触れよ。あたしみたいな疫病神《やくびょうがみ》にふさわしいわ」

「まさかあ」

「ほんと、ほんと」

美佐緒は、時々こういう自嘲をすることがあった。その瞬間だけ彼女はずぶりと沈む。慣れないうちは、それにつられて一緒に沈みそうになったものだが、詠子は取り合わずに軽く扱うコツを覚えた。美佐緒の自嘲に気付かなかったふりをして、浮かんだままでいるのである。すると、美佐緒はすぐに自力でふわりとこちらに戻ってくる。しかし、その時の美佐緒は沈んだきりなかなか浮かびあがってこなかった。詠子は心配になった。

「美佐緒さん、インスタント・コーヒー飲みません？　暗くなっちゃったし、明かりつけましょうか」

「あ、うん」

美佐緒はハッとしたように顔を上げ、やっと『浮かんで』きた。

「グッドタイミング。実はね、ここで食べようと思ってドーナツ買ってきたんだ」

「わあっ、あたしも食べていいんですか？」

「もちろん」

無邪気に立ち上がって二つのマグカップにコーヒーを入れて戻ってきた詠子は、美佐緒の開けた包みにぎょっとした。

ドーナツは、大きな箱に何種類も入っていた。詠子の好きなものばかりだ。しかも、駅前の大きなドーナツ屋の箱だった。

「美佐緒さん、わざわざ駅前まで行って買ってきたんですか？」

「え？　うん、無性に食べたくなったのよ」

「すいません、遠慮なくいただきまーす。残って描いててよかったあ」

明るくドーナツにかぶりつきながらも、詠子は動揺していた。まるで美佐緒が、詠子に別れを告げに来たような気がしたからだった。

話を聞きながら、奈央子も動揺していた。

美佐緒は、自分の死を予感していたのだろうか？　しかし、どういう形の死を想像していたのだろうか。自殺を？　では、林祥子はどういうふうにかかわってくるのだろう？　美佐緒一人だけだったなら、自殺でも納得できたかもしれない。でも、祥子は？　祥子はなぜ一緒に死んでいたのだろう?

二人の死は、どんどん謎めいていく。考えれば考えるほどわからなくなる。本当は、何も謎などないのかもしれない。ただ、弱気になっていた少女が不幸にも事故にあってしまったということなのかもしれない。不幸というものは弱気につけこんでくるものだ。

その一方、収穫もあった。虹と、雲と、鳥。その言葉が詠子との会話から出たものだということが分かった。そこからノートのタイトルにしたことは明らかだ。やはり、あのノートは美佐緒が書いたのだという証拠になる。

生まれ変われるとしたら。そこにも死の匂いが漂っている。どこから始めても、結局は二人の死へと収斂《しゅうれん》されていってしまう。

「――手すり」

突然、詠子がぽつんと呟いた。

「え?」

奈央子は聞きとがめた。

「なんであそこから落ちたんだろう」

詠子はぽっかりと折れている手すりをぼんやりと見つめていた。

「なんでって?」

詠子はきょとんとした顔で奈央子を見た。

「野上さんも西高ですよね？　知りません？　あの手すり、昔からボロくて危ないってうちの高校では有名なんですよ」

「えっ、あたし知らない」

「そうかあ、やっぱり知ってる人と知らない人がいるんですね。でも、有名なのは西高の運動部の子にかな。ほら、運動部の子はランニングとかトレーニングでこの公園使うでしょ。ここまで来ると解放感あるし、眺めいいし、ついつい寄り掛かりたくなっちゃいますよね。でも、いつ折れても不思議じゃないから、絶対あそこに寄り掛かるなって先輩から後輩に代々言われてるらしいんです」

「へえー」

　ふと、奈央子は疑問を感じた。

「美佐緒ちゃんはそのことを知っていたのかしら」

　詠子は質問の意味にすぐ思い当たったらしかった。

「どうでしょうね。あたしは、兄貴が野球部だから知ってたんですけど。うーん、どうかなあ。美佐緒さん、陸上部の子とつきあってたから知ってたかもしれません」

「へえ。その子は今どうしてるんだろう。ショックだったろうな」

「でも、少し前に別れちゃったみたい。美佐緒さん、本気にならないから」

　詠子は相変らず淡々と話を続ける。そう言えば、奈央子と美佐緒は恋愛について話したことがほとんどなかった。抽象的な話題にはしても、具体的な話題はあえて避けていたようなところがある。奈央子がカウンセラーとしての役割を持っている以上、美佐緒は母親への報告の義務が生じるような話題を避けていたのだろう。奈央子に余計な負担をかけさせまいという配慮もあったはずだ。しかし、同性として一番興味のあるテーマを打ち明けてもらっていなかったという事実には、正直言ってちょっと傷ついた。美佐緒は用心深い子だ。相手によって、この人にはここまでというラインを厳密に決めていたのだ。

「美佐緒ちゃんの親友って誰だろう？」

詠子は首をひねった。

「さあ。いつも一人でいたって印象強いから。一応、属してるグループはあったみたいですけど、いかにも便宜上って感じでした。でも、男の子はもちろんですが、美佐緒さん、女の子にも人気ありましたよ。いつもあの調子で」

便宜上、という言葉に奈央子は苦笑した。美佐緒らしさがよく出ていたからだ。詠子の答はいろいろと示唆《しさ》に富んでいた。美佐緒は手すりのことを知らなかったのだろうか？　だとすれば、やはりあれは事故になる。でも、もし、知っていたとすれば？　自殺の可能性は高くなる。彼女が知っていたかどうか、どうすればわかるだろうか？

「お母さん、あたしちょっと本屋に行ってくるね」

早春のある日、林祥子はコートを羽織って外に出た。スプリングコートにはまだ早い。ちらりと風に乗ってきた雪片が目の前をかすめた。まだ春は遠いなあ。

でも、すぐに二年生。第一回の進路指導もあるし、参考書の準備しとかなくちゃ。

ハアッと息を吐いて、ガレージから自転車を引き出す。

祥子は負けることが大嫌いだった。小さい頃から、なんでも人より精一杯やって、一番になった。やるだけのことをやっておかなければ気の済まない性格だ。

祥子は、自分がかなりいろいろなものを持っていることを知っていた。いわゆる世の中でいう『幸せな女の子』の条件を満たしていることを。しかし、その一方で別のことにも薄々気が付いていた。決して口に出したり、自分の中で呟いたりしたことさえなかったが、それでも物心ついた頃から彼女には分かっていた。自分には、決定的な何かが欠落しているということを。それが何かは分からなかった。それは呪いのようなもので、口にしたとたんに恐ろしい現実になってしまいそうな気がした。祥子はその呪いを恐れていた。『幸せな女の子』でいるためには、失敗は許されなかった。

自転車を押し出しながら、祥子は地面を見つめていた。

みんなには分からない。あたしがどんなに必死に闘っているか。あたしの染みのない世界を守ろうとどれだけ努力しているか。一回染みを作ってしまったら、そこからあたしの世界は切り崩されてしまうのだ。

自転車の車輪の回る軽やかな音が響く。

うんと勉強して、絶対、東京のK大の英文科に行くんだ。祥子は、自分がK大のキャンパスをお洒落して歩いているところを想像する。晴れてお化粧することができるのだ。あたしの肌は白くて透明感があるから、薄化粧をしただけで、かなり大人っぽく見映えがするに違いない。きっとあたしは大学のサークルでも人気者になるだろう。その時は、廣田君よりも素敵な人を見つけてみせる。

ずっと意識の外に押しやっていた痛みが、思いがけない激しさで祥子の心臓を締めつける。廣田啓輔に拒絶されたことは、祥子にとっては天変地異のようなダメージだった。今でも、自分が拒絶されたという事実が信じられない。

彼は変わった人だったんだわ。屈辱と憎悪の記憶がふつふつと蘇《よみがえ》ってきそうになると、祥子は慌ててそう考えることにしている。でなければ、彼の言動はとうてい理解することができないではないか。

玄関から門への、椿の木の並んだ細い石畳を、ゆっくり自転車を押しながら祥子は違うことを考えようと努力していた。肩までの高さの黒い鉄の門をキイッと押し開け、自転車を出そうとした時である。

「こんにちは、林祥子さん」

はっきりとした声が飛び込んできた。華やいでいるようでいて、どこか畏《おそ》れに満ちている声が。

祥子は声のした方向を見た。

はっとするほど美しい少女が立っていた。

黒いピーコートの上に、灰色の霜降りのマフラーを巻いている。グリーンのアーガイルソックスに黒のローファー。少女は、まっすぐな竹のように凛と立っていた。

艶々《つやつや》した黒髪の上に雪のかけらが舞っていた。寒さのために頬がほんのり赤く、すっと形良く伸びた眉毛の下には、黒い金魚のようにつぶらで柔らかな瞳がこちらを見ていた。

自分で声をかけておきながら、少女はびっくりしたような表情になった。それは、自分があまりにもぽかんとした顔をしているためだと祥子は気付いた。

それでもたっぷり五秒は見つめ合っていただろうか。

少女はちょっとあとずさりした。名残惜しそうに祥子を見ていたが、やがてザッと足元を翻《ひるがえ》すと、小走りに去っていった。

祥子は動くことができなかった。雪のかけらのように目の前に現れて消えた少女の残像が、鮮やかに脳裏に焼きついていた。

「あのー、廣田さんいますかー?」

詠子は授業の終了ベルが鳴るやいなや教室を飛び出すと、上の階の奥の教室を訪ね、一番後ろで鞄を詰めている男子生徒に声を掛けた。

「廣田ぁ？　だめだめ、あいつ死んでるから」

「え？」

「篠田美佐緒と一緒に死んじまってるの」

「ひょっとして、休んでるんですか？」

「いいや。もう帰ったよ。校庭に行ってみな。毎日百キロくらい走ってるから」

十二月も半ばを迎えた校庭は、冷蔵庫の中のように冷たかった。

高い空の底に、弧を描くように薄く寒々とした雲が浮かんでいる。それよりもさらに底の方に白っぽいサッカーゴールが打ち捨てられ、黒っぽい影が黙々と直線の上を移動していく。

「廣田さーん」

詠子は校庭の隅から叫んだ。影は止まらない。

「廣田さーん、お願いがあるんですー」

詠子はなりふり構わず手を振った。野上奈央子はもう喫茶店で待っているのだ。

ようやく影は気付いたようだ。顔がこちらを向くのが分かった。ちょっと立ち止まり、詠子が自分に手を振っているということを確認したらしい。トラックを走るのをやめて、校庭を対角線上に横切って来る。

「何？　あんた、誰」

目の前に来た少年を見て、詠子はぎょっとした。

目はげっそりと落ちくぼみ、頰はこけて土気色になっている。もともと鋭い雰囲気を持った少年だったが、痩せた分だけそれが痛々しい印象に変っていた。

彼は本当に美佐緒さんが好きだったのだ。

悲痛なものと共に、詠子は羨望を覚えた。美佐緒さんはいつも本気ではなかったのに。美佐緒さんはもうこの世に存在しないのに。

「一年六組の早坂です。美佐緒さんと美術部で一緒でした。東京から美佐緒さんの友達が来てるんです。廣田さんの話を聞きたがってるんです」

美佐緒の名前を出したとたん、啓輔の目が暗くなった。

「なんで、俺が」

顔をそむけ、声を低める。詠子は必死になった。

「美佐緒さんとつきあってたでしょう？　駅の裏の『時計屋』で待ってるんです」

「美佐緒が最後につきあってたのは俺じゃない」

「野上奈央子さんて人です。美佐緒さんから聞いたことないですか？　今大学生で、中学時代から美佐緒さんの家庭教師をしてた人です。野上さん、美佐緒さんの遺書を持ってるんです」

啓輔は鋭く反応した。人を射ぬく閃光《せんこう》のような瞳がこちらを振り返る。

「遺書？」

詠子も負けじと睨み返した。

「ええ」

「あれは、遺書だと思います」

駅の裏通りは、放置自転車と帰宅する人間とで夕方の喧騒に包まれていた。迷路のように無差別に延びていった飲食店街の一角の、パン屋の二階に山小屋風の喫茶店がある。コロッケや焼き鳥の匂いを嗅《か》ぎつつ、啓輔は緊張した面持ちで喫茶店への階段をとんとんとんと素早く上がっていった。

詠子は啓輔が約束の場所に行くということを確認すると、奈央子の容姿を説明してそのまま帰っていった。

扉を開けると、カランカランという澄んだ音がした。

ごくりと唾を飲み込み、啓輔は店内を見回した。テーブル毎に木の壁で区切ってあるので、歩き回ってみないと客の姿は目に入らなかった。

短く髪を切った、小柄な女性の後ろ姿が目に留まった。黒のタートルネックのセーター。間違いない。あれが野上奈央子に違いない。

啓輔は落ち着きなく小走りにテーブルに駆け寄った。

「あの、野上さん？」

女性が顔を上げた。大学生と聞いて、もっと大人っぽい女性を想像していたのに、あっけないほど幼い顔だちをしていた。化粧っ気もほとんどなく、とても痩せていて小柄だ。

「廣田啓輔くんね？」

しかし、口を開いてはっきり目を合わせると、芯の強い、やはり年長者の落ち着きが迫ってきた。低くしっかりした声に、啓輔は何となく救われたような気がした。

「美佐緒の遺書を持ってるんだって？」

アメリカンを頼み、待ち切れないように啓輔が尋ねた。

「遺書なのかどうかはまだ分からないけど――美佐緒ちゃんが死ぬ直前にあたしに送ってきたのは確かよ」

奈央子は落ち着いた声でゆっくりと話した。ちょっと間を置いて、目の前の少年をじっと観察する。

素敵な男の子だ、と奈央子は思った。

ティーンエイジャーの少女が描く、少年というイメージをそのまま体現したような子だった。鋭くて、見栄っ張りで、純で、危なっかしくて、醒《さ》めたところと熱いところが渾然《こんぜん》としている。切れ長で挑戦的な目も、頬のこけたシャープな顔立ちも、そのイメージを引き立てていた。ストイックな雰囲気と、ストレートに他人に迫る率直さとを併せ持っているのも魅力的だ。さぞかし彼はもてることだろう。走っている彼を遠くから見ている女の子がどれだけいるのだろうか？　ふと、高校時代の稚《おさな》い恋の記憶が浮かんできて感傷的な気分になる。彼は今ごろ、どこで何をしているのだろうか？

「見せてくれよ」

切羽詰まった声を聞いて、奈央子は我に返った。ここに来るまで彼にノートを見せるかどうか迷っていた奈央子だが、目の前の少年を見て、素直に見せることを決心した。それに、見せないと言っても彼は納得するまい。奈央子はノートを取り出すと黙って渡した。

啓輔は青ざめた顔でノートを手に取ると、恐る恐る表紙を開いた。

「何、これ？『虹と雲と鳥と』って？」

奈央子は詠子から聞いた話をした。

「生まれ変わったら――」

啓輔は一瞬絶句した。奈央子は努めて無表情を装った。

啓輔はゆっくりページを開くと、「ああ」と小さく呟き、万年筆の字をそっとなでた。

「美佐緒の字だ」

今、彼の脳裏には、美佐緒の姿がさまざまな表情で浮かんでいるに違いない。それは痛々しい光景だったが、奈央子は心のどこかで残酷な喜びを感じていた。魅力的な少年が傷ついている姿を見ることに。あたしって嫌な奴だな、と奈央子は心の中で顔をしかめた。

「美佐緒ちゃんから手紙貰《もら》ったことある？」

「ない。あいつ、男に手紙なんて絶対書かないよ。自分の書いた字が男のところに残ってるのなんて、気持ち悪くていやだって」

啓輔はきっぱりと首を振った。美佐緒らしい、と奈央子は思った。

「美佐緒は成績抜群だったからさ。俺なんか落ちこぼれだし。これでも一応、国立理系志望なんだけどね。美佐緒によく化学とか数IIとか教えてもらったよ。あいつ、教える時すっげえ怖いの。ぼろくそ。脳味噌ないんじゃないの、とか、よく高校入れたわね、とか。ああ、あんた、すごく頭いいんだねえ。美佐緒の家庭教師やってたんでしょう？」

急に気がついたように、啓輔は無邪気に奈央子の顔を見た。警戒心を解いた少年の顔は思いがけなくあどけない。奈央子は苦笑した。

「家庭教師をさせていただいてたのよ。言っとくけど、あたしは私立文系です」

「ふうん」

軽口を叩いたことで、少しリラックスしたらしい。最初にノートを手にとった時の異様な緊張感も消え、少し距離を持って美佐緒の字を眺められるようになったと見える。コーヒーを飲みながら、啓輔はじっくりとノートの中身を読んでいった。時々顔を上げて、誰も周りにいないかのように鋭い瞳で考え込む。奈央子は待った。彼の表情を見ているだけで飽きなかった。五歳しか違わないのに、なんと多くの表情を失ったことだろう。

最後のページをしばらく見つめていたが、やがて啓輔は奇妙な表情で奈央子を見た。

「どう?」

「うーん」

啓輔は髪を乱暴にかき回すと、ほとんど残っていないコーヒーをすすった。すすりながら、ノートを無造作に指差す。

「これさ——美佐緒っぽいけど、美佐緒らしくない」

「え?」

「そもそも、らしくないよ。美佐緒がこんなふうに書いて残すなんて。それに、もし美佐緒が書くとしたらもうちょっとあっけらかんと書くんじゃないかなあ。これって、すごくうまく書いてない? 肝心のことはぼかして書いてる。何かを隠してるってのが見え見えじゃん?」

「そうかなあ」

「そうだよ」

奈央子は意表を突かれた。彼女が作家になりたいという夢を知っていただけに、文学的な意味——フィクションかノンフィクションか——ということしか考えていなかった。このノートが書かれたこと自体に何か目的があるという、作為的な意味は思い浮かばなかったのだ。

「何を隠してるんだろ」

奈央子が独り言のように呟くと、啓輔はちょっと傷ついたような顔をした。

「俺、分かんない。俺、美佐緒のことなんて、きっと十分の一も分かってなかった」

「みんなそうよ。あたしだって」

奈央子はムッとしたように言った。美佐緒を知る誰もがそうだろう。

「でも、俺ね。これ読んで、今日初めて思ったんだけど」

啓輔がまたノートをぱらぱらめくった。

「美佐緒って、なんかものすごいコンプレックスを持ってたんじゃないかなあ」

「コンプレックス？」

それは、美佐緒から一番縁遠い言葉のように思えた。

「うん。コンプレックスというか、深刻な悩みってやつ？　そういう臭い言葉じゃしっくりこないんだけど」

啓輔はもどかしそうな顔をした。その顔を見て、奈央子も唐突に思い当たった。

そうだ。美佐緒には、どこか底の知れぬ深い淵のようなものがあった。

毎日通る道の傍らに大きな穴があったとする。深くて、落ちたら危ない。致命傷になっても不思議ではない。最初はこわごわ気をつけて道を歩く。しかし、やがては慣れてしまう。

そのうち、穴の存在を意識せずに道を歩けるようになる。まるでもともと穴なんて存在していないかのように。

しかし、いつでも深い穴はそこにあるのだ。最初から同じ深さのままで。下手をすると雨に削られて深くなっていたり、知らないうちにゴミが投げ込まれていたりする。

美佐緒は自分の中の深い淵を隠したりはしなかった。ここに穴があるよ、といつも言っていたようですらあった。しかし、いつも当たり前にそこに投げ出してあるので、誰も気が付かなかったのだ。

奈央子は自己嫌悪に陥った。彼の読みの方が深く鋭い。これで、あたし編集者なんてやっていけるのかしら。もっと謙虚に、注意深く文章を読まなくては。

ふと、当初の目的であった質問を思い出した。

「ところで、手すりの話を美佐緒ちゃんとしたことある?」

「手すり?」

「城址公園の手すりが危ないって話よ」

奈央子は再び詠子から聞いた話をした。

「あなたも知ってた?」

啓輔はこくんと頷いた。

「そんなに意識したことなかったけど——あそこ、見た目はそんなに危なく見えないんだよね。ペンキはちゃんと塗り替えてあるし。今まで事故になんなかったのが不思議だよ。夏場は結構観光客も来るのに」

「その話、美佐緒ちゃんは知ってた？」

啓輔は首をかしげた。顔をしかめて懸命に思い出している。

美佐緒はおおっぴらにつきあいを誇示する方ではなかった。二人で城址公園なんか歩いていれば、デートしていますと宣伝しているようなものである。そういうふうに、これみよがしなデートを美佐緒は好まなかった。二人で喫茶店に入ったりするのも嫌がった。美佐緒は、殺風景な、誰もが足早に通り過ぎてしまうような景色の中をのんびり並んで歩くのが一番好きなようだった。

ずうっと歩いていけたらいいと思わない？　こうやって、好きな人とてくてく並んで歩いていくだけで一生過ごせたらいいなあ。眠ったり食べたり、勉強したり仕事したりしないの。ただ歩くだけ。昼も夜も風景を見ながらひたすら歩くの。疲れたりもしない。ただえんえんと並んで歩いていくだけ――

あれは、珍しく、美佐緒が『永遠』を語った時だった。むろん、彼女は誰よりもそんなものを信じてはいなかったのだが。

知らず知らずのうちに回想にひきこまれそうになるのを遮《さえぎ》って、啓輔は記憶を探った。やはり、美佐緒にあの手すりが危ないという話をした記憶はない。美佐緒にはしたことがない

——でも、誰かとこの話をしたことがあるな。

突然、別の記憶が蘇った。

「ここから落ちたら死んじゃうかなあ」

林祥子は、手すりの上から恐る恐る下をのぞきこんだ。

秋の夕暮れ。崖の下から冷たい風が吹き上げて来る。ここは市内でも一番の高台で、盆地に広がる市街地を一望できるのだ。

「そりゃ、死ぬだろ」

啓輔があっさり答えると、祥子は振り返って甘えるように睨み付けた。

「冷たいのねえ。あっ、ねえねえ、あそこに」

「わっ、その手すりによっかかるんじゃない」

手すりから身を乗り出そうとする祥子の腕を、啓輔は慌てて引き戻した。祥子はきょとんとしている。

「この手すり危ないんだよ。ほら見ろ、これだけでぎしぎしいってるだろ」

祥子が寄り掛かろうとした手すりは、大きくしなって揺れていた。根元が赤茶色に錆《さ》びて、細かくひびが入っている。既にぼろぼろに腐食して、地面から離れてしまっている部分もあった。

「あ」

祥子はそれを見て青くなった。自分がいかに危険なことをしたのか理解したらしい。

「やだー、怖い」

「ここ、昔っからボロいんだ」

「そうなの、知らなかった」

祥子は手すりから飛びのくと、啓輔に寄り添った。啓輔はどぎまぎした。

祥子につきあってくれと言われてからひと月になる。まだ数回しか会ったことはなかったが、啓輔は、未だに女の子とつきあっているという実感がなかった。

高校一年の夏休みも終りに迫ったある日、突然「志村女子高一年の林祥子と申しますが、あたしとつきあってもらえませんか」という電話がかかってきたのである。そのためらいのないズバリとした口調にも驚いたが、会ってみると、お人形のような恐ろしく可愛い娘だったのに二度驚いた。市内の名門女子校である志村でも、一、二を争う美少女だという評判に啓輔は舞い上がった。友人たちの羨ましがる声に、自分は恐らく非常に幸運なのだろうと思った。林祥子はものおじせず、はきはきした頭のいい子だった。彼女の発散するパワーに、啓輔は圧倒され、すべては彼女のペースで進んでいた。

祥子は非常に積極的だった。男と女はそういうものだという感じで啓輔に迫ってきた。何がなんだかよく分からないうちに、啓輔は彼女と寝ていた。

漠然と、これは違うんじゃないかな、という気がしてきたのは冬を迎える頃になってからだった。この女は本当に俺が好きなんだろうか、という目で祥子を見るようになった。むしろ、林祥子は非常に男性的だった。俺よりも男っぽいんじゃないか、と自嘲したくなるほどだ。彼女は啓輔を獲得し、全力を傾けて彼から利益を産みだそうとしている。彼は単に『彼女のもの』だった。彼女の頭の中には『理想の交際』という見本があって、その見本通りにしなければならない、というビジョンがあるらしかった。新しいTVみたいに、マニュアルをめくって使いこなし、オプションの機能を次々と試してみる、といった具合に。

俺はこの女を好きじゃない、という結論は、ある日彼女を家まで送っていった時に確信となって彼の中に降ってきた。

門の中に祥子が入っていき、玄関のところで小さく手を振る彼女を見た瞬間だった。相変わらず彼女は愛らしく、彼に向けた笑顔は少年誌のグラビアアイドルのように完璧だった。にもかかわらず、彼はこの少女に何の興味もないことに気付いた。

そして、恐らくこの女も俺が好きなわけじゃないんだ。ひどく醒めた気持ちで啓輔は閉まるドアを見守った。

しかし、そのことを正直に告げた時の祥子のすさまじい怒りは、啓輔の予想をはるかに超えていた。

今まで彼女を魅力的に見せていた明るい輝きが、一瞬にして紅蓮《ぐれん》の炎となって燃え上がったかのようだった。祥子はすっと青ざめ、色の薄い茶色い瞳が白く見開かれた。

啓輔は、恐怖を感じた。見たことのない——見るべきではないものを目にしたような、非現実的な感覚があった。

祥子が開口一番、口にしたのは次の台詞だった。

あたしの身体に飽きたのね。

今度こそ啓輔はあっけに取られた。いま、この女は何と言ったのだろう？

そうなんでしょ？　他に女ができたんでしょう？

啓輔はあぜんとしていた。確かに、目の前のこの子が喋《しゃべ》ったんだよな？

ひどい、なんてひどい人なの。

祥子の目には悔し涙が浮かんでいた。あまりの怒りに、啓輔を罵《ののし》る言葉が見つからない無念の涙だということに気付いた。

そんなの、許せないわ。

そう言い捨てて、祥子は踵《きびす》を返して去っていった。小柄な背中が、怒りと屈辱に震えていた。啓輔は、嵐のように過ぎ去った目の前の光景を理解するまでしばらくかかった。

あいつ、TVドラマの見過ぎじゃないか？

一人、とぼとぼと帰宅の途につきながら啓輔は苦笑いした。

あの耳年増のような下品な台詞も、彼女の中の『見本』から拾ってきただけに違いない。

なんと安っぽい『見本』しか持っていない女なのだろうか。啓輔は、寒々とした気分になった。あんな上品そうな女でこれだったら、他の女もみんなそうなのだろうか？

啓輔のささやかな感傷をよそに、その翌日から祥子の執拗な攻撃が始まった。

まずは電話だった。無表情な声で、「啓輔さんをお願いします」で始まる。えんえんと彼を非難する言葉の羅列。何度でも果てしなく繰り返される恨み言。

言葉に尽きると無言電話が続いた。その粘り強さには啓輔もほとほと恐れ入った。

母親が気味悪がり、父親が怒り始めると、ようやく電話はかかってこなくなった。

そうすると、今度は手紙が届き始めた。

びっしりと書かれた非難の言葉。手紙の中に描かれた啓輔は、とんでもない卑劣漢だった。自分は啓輔の慰みものになったのだという恨みつらみが並べられ、ここでも啓輔は彼女の中の『見本』に胸が悪くなった。

ここで相手をしたら終りだと、啓輔はじっと攻撃に耐え、嵐が過ぎ去るのを待った。

ようやく祥子が沈黙したのは、彼が別れを告げてから二ヵ月も経ってからだった。

「美佐緒は知らなかった。でも、林祥子は知ってたよ」

啓輔は無表情に答えた。

「えっ、林さんが？」

奈央子はまたしても予期せぬ答に驚いた。

「なんでそんなこと知ってるの？」

当然浮かぶ質問ではあったが、啓輔は顔をしかめた。

「俺、去年の秋にちょっとだけ林とつきあってたんだ」

まるで忌《い》まわしい出来事のように声をひそめる。

「林さんと？」

素直に驚く奈央子に、啓輔は決まり悪そうに顔を赤らめた。

「そんな目で見るなよ。まるで俺がめちゃめちゃ軽い男みたいじゃないか。林がつきあってくれって言ってきたんだ。俺、女の子とつきあうの初めてだった。全然うまくいかなかったけど」

「へーえ」

それでも、奈央子はちょっと裏切られたような気がした。今日びの女の子は積極的だ。遠くから眺めてるだけなんていうのは流行《はや》らないのかもしれない。祥子くらい可愛い女の子の申し出を断る馬鹿な男はいるまい。ストイックに見えても男は男。しょうがない、若いんだもんね、と奈央子は年寄りのような気分になった。

「林は知ってたよ。俺が教えた。林が美佐緒を殺したんだ」

「じゃあ、どうして林祥子も死んでいたの？」

「あんた、あの女のことよく知ってる？　あいつ、カッとなったらこうだぜ」

啓輔はこめかみを挟むように、両の手のひらを前に押し出して見せた。

「周りはなんにも見えない。きっと、美佐緒を突き落とそうとして、勢い余って一緒に落ちたんだ」

「うーん」

「だって、美佐緒が死ぬ直前に言ってたんだ。すごく憎まれてる女がいるって。そいつに殺されるかもしれないって」

「美佐緒ちゃんが？」

「うん」

奈央子は首をひねった。同じ死であっても、美佐緒は自らさまざまな可能性を示唆している。自殺なのか。他殺なのか。美佐緒らしからぬパフォーマンスとも言える。いったい美佐緒は何を言おうとしていたのか。

「林さんと美佐緒ちゃんが異母姉妹だと知っててつきあってたの？」

「まさか。とんでもない」

啓輔は慌てて手を振った。

「美佐緒とつきあい始めて、しばらくしてから判ったんだよ。美佐緒が、自分には母親の違う妹がいるって漏らしたことがあって。なかなか教えてくれなかったんだけど、林だって判った時はぶっとんだよ」

「でしょうねえ。美佐緒ちゃんは、あなたが林さんとつきあってたこと知ってたの？」

「どうだろう？　俺、林が美佐緒の妹だって判った時に思わず言っちゃったけど、ああそう、てなもんで。知ってたかもしれないな。狭い世界だしさ」

「そうだよねえ。みんな、隠してるつもりでもバレてるのよね」

「そうそう」


最初、啓輔はコピー機が壊れているのかと思った。

その少女は、コピー機の前で、紙の出て来るところを見つめたまま、じっと動かなかったからだ。

なかなか少女が動かないので、啓輔は不審に思った。雑誌をコピーしようと離れた場所で待っていたのだが、イライラしてきた。

「このコピー、壊れてるの？」

低く咎《とが》めるような声で訊くと、少女がゆっくりと顔を上げた。

顔は真っ青で、黒い瞳が大きく見開かれていた。額に脂汗が浮かんでいる。

啓輔は思わず一歩退いた。具合が悪かったのか。

「気持ち悪いの？　誰か呼んでこようか？」

「――え？　ああ、ごめんなさい。立ちくらみしちゃって。大丈夫、座ってれば治るから。どうぞ、使って」

少女は啓輔に会釈すると、横のトレイからコピーを取り、広げていた新聞の縮刷版を閉じて、大儀そうによろよろと書架の奥にある黒い小さなソファまで歩いていった。

コピーを終えて帰ろうと思ったが、壁の一部になったかのように、閉館まぎわの図書館の隅で頭を抱えて座っている少女が気になった。うちの高校の子だ。

啓輔はしばらくうろうろしていたが、ゆっくりと少女に近付いていった。

「大丈夫？　車呼んでもらおうか」

静かな声で呼び掛ける。

少女は身体を起こした。相変わらず顔色は悪かったが、さっきより落ち着いていた。

「ううん、ほんとに大丈夫。ありがとう、もう少し休めば歩けるわ」

少女は壁によりかかって、ふう、と溜め息をついた。行ってくれ、というサインだった。

黒目がちの美しい瞳は、啓輔を通りこして彼の後ろの空間を見ていた。

それでも啓輔は、その場でぐずぐずしていた。なぜかその少女のそばから離れることができなかった。啓輔は、そっと少女の隣に座った。なるべく椅子のはじに身体を寄せて。

嫌がるかと思ったが、少女は何の反応も見せなかった。じっと前を見つめている。

整った横顔。びっしり生えた長い睫《まつげ》。つやつやした黒髪。

啓輔はそっと少女を見守った。この子知ってる、と思った。上級生だ。美人なので覚えていたが、とても大人っぽくて冷たい感じの女だという印象があったのだ。

啓輔は静かに座っていたが、これからどうしたらいいのか判らなかった。なんでこんなところに座ってしまったのか、自分の行動が理解できなかった。

「——あなた、陸上部じゃない？」

落ち着いた声でいきなり話しかけられ、啓輔はびくっとして少女の方を見た。

深い聡明さをたたえた真っ黒な瞳がこちらを見ていて、啓輔はうろたえた。こんな目で、こんな近くから見つめられたら、パニックに陥ってしまう。

「そう。なんで知ってるの？」

努めて平静を装いながら、啓輔はそっけなく答えた。

「いつも走ってるから。あなた目立つし。知ってる？　自分が女の子の人気者だって」

しらっとしたストレートな口調に啓輔は驚きを覚えた。もっとつんつんした、堅い女の子だと思っていたのだ。

「知らない」

「そう」

「俺の一学年上だよね？」

「そう。四月から楽しい受験生」

少女はこくんと頷いた。卒業式も終り、春休みまでの空白の時期。新入生を待つ、二つの学年が手持ちぶさたになる季節。

少女は鞄を手にとり、よろりと立ち上がる。思わず、啓輔は素早く立ち上がって彼女の腕をつかんだ。少女の二の腕の細さと柔らかさにどきりとする。

「もう平気。ありがとう、ええと」

少女は何か問いたげな表情をした。名前を訊いているのだ、と気付いた。

「啓輔。廣田啓輔」

少女はちょっとだけ微笑んで頷いた。

「ありがとう、廣田君」

「そっちは？」

「篠田です。篠田美佐緒」


「でも――あたしの知っている美佐緒ちゃんと林さんはとても親密で仲良かったわよ。見せかけとは思えなかった」

奈央子は二人の共犯者めいた表情を思い浮かべながら呟いた。

「それ、いつごろのこと？」

顎のところで指を組んで、啓輔が尋ねる。

「今年の春休みよ。四月の第一週ぐらいだと思うわ。美佐緒ちゃんが林さんに姉妹だと打ち明けたばかりの頃よね。やっぱり、このノートに書かれている八月の旅行で決定的な何かがあったのよ。なんだと思う？『Sは私を絶対に許さないだろう』。単なる性格の不一致じゃ、こうはならないわよね」

「うん。でも、せっかく血のつながったきょうだいに会えたっていうのに、そんなに簡単に決裂しちゃうもんかなあ。確かにあいつら頑固者どうしだったから衝突があったとしても不思議じゃないけど。だけど、ここまで相手を憎めるかな？　俺んちは年離れてたけど姉貴と仲良かったし、兄弟っていうのは仲がいいもんだと思ってた。だけど、友達の話とか聞いてると、仲悪い兄弟ってほんとに仲悪いんだってね。あいつさえこの世にいなければ、とか本気で思うって言ってる奴いたもん」

「そうね。近親憎悪ってやつ？　でも、気が合わないんだったら最初から気が合わないと思うな。美佐緒ちゃんは大人だけど正直な子だったから、最初に会って妹とうまが合わないと判ったら、それとなくうまく離れていったと思うわ」

実は、その時奈央子の胸には一つの確信が浮かんでいた。

年ごろの、仲良しだった女の子が決裂する最大の理由。それは男の子だ。

年ごろの女の子二人が、旅行に行った時の話題は決まっている。恋のこと、彼氏のこと。初めて夜を共に過ごす異母姉妹、美しくて人気のある女の子どうしの打ち明け話にもふさわしい。

目の前のこの少年がその理由だとしたらどうだろう？　奈央子は少々意地悪な目で彼を見た。美少女二人が争うのに不足はないだろう。それに、競合する相手がいるとますますその存在が特別に見えてくるものである。二人の少女の葛藤《かっとう》はいかばかりだったろうか？

お互いに対する素直な賞賛が、嫉妬や羨望や疑心暗鬼に変わって行く。思春期の頃に、自分の中に湧いてくる醜い感情を認めるのは難しい。いつも人に羨ましがられてきた二人にはなおさらだろう。この勝負は最初からついていた。祥子は既に失敗しており、現在は美佐緒が彼の愛情を得ている。もし二人が同時にスタートしたとしても、啓輔のようなタイプの少年はやはり美佐緒を選んだだろう。祥子が啓輔の言うような性格であったとすれば、美佐緒への愛情が憎しみに転換したとしても不思議はない。

ふと、そこまで激しい恋と葛藤を得た二人に羨望を感じた。ゆったりした穏やかな人生と誠実な愛情しか知らない奈央子にとっては、そういう劇的な感情を高校時代から味わっている人生というのは未知のものだった。

「二人はどこに旅行に行ったのかしら？　どこに行くとか言ってた？」

「そういえば、時刻表見てたことがあったな」

期末試験が終わったら、映画を見に行こうと約束してあった。

市役所の裏にある名画座は、大学生や自由業風の中年男が半分くらいの席を埋めており、高校生は美佐緒と啓輔だけのようだった。

美佐緒が見に行きたいと言ったのだが、びじゅびじゅ、そあそあ、という鼻をかみたくなるようなフランス語を聞いているうちに、期末試験の一夜漬け明けとあって、啓輔はたちまち眠り込んだ。啓輔が目を覚ました時、大画面の中では、唇の分厚い男が頭にダイナマイトを巻き付けているところだった。それは、オレンジ色の四角い仮面のようだった。

啓輔がちらりと美佐緒を見ると、彼女は凍りつくような青ざめた顔で画面を見つめていた。啓輔はたちまち目が覚めた。クライマックスなのかな？

爆発音が響き、崖の上から煙が立ちのぼる。カメラはそのまま、崖下の海へと移動していく。画面いっぱいの低い水平線に、男女の囁き声。字幕が出る。

——見つかった。

——何が？

——永遠が。

——海と溶け合う。

——太陽が。

映画は終わり、場内が明るくなった。啓輔は大きく伸びをした。美佐緒はふうっと大きく溜め息をついた。美佐緒の固い表情がひっかかったが、外の明るい光を見ると、まもなくそれも忘れた。初夏の土曜日の午後の街は、ゆったりとして眠たげだった。

「お腹空いたね。何か食べようよ」

「俺、ラーメン食いたい」

「こんなにあったかいのに？　しょうがないなあ。あたし、冷し中華にしよ」

二人は繁華街の外れにある、はんぱな時間で空いているラーメン屋に入った。

啓輔は記録的な速さでとんこつスープを流し込むと、隣の座席に置いてあった漫画雑誌を読み始めた。ふと美佐緒を見ると、黙々と冷し中華を食べながらコンパクトタイプの時刻表をめくっている。

「何、美佐緒、どっか行くの？　余裕だねえ、受験生なのに」

もっとも、美佐緒は推薦を受けるつもりだと聞いていた。彼女の抜群の成績ならば、ほぼ確実だった。

「二日や三日、たいしたことないわよ。大事な旅行なの」

「大事な旅行？　誰と行くの？」

「家族とよ」

さらりと受け流したが、『家族』という言葉を使ったことで、それが林祥子とだということが判った。母親とだったら、「母親とよ」と答えただろうからだ。

「どこ行くの？」

コップの水を飲みながら、啓輔は尋ねた。もう済んだこととはいえ、やはり林祥子の話題は居心地が悪い。

「新潟」

「新潟？　なんでまた」

「大事な人に会いに行くの」

「大事な人って？」

美佐緒は、ちょっとだけおどけた表情をした。

「もうこの世にいないんだけどね」


啓輔の話を聞いて、奈央子はハッとした。突然、現実的な気分になった。

そうか。そうだったのか。なぜ今まで気がつかなかったのだろう。

「どうかした？」

奈央子の表情が変わったのを見て、啓輔が不思議そうな顔をした。

「あのさ、廣田君に異母兄弟がいたとするじゃない？　全然その存在を知らずに育ってきて、今日初めてその兄弟に会ったとする。積もる話をして、近況報告をして、お互いの理解を深めようと努めるよね？」

啓輔はきょとんとして話を聞いていた。

「それで？」

「次の、二人の間の話題は何かなあ？」

「次の？」

「そう。やっぱり最初は、多少の警戒心があるよね。相手がどんな人間か、利害関係の生じる相手かどうか、しばらく探りあってたわけじゃない？　そういう時期が過ぎて、よし、これは大丈夫、信頼できる相手だと互いに納得する。その次に、廣田君は兄弟と何をしようと思う？」

「何をって――」

啓輔は当惑した表情だった。さかんに首をひねっている。男の子はこういう感覚ないのかしらん、と奈央子は自分の考えに一瞬自信をなくした。でも、女の子だったら、きっと思いつくはずだ。

「判らない？　次に話題になるのは、二人の父親のことじゃないの？」

啓輔は、あ、という顔をした。

「二人は同じ父親を持っているのよ。それなりに思うところはあるでしょう。その父親が既にこの世の人ではなかったとしたら？」

話しているうちに、やはりそうだという確信が湧いた。奈央子はテーブルの上に身を乗り出した。

「美佐緒ちゃんたちは、二人で父親の墓参りに行ったのよ」


湧きたつ雲のような満開の桜が躍っていた。

「見て、美佐緒！　すごいわ、本当に花吹雪だわ！」

早朝の澄み切った空の下、土手の桜並木は今盛りのときを迎えていた。

「うわあ、すごいわ。あたしたちだけで独り占めよ！　気持ちいい！」

祥子は駆け出して、土手の上に降り注ぐ白い花びらを手で受けた。

キンと透き通った朝の空気の中で、桜の木々を見上げる祥子は絵のようだった。

「うん、あたしの読みは正しかったね。今日が満開と踏んだのよ」

美佐緒は辺りが真っ白になるほどの桜吹雪を手でよけながらゆっくりと祥子に向かって歩いていった。二人で登校前の早朝に待ち合わせ、今年一番の桜狩りをしようと、市内の桜の名所である川べりへとやってきたのだった。家族連れや酔客たちに、この景色が汚される前に。


祥子がふと、するりと何の気なしに話してくれたことがある。

おろしたての白いワンピースを、初めての自分の血で汚してしまった日のことを。

あたし、許さないの。わざわざその日のためにとっておいたワンピースを汚した自分のことを絶対に許さない。

少々風があった。桜はものすごい勢いで散ってゆく。

美佐緒は、はしゃぐ祥子の後ろ姿を目で追いながら、一瞬方向感覚を失った。

なんだろう、この白い空間は？　あたしは今どこにいるのだろう？　今いったいどの位置まで来ているのだろう？

美佐緒は顔にかかる髪を払う。前に流れる自分の長い髪の上に花びらが点々とつく。

これは——雪？

あの日に逆戻りしたのだろうか。初めて祥子と目を合わせたあの三月に。

こんにちは、林祥子さん。

舞い散る雪。いや、これは桜の花だ。あたしは祥子と桜狩りをしている。血を分けた妹と春の土手を歩いているのだ。

なんだろう、このざわざわとした感覚は。この風景の、この世ならぬ美しさは。

「美佐緒！」

遠くで妹が手を振っている。あの、美しい満面の笑みはあたしに対して向けられているのだ。なぜ彼女はあたしなんかに微笑むんだろう？

なんだろう、こんなに美しい風景があるはずがない、あたしがこんなに幸福なはずはない。それとも、あたしはもう何も判らなくなっているのだろうか？

「ね、絶対夏休みにはお墓参りに行こうね」

追いつく美佐緒を待っていた祥子は美佐緒にぴったりと寄り添い、腕を組んだ。

「うん」

美佐緒の母が、父の話をすることはほとんどなかった。写真もほとんどない。別れる時に、母は相当傷ついたようだった。今でも母は、父を憎み続けている。そして、今でも母は父を忘れられないのだ。しかし、美佐緒は長い年月をかけて、父親の実家の住所や父のお墓のある寺の住所をこっそり探しだしていた。母の住所録や、親戚から来た葉書や、母の電話でのやりとりのはしばしから。母は、自分が父のことを探っているとは夢にも思っていないだろう。

美佐緒は、肩にもたれかかる祥子の髪のシャンプーの匂いを嗅いだ。

真っ白だ。真っ白な闇だ。出口はあるのだろうか？

二人の少女は、ゆっくりと土手の上の道を遠ざかってゆく。


「俺、美佐緒の行き先、知ってるかもしれない」

啓輔が突然そう言った。

「えっ？」

奈央子はあっけに取られた。

「なんで急に」

「うん、喋ってるうちにだんだん思い出してきたんだ」

啓輔は興奮してきたようだった。

「俺、十一月の連休に東京で模試受けたんだ。そん時に、美佐緒んちで時刻表借りて、そのままになってる。俺の部屋に、その時刻表まだあるはずだよ」

「それで?」

奈央子は話が見えずに先を促した。今度は啓輔が身を乗り出す番だった。

「俺、見たんだ。時刻表に、美佐緒のメモが挟まってるの。それに、どこかの住所が書いてあった。新潟県だなって思ったの覚えてる」


冬の日本海は、解放感がない。

やっと海に出た、と思っても、どこかどんよりと重たげにうねっていて、風景に黒が混ざって濁っている。

奈央子と啓輔は終始無言だった。せっかくだから冬の日本海を見ながら行こうと思ったのに、空は厚い雲に覆われていて、その下には機嫌の悪い海がのたうちまわっていた。

奈央子は一人で行こうと思ったのだが、啓輔が「住所が判ったのは俺のお蔭だ」と、一緒に行くことを主張した。

早朝の日曜日。あの事故から三週間経っている。外は真っ暗で、始発列車はまだ暖房が効いておらず、二人はコートを着たまま座席で熱い缶コーヒーを開けた。

あたしたち、何に見えるだろう？　姉弟に見えるかなあ？

コンビニで買ったおにぎりを分けながら、奈央子は思いがけない展開にとまどっていた。

美佐緒が父親の墓参りをしたことが判ったからといって、どうなるというのか？

別にどうにもならない。

そんなことは二人とも重々承知していた。しかし、二人は今こうして列車に乗っているのだ。

啓輔も、頬杖《ほおづえ》をついてじっと窓の外を見つめたままだ。何を考えているのだろう。美佐緒のことか。それとも、こんなところまで来てしまったことへの後悔か。

灰色に泡立つ海が、やがて視界から消えた。


目的地の駅に着き、がらんとした小さなロータリーに降り立つと、二人はきょろきょろした。まるで、どこかから美佐緒が姿を現すのではないかというように。

バス停を探したが、次のバスまで一時間以上あったので、駅前に一台だけ止まっていたタクシーを奮発することにした。ここに来るまで半日かかってしまった。時間が惜しい。

タクシーに乗り込み、美佐緒のメモにあった寺の名前を告げる。

稲を刈り取った後の田圃《たんぼ》にうっすらと雪が積もっていた。

「お客さん、雪になるってよ、今日は」

道理で、この底冷えのする寒さも頷ける。

田圃の中に、屋敷林に囲まれた小さな寺があった。

「あのう、ここでしばらく待っていていただけますか」

奈央子はタクシーの運転手に頼んだ。再び車を見つけるのは困難だろう。

こんな季節外れの、天気の悪い日曜日の寺は無人だった。

「誰もいないみたい」

「どうしよう」

お堂も鍵がかかっているようだった。住職は別の場所に居を構えているらしい。本当にこの場所は無人らしかった。

寺の裏手に墓地が広がっていたが、かなりの広さだった。この中から美佐緒の父の墓を探すのは大変だ。しかも、墓地は前に降った雪がかなり残っていて、日当たりが悪いため足元は凍っていて歩き回るのすら困難だった。

二人は顔を見合わせた。ここに来たことをすっかり後悔していた。ただの無駄足になってしまったのだ。なんのためにわざわざこんなところまで来たのかわからない。

言葉が見つからず、二人はしばらくうろうろしていた。どこかに住職の連絡先がないか探してみたが、何もない。

それでなくとも、屋敷林の陰になっているので寒くてたまらない。足踏みをしていても、つまさきが凍りそうなほどだ。

勢いこんで来ただけに、二人はがっくり意気消沈してしまった。せめて、美佐緒がここに来たという痕跡だけでも見つけたかったのに。

「しかたがない。帰りましょう」

奈央子は自分に言い聞かせるように呟いた。啓輔も無言で、最後に辺りを見回してからタクシーに向かって歩き始めた。

暖かいタクシーに乗り込むと、どっと疲労が浮いて出た。奈央子は言葉少なに再び駅に戻るよう頼んだ。

「あんたたち、墓参りかね？」

人の良さそうな、訛《なま》りの強い運転手が尋ねた。

「ええ、まあ。本当は、お寺の人に会いたかったんですけど。運転手さん、住職さんの連絡先を知りません？」

「ああ、なんだ、甥っ子の結婚式に行ってるよ。先に言っておけば良かったなあ。墓参りだけかと思ったんでなあ」

奈央子はがっかりした。結婚式では、今からすぐに連絡を取るのは無理だろう。

「お客さんたち、どこから来たの？」

「長野です」

「親戚でもいるの？」

「いえ、友達の知り合いが」

「あ、降ってきたね」

運転手の声につられて外を見ると、大きな雪片がひらひらと風に流されてくるのが見えた。殺風景な田圃の上に降る雪に、いっそう虚脱感を覚える。

「お客さん、誰のお墓参りに来たの？」

「稲垣史朗《いながきしろう》さんて方のお墓を探しに来たんですけど」

ルームミラーの中の運転手の目がちょっと見開かれたような気がした。

「――お客さん、その人の親戚？」

朴訥《ぼくとつ》とした声が低くなる。

「いいえ、顔も知らないし、親戚じゃないんですけど」

「そうか、ならいいけど。あんまりこの辺でその名前出さない方がいいよ。まだ親類で住んでる人もいるし」

じっとシートに身体を埋めていた啓輔がぴくりと反応した。奈央子と目を合わせる。

「どういう意味ですか？」

奈央子がシートに手をかけて尋ねる。

「ほんとに知らないの？　なんにも？」

運転手は訝《いぶか》しげだった。

奈央子と啓輔がきょとんとした顔を見合わせるのをルームミラーで見て、ようやく本当だと思ったらしかった。ぼそぼそと話し出す。

「当時は、大騒ぎだったよ」


稲垣史朗は、もともと大きな商家の三男だったが、どちらかと言えば芸術家っぽい気質で、大学時代から東京に出て、グラフィック・デザイナーを目指していた。かなりのセンスはあったらしく、気鋭のデザイナーとして注目を集めていたようだ。容姿もすらりとして美しく、子供の頃から女性にもてたという。いつも自信に満ちてぐいぐい他人を引っ張っていくところがあって人望もあったが、同時に気分の浮き沈みが激しく、いったんふさぎこむと全く他人を寄せ付けない。

長じて、デザイナーとしてある程度の地位を築いたものの、気分のふさぎこむ時期が長期化する傾向に悩まされ、仕事もその時期に当たると滞るといった調子で、徐々に評判を落としていく。必然的に、家庭もうまくいかなかった。二度の結婚生活にピリオドを打って、まだ三十代後半だった彼は故郷に帰ってきた。

実家に戻っても、彼の内向的な傾向は強まるばかりだった。ほとんど家から出ずに、世捨て人同然の生活を送っていた。両親も彼を心配して、いろいろ職を持ってきてみたけれど、全く何の関心も示さず、来る日も来る日も部屋の中にうずくまっていたという。やがては家族も彼を持て余し気味になり、誰も彼のことをかまわなくなってしまった。

その事件が起きたのは、ある真夏の昼下がりだった。

その時、いったい彼に何が起こったのかは、もう永遠に誰にも判らない。

午後一時過ぎ、彼は誰もいなかった実家をふらりと外に出て、油照りの白い道をゆっくりと歩いていった。風はない。

なぜその家が選ばれたのかは判らない。縁側の大きな籠《かご》に、生後二週間の赤ん坊が寝かされていた。その泣き声に惹かれて、近寄っていったのかもしれなかった。

とにかく、彼は砂利道を横切り、竹を組んだ垣根を越えて、その家の庭にふらふらと入って行った。縁側に座り、しばらく赤ん坊を眺めていたが、やがておもむろに赤ん坊を取り上げると、高く天に差し上げ、縁側の上がり口に叩き付けた。赤ん坊は即死だった。

赤ん坊の泣き声がしなくなったのにつられて、奥からあたためた牛乳を持った若い母親が出てきた。彼女は少なくとも、自分の息子の死体を見ることはなかった。

庭に立っていた男は、土足で縁側に上がると、家の中に入っていった。

男が誰かを問いただす間もなく、若い母親は男に顔が変わるほど殴りつけられ、強姦された。しまいには、男のベルトで首を締められて絶命した。

静かな午後だった。油蟬《あぶらぜみ》がけたたましい音をたてている以外は。

男は、しばらく台所の椅子に座っていた。一時間近くもじっと座っていたらしい。何を考え、何を待っていたのだろうか。

そこへ、農作業を終えた娘の両親が帰ってきた。彼等を待ち受けていたのは、流しの下から取り出した包丁を持って台所に座っていた男だった。

殺戮《さつりく》はあっという間だった。血だらけの台所を出て、男はとぼとぼと外に出ていった。ようやく太陽は西に傾き、一番暑い時間は過ぎ去ろうとしていた。

それでも、男の頭の中はぎらぎらと煮えたぎっていた。それとも、ひんやりと不透明なもので満たされていたのかもしれない。

男はそのまま農道を歩いていくと、近くの家に入った。呼び鈴を鳴らして、最初に出てきた中年女を一突きした。続いて出てきた老女も、頸動脈《けいどうみゃく》を叩き切った。二人とも、数分ともたず死亡した。

庭にいた小さな女の子にも切りかかったが、履いていたサンダルが庭石に引っ掛かってよろけた隙に逃げられた。女の子は血の痕跡を残しながら走っていったが、男はもう興味を失っていた。女の子を追おうともせず、よろよろと畔道《あぜみち》に出ていった。

肩を血まみれにして逃げてきた少女を見て、近くで農作業をしていた男が１１０番通報した時には、既に日は暮れかかっていた。

さらに通行人を数人切りつけたあげく、男は山に入っていった。

大掛かりな山狩りが行われた。県警からも百人以上の応援があり、村は騒然とした異様な雰囲気に包まれた。

しかし、二日後に見つかったのは、山の奥で木に首を吊っている変わり果てた男の姿だった。

事件はこれで終わらなかった。男に殺された人々の葬儀の席で、自分の息子の葬式も出せず、土下座して地面に頭をすりつけて詫《わ》びを入れる男の両親に、逆上した遺族が凄惨なリンチを加えたのである。警官が駆け付けた時には、妻をかばうように覆いかぶさっていた夫は既に内臓破裂で死亡しており、妻も頭蓋骨《ずがいこつ》骨折で意識の戻らぬまま、その日のうちに亡くなった。

救いのない事件であった。加害者の係累《けいるい》も、被害者の関係者も、いたたまれずに次々と村を去っていった。

外の雪は徐々に勢いを増していた。

奈央子と啓輔はあまりのことに絶句していた。全身が石になってしまったかのように、二人は青ざめていた。

何？　これは何？　違う。あたしはこんな話を待っていたんじゃない。

奈央子は頭の中でぐるぐるといろいろな言葉が駆け巡るのを押しとどめることができなかった。赤ん坊を叩きつけ――若い母親を強姦――通行人に切りつけて――それをやったのは、美佐緒と祥子の父親なのだ。

その事実に気が付くと、奈央子は慄然《りつぜん》とした。

「そういえば、夏にも長野からだって女の子乗せたことがあったねえ」

話題を変えるように、運転手が訥々《とつとつ》と話し出した。

何を聞いても耳を素通りしていた奈央子だが、運転手の話の重大さに気付くと、「え？」と聞き返した。

「えらい別嬪《べっぴん》二人でね。まだ学生さんだったみたいだけど」

啓輔が奈央子の顔を見る。美佐緒と祥子だ。

「ひょっとして、その二人もさっきの寺へ？」

「言われてみれば、そうだったね。あそこ行ったね」

奈央子は頭を殴られたような気がした。二人はやはりここへ来た――父親の墓参りに。ロマンチックな、二人の絆《きずな》を再認識するための旅。その旅の終わりに待ち受けていたものは――

なんということだろう。背中に冷や汗がにじんできた。一瞬にして二人の世界は暗転したのだ。忌まわしい血の絆。旅を境に決裂した二人――間違いない。二人はここでこの事実を知ったのだ。

タクシーが駅前のロータリーに滑り込んだ時には、既に空は静かなぼたん雪で塗りこめられていた。

帰りの列車は行きとはまた別の重苦しさだった。外はもう真っ暗になっていた。今にして思えば、行きの列車はなんと気軽だったのだろう。こんな重い土産を背負って帰ってくることになるとは、夢にも思っていなかった。

「やっぱり、林が美佐緒を殺したんだ、という言葉を啓輔は飲み込んだ。あんな話を聞かされては、その言葉を容易に使うことができなかった。

奈央子の頭の中には、ノートの中の文字が次々と浮かんでは消えた。あの日記の、恐ろしいほどの緊張感が、ようやく切実に迫ってきた。なんというすさまじい状況なのだろう。凶報をもたらしたものは殺せ。昔のモンゴルの軍隊の規律だったそうだ。自分たちの軍に不利な情報を持ってきた兵隊は、その場で切り殺されたという。

Sは絶対に私を許さないだろう。

凶報をもたらした美佐緒を、祥子はきっと激しく憎んだのだ。彼女のもたらした情報はあまりにもむごかった。

奈央子はぎゅっと目をつむった。二人の最後の日々。それは既に死に縁取られていたのだ。


帰りの列車の中で、祥子はきょとんとしていた。

彼女には事の重大さがよく飲み込めていないようだった。白いワンピースを着た彼女は、天使のようにあどけなかった。

それでも、別れ際に、美佐緒は小さく呟いた。

祥子、ごめん。こんなことになるなんて。

祥子はびっくりしたように美佐緒の顔を見た。

どうして謝るの？

美佐緒は一瞬、妹の寛大さに感動しそうになった。次の一言を聞くまでは。

あれは、美佐緒のお父さんのお墓でしょ？　あたしのじゃないわ。あたしにはちゃんとお父さんがいるもの。


冷えきった重い身体をひきずって、家に着いたのは九時過ぎだった。

奈央子は昼間の記憶を洗い流すかのように長いこと風呂に入っていた。

遅い食事を取り、お茶を飲んでいると、母親が向かい側に座った。

バスケット部の弟と、高校の教師で朝が早い父親は、とっくに高鼾《たかいびき》をかいて眠り込んでいる。

「あたし、美佐緒ちゃんのお墓参りに行かなくちゃ。お母さん、場所知ってる?」

奈央子と啓輔は、この出来事にどう収拾をつけていいのか分からなくなっていた。駅で別れる時、美佐緒の墓参りをして自分たちの感情に区切りをつけようということで意見が一致したのだった。

母は逡巡した。ポットのお湯を急須に注ぐ。

「篠田先生ね、まだお骨を納めてないんですって」

「え?」

小柄な母は、てきぱきしたいかにも有能そうな女性だ。母が言葉を濁すところを奈央子はほとんど見たことがない。しかし、母は珍しく感傷的になっているようだった。

湯のみを両手で挟み、うつむきかげんにぽつぽつと話す。

「いつもね、お骨を持ち歩いてるの。このあいだもね、ちょうど朝校内に入る時一緒になって、篠田先生が車から降りるところを通り掛かったら、助手席に骨箱が乗せてあったわ。あたしがそれに気が付くと『あはは』とからっと笑ってね。『生きてる時はほとんど一緒にいてやれなかったから、せめてこれからはね』って笑ってね。あたし、何も言えなかった」

奈央子は胸を突かれた。白髪混じりのソバージュで眼鏡をかけた、いつも豪快だった美佐緒の母親を思い出した。美佐緒はもういない。しかし、残された母親は一人ぼっちで生きていくのだ。

「気が滅入るわねえ。嫌な話聞いちゃったし」

母は顎を上げて顔をしかめた。母の首筋の薄く骨ばった様子に奈央子はぎくりとした。いつも元気に動き回っているきびきびした母も、確実に老いているのだ。

「なあに？　嫌な話って」

奈央子が尋ねると、母は吐き捨てるように言った。

「しばらく、崖にぶらさがっていたんですって」

「え？」

「美佐緒ちゃんと、もう一人の女の子よ。先に落ちたのは美佐緒ちゃんだったんだけど、すぐに落ちたんじゃなくって、もう一人の女の子がしばらく美佐緒ちゃんを引っ張り上げようと努力したあとがあったっていうのよ。その子の掌が、手すりの錆で真っ赤になって、血が滲んでたって。二人でしばらく崖にぶらさがっていたのに、誰も気がつかないで、ついに力尽きて二人とも落ちたんだって。やりきれないわね。誰に怒ったらいいのか分からないわ。もう一人の女の子の両親は、市を訴えるそうよ。危険な手すりを長期に亘って放置してた責任で」

奈央子はおや、と思った。祥子は美佐緒を殺そうとしたのではなかったのか？　美佐緒を助けようとした？　やはりあれは事故だったというのだろうか？

啓輔は廊下を走っていた。廊下を走ってはいけません。くそくらえ。

啓輔の頭の中には、昨夜の電話での奈央子の声が響いていた。

二人はしばらく崖にぶらさがっていた。美佐緒が先。祥子はあと。祥子は美佐緒を助けようとしていた――

その意味を、授業中ずっと考えていた。祥子は手すりが危険なことを知っていた。だから美佐緒を手すりに寄り掛からせればよかった。美佐緒は？　美佐緒はどうだったのだろう？あのノートには、祥子に対する警戒心が感じられた。頭のいい、勘のいい美佐緒が、祥子の殺意に気づかないはずがない。

城址公園の手すりは危ない。

公園の近くにある、西高の運動部の生徒は誰でも知っている。美佐緒は誰にそれを聞いただろう？　運動部の生徒から。美佐緒は、俺より前に西高の男とつきあったことはなかった。俺でなければ誰だ？

いるではないか。俺の次に美佐緒とつきあった男。幸福の絶頂期に、恋人を失った男。

「神崎！　神崎はいるかあ？」

啓輔は休み時間でごった返している教室の扉をガラリと乱暴に開けると、その名前を呼んだ。神崎は硬式テニス部の次期部長だった。

驚く生徒たちを尻目に、啓輔はこちらを振り返った色白の少年に駆け寄った。

「ちょっと顔貸してくれ」

「何？」

「いいから。大事な話なんだ」

少年は混乱した表情で、啓輔の勢いに押されて席を立った。啓輔は少年の腕をつかんで廊下の隅に連れ出した。

少年の顔も、やつれていた。こいつも、突然美佐緒を失って苦しんだのだろう。

しかし、慰めあうのはこの話が済んでからだ。

「おまえ、篠田美佐緒とつきあってたよな？」

啓輔は単刀直入にきいた。少年は動揺した。瞳が暗くなる。

「俺もつきあってた。おまえの前に。俺も、美佐緒のこと好きだった。それは、今どうでもいい。教えてくれ、おまえ、篠田美佐緒と城址公園に行ったことあるか？」

少年はきょとんとした。啓輔の質問が唐突に思えたのだろう。

「思い出してくれ。大事なことなんだ」

啓輔の表情から、真面目な話だということが分かったらしい。鼻にこぶしを当てて、考える様子になった。

「うん、あるよ。篠田さんが事故にあう二週間くらい前かな？　彼女が行こうって言い出したんだ」

美佐緒はこれ見よがしなデートは嫌がっていた――しかし、美佐緒の方から行こうと言い出した。なぜだ？

「その時に、手すりの話、した？」

「手すり？」

「あの危ない手すりの話だよ」

「ああ。うん、した。女の子とあそこに行ったら、誰でもその話するよ」

やはり、美佐緒も知っていたのだ。でも、待てよ。神崎と公園に行くまでは、美佐緒は手すりのことを知らなかったのだ。なぜ、わざわざ公園に行こうとしたのだろう。

美佐緒は用心深い。美佐緒は無駄なことはしない。

突然、啓輔の頭にひらめいた。

分かった。下見だ。美佐緒は、公園に下見に行ったのだ。

美佐緒、久しぶりに会ってゆっくり話したいわ。

十一月＊＊日の三時に、城址公園で待ってます。美佐緒の誕生日だったよね？

二人でお祝いしたいから、絶対来てね。

その手紙を受け取った時、美佐緒は来るべき時が来たと思った。

祥子はあたしを殺そうとするだろう。今の彼女にとって、あたしの存在は彼女の弱みを知る敵であるだけでなく、負けることの嫌いな彼女に一生続く『負け』を持ってきた疫病神なのだ。彼女はあたしという存在を抹殺して、自分の『負け』をすっぱり忘れ去ってしまいたいに違いない。彼女は、自分に都合の悪いことは全て忘れることができる。その強さに、惹かれたのだけど。

約束の時間まで、あと少しだった。美佐緒は時計を見ると、コートを着て立ち上がった。

図書館を出ると、小春日和の暖かな冬の陽射しが頬を撫でた。

啓輔、元気にしてるかな。

初めて彼と言葉を交わした日のことを思い出した。

よりによって、あんな日に出逢うなんて。皮肉なもんね。

心配そうな啓輔、映画館で眠る啓輔、嘘だと叫ぶ啓輔、傷ついた顔の啓輔。

啓輔だったら、いくらでも素晴らしい女の子が見つかるだろう。素敵な青年になって、人も羨む恋をして、その幸運な女の子を幸せにするだろう。その頃には、高校時代の苦い思い出など、すっかり記憶の隅に追いやられているだろう。

ゆるやかな坂道の歩道を登りながら、美佐緒はふと思い出して図書館の入り口まで引き返した。赤いポストに近寄り、鞄から茶封筒を取り出す。

野上奈央子様。宛名と住所を確かめ、ポストに入れる。ことんと落ちる封筒の音を聞いた時、ほんの少しだけふわりと気が軽くなったような気がした。

奈央子先生、お願いします。美佐緒はちょっとだけポストに祈った。

奈央子先生は情が濃いし、粘り強い。きっと分かってくれるだろう。こんな嫌な役回りで申し訳ないけれど、奈央子先生にしか託せる人がいなかったのだ。

美佐緒は今度こそ、寛《くつろ》いだ表情で坂道を登っていった。

人気のない石垣の道をたどりながら、美佐緒は、祥子があの手すりの前で待っていることを確信した。

あの手紙を貰ってから、神崎と一緒に公園に行ってみた。祥子はどういうふうにあたしを殺そうとするのだろうか、と興味を覚えたからだ。最初は見当もつかなかったが、神崎の話を聞いてすぐに納得した。祥子は、ここからあたしを落とすつもりなのだ。

ゆるやかだけど長い坂道に、小さく息切れの音をさせながら美佐緒は無心に歩いていた。

突然、眺望が開ける。

冬の高い空が美佐緒を迎えた。どこかで聞いた囁きが、美佐緒の頭に浮かんだ。

——見つかった。

——何が？

——永遠が。

一瞬、またしても白い闇の中に彼女はいた。ここは、どこ？　あの三月の雪の中？

こんにちは、林祥子さん。

「美佐緒」

懐かしい声がして、美佐緒ははっとした。

祥子がそこに立っていた。彼女が思い描いていた、手すりの前の、まさにその位置に。


啓輔は、奈央子と共に、懐かしい家の前に立っていた。

もはや、あの窓の向こうに美佐緒はいない。

「まあ、奈央子ちゃん、来てくれたのね、ありがとう。あら、啓輔君も一緒？」

ドアを開けた篠田美佐子《みさこ》は、記憶の中の彼女と変わらないように見えた。

しかし、キッチンのテーブルの上には、茶色い液体の入ったロックグラスと、煙草がぎっしり積もった灰皿が置いてあり、すさんだ雰囲気を醸《かも》し出《だ》していた。その同じテーブルに、綺麗な布に包まれたお骨が無造作に置かれていた。

真新しい仏壇には、写真も何もなかった。

「美佐緒は、そんな辛気くさいこと嫌がると思ってね。だいたい、あたしまだ美佐緒が死んだってこと、信じてないのよ」

それでも、二人はお線香を上げた。

仏壇に向かって拝みながら、啓輔は心の中で呟いた。

なあ、美佐緒だって、最後まで俺のことが好きだったんだよな？　うぬぼれないでよ、とか言われそうだけど。美佐緒、俺が悲しむのが嫌だったんだろ？　俺に美佐緒を憎ませようとして、神崎とつきあったんだろう？

今では、美佐緒が自殺したのだという確信があった。神崎を使って啓輔に美佐緒を憎ませようとしたように、祥子を使って自殺したのだ。

篠田美佐子は、キッチンの椅子に腰掛けて、ぼんやりと煙草を吸っていた。

そこには乾いた虚無感だけがあった。

「おばさん、これ」

奈央子は、美佐緒から受け取った封筒を取り出した。

「美佐緒ちゃんから来たんだけど。やっぱりおばさんに渡しておこうと思って」

「美佐緒から？」

美佐子がこちらに顔を向けた。奈央子は封筒からノートを取り出した。

その時、中からヒラリと薄く小さな紙切れが落ちた。封筒の底に入っていて、今まで気付かなかったのだ。

「あ」

奈央子と美佐子は、同時にその紙切れの上にかがみこんだ。

あなた、自分が何をしたか分かってる？

祥子は一歩こちらに足を踏み出した。反射的に美佐緒は後退《あとじさ》りした。背中が、錆びた手すりにぶつかった。

そんなにあたしが妬ましかったのね？

今や、祥子の後ろには燃え立つ白い炎が見えるようだった。

ひどい。だからって、いもしない父親の墓を見せつけて、あたしをだまそうとしたってそうはいかないわ。

冗談じゃないわ、あんな男が父親だったら一生台無しじゃない？　ひとごろしの娘？　就職だって、結婚だってできないじゃないの。あなた、自分がそれを背負うのがいやで、あたしに押しつけようとしたのね？

あたしが今のパパにどんなに大事にされてるか知らないのね？　ううん、きっとそれを知ってて羨ましくなったんでしょう？　自分にはないものですもんね？

祥子はじりじりとこちらに迫ってきた。美佐緒は、自分の体重が手すりにかかるのを感じた。ミシッという不気味な音がする。

しかし、それでも、なぜか美佐緒は寛いだ気持ちだった。

長い月日だった。

あたしは、ずっと待っていたのだ。こんなふうに自分を焼きつくしてくれる炎を。

でも、あたしだけでは駄目だった。あたしにはその力はなかった。

あの日。初めて祥子を見た瞬間、分かった。彼女がその炎なのだと。

彼女なら、あたしを焼きつくしてくれるに違いないと。

彼女は完璧な少女であろうといつもあがいていた。それをちょっとでも怠けたら、今あたしが墜ちていこうとしている奈落に自分がたちまち飲み込まれてしまうことを、彼女は本能的に分かっていた。それを知っていて、彼女の世界をあたしは汚した。彼女があたしを罰してくれることを、あたしはずっと待ち望んでいたのだ――

ねえ、聞いてるの？　しらっとしちゃって、どういうつもりなの？　あんたもあの父親と一緒で、もうおかしくなってるんじゃないの？　あんたさえ――あんたさえいなければ。あんたさえあたしの前に現れなければ。

美佐緒の体重を支える手すりは、既に限界を迎えているようだった。みしみし、ぎしぎしという音はだんだん大きくなっている。

あんたさえ。

祥子の声と、ばきっという音がして手すりが折れたのはほぼ同時だった。

畳の上に落ちたのは、新聞記事のコピーの切抜きだった。

白昼、悪夢の通り魔殺人　六名死亡、重軽傷四名

稲垣史朗容疑者を全国指名手配

誰も動かなかった。

三人は凍り付いたようにその小さな紙切れを見つめていた。

奈央子と啓輔の頭の中には、さまざまな光景が一瞬にしてよぎった。

コピー機の前にかがみこんでいた美佐緒。彼女が広げていたのは、新聞の縮刷版だった。

高校入学当時、不用意な親戚が漏らしたのは、異母姉妹のことだけではなかったのだ。父親の犯罪をほのめかす言葉に、ずっと疑惑を抱いていたのだろう。そして、あの日。彼女はあの時初めて、自分の父親の犯罪を目の当たりにしたのだ。気分が悪くなったのも無理はない。

そして、そのあとで彼女は悩んだあげく、自分の異母姉妹に逢いに行ったのだ。殺人者を父親に持つ、血を分けた自分の妹に。

最初、美佐緒はどういうつもりだったのだろうか？

——どうしても我慢できなくて、Ｓに会いに行く。この宿命を背負うのが、自分だけでないことを確かめたかったのだろうか。

一目見たかったのだろうか。

——もう一度やりなおせたとしても、あたしはやっぱりＳに会いに行っただろう。あたしたちは引き返せない。

美佐緒が祥子に会いに行ったその日から、歯車は回り始めた。一度も休むことなく、冷徹な音を響かせながら。

——あたしはＳを地獄の道連れにしてしまった。後悔していないのが不思議だ。

それとも、美佐緒は最初から計画して祥子を苦しませるつもりだったのだろうか？　自分一人だけで苦しむのがつらかったのかもしれない。

「あの子、知ってたのね」

美佐子はぽつりと呟くと、ふらりと立ち上がってお骨の前にすとんと座った。

目はじっと前を見つめていたが、何も見ていなかった。

奈央子も啓輔も、返事をすることができなかった。

突然、がしゃんと美佐子はテーブルをこぶしで叩きつけた。煙草の吸い殻が飛び散り、グラスが飛び上がる。

うおーっ、という獣の咆哮《ほうこう》のような悲鳴が上がり、奈央子は思わず腰を浮かせた。

「美佐緒はあたしの子よ。あいつの子じゃないわ。あいつ——いつも無表情であたしを無視しつづけて——あたしなんかこの世に存在してないみたいに——どんなに残酷なことか分かってたくせに——淋しくて、悔しくて、どこの誰か名前も分からないゆきずりの男との間に出来た子よ。あいつ——あいつ、あたしがよその男の子を身ごもってるって分かっても眉毛一本動かさなかった——畜生。ちくしょう。美佐緒はあんな男の子供じゃないわ。あんな人殺しの血なんか一滴も流れてない。あいつの娘と、血なんかつながってないわ。美佐緒はあたしの子よ。あたしだけの子よ。だけど、あの子は自分があいつの子だと信じてたんだ。あいつの血が流れてると思ってたんだ。ひとごろしィ。あいつ、どこまであたしを苦しめれば気が済むんだ。くたばって十何年も経ってるのに、まだあたしから大事なものを持っていこうっていうの？」

美佐子は絶叫していた。床をどんどんと踏み鳴らした。テーブルの上のグラスが落ち、ぱきんと砕け散ると、中の酒と氷が流れだした。美佐子はテーブルの上のお骨をかきいだいた。胸に抱き締めて号泣《ごうきゅう》した。美佐緒。帰ってきて。みさおおおお。

その時、奈央子の頭の中には、美佐緒と将来の夢を語った時の会話の続きが唐突によみがえった。

「いいの、ただの夢なんだから」

口をとんがらせていた美佐緒だが、ふっと真顔になった。

「ねえ、奈央子先生、お願いがあるの」

「なあに？」

美佐緒は机の上に視線を落とした。両手の指をもじもじとからめている。

「きいてくれる？」

奈央子は笑った。

「もちろんよ。何？」

美佐緒は決心したように顔を上げた。

「あたし、いつかきっと書く。絶対書くわ。でもね」

「でも？」

「もし、何かの理由であたしが書けなかった時は、奈央子先生、代わりに書いてね」

「えーっ、あたしが？　うーん、あたしに書けるかなあ」

「約束よ」

「うん、じゃあ、美佐緒ちゃんが書けなかった時だけね」

二人は指切りげんまんをした。

かわりに、かいてね。


その言葉は閃光のように奈央子を貫いた。

そして、奈央子は理解したのだ。なぜ美佐緒がこのノートを自分に託したのかを。美佐緒は全てを奈央子のために残していた。ノート。新聞のコピーの切抜き。詠子に託した「虹と雲と鳥と」のメッセージ。手すりの話。啓輔に渡した時刻表。奈央子が啓輔に接触することを見込んで、メモを紛れ込ませておいたのも、そうなのだ。

肩に手が触れた。啓輔が外を指差していた。いったん出よう、と促していたのだ。

外は晴れ上がっていた。

「あなた、ここで待ってて。あたし、うちのお母さんを呼ぶわ。電話してくる」

奈央子は公衆電話を探しに駆け出した。


これで終りだと思ったが、美佐緒は誰かに腕をつかまれていた。

足の下には何もなかった。遥か下の方に、ごつごつした石の並んだ川が見えた。

ふっと上を見ると、真っ青な顔をした祥子が、美佐緒の手を握っていた。

手すりは折れて宙にぶらさがっていた。祥子は、まだ地上に残っている手すりにつかまって、美佐緒を支えているのだった。

宇宙をぎゅっとこの瞬間に凝縮したような、非現実的な時間だった。今この時も、世界が存在しているのが信じられなかった。

祥子は脂汗を流していた。美佐緒への殺意と、やっぱり殺せないという逡巡が、彼女の中で悲鳴を上げてせめぎあっているのが見えた。

祥子の手すりをつかんだ手が重みで切れて、血がふきだしていた。残りの手すりもぎしぎしと軋《きし》んでいる。祥子の全身はぶるぶると震えていた。

手を放すのよ、祥子。

美佐緒の叱るような声に、祥子は目を見開いた。

二人の目が一瞬合った。

ごめん。ありがとう。さよなら。

美佐緒が素早く囁いた。

なにかが祥子を打ち砕いた。茶色い瞳が大きく潤《うる》み、涙があふれた。顔がぐしゃっと歪み、わなわなと唇が震えた。美佐緒は上を見ていることに力尽きて、ふっと力を抜き、目を閉じた。

うう、という呻き声が祥子の唇から漏れた。彼女は目を閉じ、歯を食いしばった。

おねえさん。

そのあまりにも小さな呟きが、美佐緒の耳に届いたかどうかは分からなかった。

次の瞬間、祥子はキッと天を仰いだ。雲一つない空。

祥子は空を見上げたまま、勝ち誇った女神のような笑顔を浮かべた。

そして、地上に残った手すりをつかんだ手を放した。

両手で美佐緒の手をつかみ、祥子は踊るように美佐緒に覆いかぶさっていった。


受話器を置いて、啓輔のところに戻りながら、奈央子は一つの予感を覚えていた。

あたしはいつか、書くだろう。

それは漠然とした予感だった。庭にまいた種のうち、一つくらいいつかは咲くんじゃないか、というような小さな予感だった。

奈央子はゆっくりと足元を見ながら歩いた。

それがいつになるかは分からないけれど、確実に。

奈央子には、自分が机に向かってペンを執っているところが目に浮かんだ。

それは、静かな家の中だった。空が透きとおり始める夕暮れどき、白いカーテンが窓べで揺れている。オレンジ色のランプをつけて、奈央子は机の上に紙を広げる。

その時の自分の気持ちが手にとるように分かった。ゆったりと凪《な》いだ時間。人生の中でつかのま訪れる、静かに潮が満ちてくるような瞬間。

冷たい風に、奈央子は身震いした。

ふと、空を見上げると、太陽にかかった雲の隙間から、いくつもの光の矢が伸びていた。

そう、こんな気持ち。こんな瞬間。

奈央子は足を早めた。道の向こうに、啓輔の姿が見えた。

あたしはいつか、書くだろう。拙《つたな》い愛の言葉を書き残すために。言えなかった台詞を声にするために。夕暮れの雨上がりの空の、雲の隙間から射しこむ光に畏《おそ》れを抱くたびに。笑顔だけを残して去っていった少女たちの代わりに。

予感は確信となった。

いつかその日はやってくるだろう。何も書かれぬ紙の白さに不安を覚えながらも、最初のページは開かれるだろう。その物語は、いつか必ず最後のページまで辿《たど》りつくだろう。語られるべき、物語として。


それは、その冬初めての本格的な冷え込みを記録した、十一月も末の朝のことだった。

人口十五万足らずの城下町の高台に位置する城址公園は、いつもどおりの静かな朝を迎えていた。

清らかな鳥の声。既に葉を落とし、潔い枝を空に広げている木々。

公園は無人だった。吹き抜ける風もなく、空気はぴんと澄み切っている。

昨日と違うところはと言えば、崖に面した公園の手すりの一部が折れてなくなっていることだけだった。

公園には誰もいない。訪れる者もない。

唯一動き回るのは光だった。空は光に満ちていた。薄くかかった雲の隙間から、今日の晴天を約束する光の束が、崖下にひろがる市街地の上に、穏やかに降り注いでいるだけだった。

第四章
回転木馬

私は子供の頃からメリー・ゴー・ラウンドが嫌いだった。子供心にも、はりぼての馬に乗ってくるくる同じところを回っているだけという行為がひどく屈辱的に思えたのである。いったい何が面白いというのだろう？　あれに乗って、円の外で待っている家族を見る時の情けなさといったら！　いったいどういう表情をすればいいのだろう？

そう思っているのは私だけで、どうやら世間の人々は大人も子供もあの乗り物を愛しているらしい。私は単に自意識過剰な子供だったようだ。しかし、その一方で、私はオブジェとしてはあの乗り物を評価していた。その正体は分からないものの、何やら、あれは何かの象徴的なものに思えたのである。永遠に外側から眺めている乗り物。それが私にとってのメリー・ゴー・ラウンドであったのだ。

この書き出しはどうかな、と考えた。タイトルが「回転木馬」なのだから、これで一応タイトルが「回転木馬」と成り得る義務は果たしたな、と思った。

小説のタイトルは難しい。一説には、小説が六割、タイトルが四割で小説全体を決定するとも言われている。

確かに、ビシッとタイトルが決まると安心だ。「三月は深き紅の淵を」は、先にタイトルだけがあった小説で、そもそも予定していた小説は今書いているのとは似ても似つかぬ小説だった。このタイトルを思いついたのは何年も前で、当初の予定では、幻想の学園帝国に展開する悪夢のような世界に生きる人々が、ミステリアスな冒険をする話のつもりであったと記憶している。これが何の影響を受けたかは自分で分かっている。昔、美内すずえの漫画に『聖アリス帝国』というのがあって、一人の女王を頂点とする君主制国家である学園帝国を舞台にした冒険ものだった。雑誌に掲載された第一回目は、「これぞ新しいエンターテインメントだ」と興奮する出来で、何をやろうとしているのかよく理解できたのだが、意外と話が続かず（作者も書き始めてみて驚いたのではないだろうか）、不本意にも尻切れとんぼに連載が終わったのを覚えている。

続き物の第一回目というのは楽しい。これからの道中の波乱万丈の予感、大きな物語への期待、何が待ち受けるのかという緊張と不安。『聖アリス帝国』の第一回目を読み終えた時に、作者と読者が描いていた全体像は、そんなにずれていなかったのではないかと思う。その幸福な予想図が、いつか実現したいものとして私の中に残っていたのかもしれない。

四部作という形式に憧れているのは、ロレンス・ダレルの「アレキサンドリア・カルテット」という、素晴らしい四部作のせいだ。文字通りエジプトのアレキサンドリアという土地を舞台に、運命のからみあう四人の男女の物語をそれぞれの視点から描いた小説で、これまで数限りない人々を魅了してきた小説である。馥郁たる香りに幻惑されて最後まで読み終えると、実は緻密かつ周到な計算で築き上げられていた世界だということが分かる仕組みだ。

「三月は深き紅の淵を」を書くにあたり、とりあえず「外側」の四つの話と、『内側』の四つの話を考えた。これは、『三月は深き紅の淵を』という謎の四部作の小説を巡る話なので、『内側』の話がつまらないのは嫌だな、と思ったのである。そこで、前から書きたいと思っていた本物の小説の粗筋をそのまま使うことにした。さて、「外側」はどうしようかと考えて、ある程度『内側』の四部作と二重写しになるようにしようとは思ったが、そのまま重ねても芸がないなと悩んだ。劇中劇もの、入れ子式小説というのが巷《ちまた》で流行《はや》りまくっていたので気恥ずかしかったというのもある。この小説を執筆している最中に読んだ本でさえ、似たような発想の推理小説が二冊もあって、読みながら冷や汗をかいていた。漠然と考えていた企画は、第一章「待っている人々」では『三月は深き紅の淵を』という小説は存在しないことになっており、第二章「出雲夜想曲」では実際に存在していることになっており、第三章「虹と雲と鳥と」ではこれから書かれようとしているところの話、第四章「回転木馬」ではこの小説を作者が今まさに書こうとしているところ、というものだった。一応、第三章までは企画通りに進んだのだが、第四章をどう終えるかが全然思い付かない。「回転木馬」というタイトルだけが決まっていたので、そのタイトルから予想されるとおり、私が「三月は深き紅の淵を」の構想を練るところから始まって第一章の「待っている人々」を書き始めるところで終わる、という安易な手も考えたのだが、それはあんまりだなと思い、やめた。

天井の方から、モデムを通じて電話回線で相手を呼び出している独特の音がする。

このアパートのどこかの部屋でパソコン通信をしているらしい。あの音を聞く度に、何かに似ていると思っていたのだが、最近やっと分かった。山手線のどこかの駅で、これと似たような音楽を流しているのである。駆け込み乗車を防止するために、ベルの代わりに導入された音楽らしいが、一日中同じメロディを聞かされるJR職員にとっては、ほとんど拷問ではないだろうか。

ワープロは便利な機械だと思うが、最近ますます字が汚くなり、ますます漢字が書けなくなって閉口している。ワープロで字を打つスピードで文字が出てくることに慣れると、肉筆の方もそのスピードで字が書けるような錯覚に陥るのだ。肉筆で字を書いていると、一字を書くのに必要な時間にばらつきがあることにいらいらするようになるのである。

ワープロは不思議な機械だ。ワープロに向かっていると、思ってもいないことを書いてしまう。ぼんやりした影でしかなかったものが、やたらとくっきりした形になってしまう。ワープロは嘘をつくのである。ワープロは、そういう意味では虚構にふさわしい。

子供の頃に、ふざけて部屋をぐるぐる駆け回っていたら、「人の周りを回るんじゃありません」と叱られた。

真ん中に柱を立ててその周りを回る、というのは昔から世界中で行われている神に対する行為である。だとすると、世界中でぐるぐる回っている回転木馬というのは、ひょっとすると神に近付くための何かの神事がルーツなのかもしれない。日々華やかに回っている彼等は、神に向けて何かの願い（もしくは呪詛）を発し続けているのかもしれない。

確かにぐるぐると円を描いていると、その中心は真空になり、そこにそれまで見えなかったものが現れてくるような気がする。盆踊りしかり、ハンカチ落とししかり、サーキットトレースしかり。回るという行為は人に何らかの恍惚をもたらすのである。

この書き出しはどうだろう。

小説のタイトルには、使えそうで使えないものがある。短編では使えても、長編では今更使えない、といったものもある。今更使えないタイトル、というのでいつも真っ先に思い出すのは「旅路の果て」というタイトルだ。映画の邦題や欧米の短編小説でさんざんお目にかかったものだが、実に陳腐でそれでいて代わりが思い付かない、つけいる隙のないタイトルである。「回転木馬」もそれに近いものがあるなと思うのだが、ぜひ一度使ってみたかった。

私は、長編小説を書く前に映画のポスターのような予告編を書く。きちんとレタリングしたタイトル文字を書き、イラストを書き、惹句《じゃっく》を書き、粗筋《あらすじ》を書く。これを書いている時がいちばん楽しく、わくわくする。予告編を書いていると、いつも吉原幸子の詩の一節を思い出す。「書いてしまへば書けないことが、書かないうちなら書かれやうとしているのだ」。まさにこの心境である。

子供の頃、岩波書店の児童文学のカタログを見るのがすごく好きだった。いろいろな本のタイトルと表紙の写真がずらりと並んでいて、内容を想像するのが楽しみだったのである。その中でひときわ惹《ひ》きつけられたタイトルが「りんご園のある土地」という本だった。あまりに惹かれたので親にねだって買ってもらったのだが、これは「砂」等の名作で有名なイギリスの児童文学作家ウイリアム・メインの作品で、いまいち難しくて内容が理解できなかった記憶がある。児童文学のタイトルにはいろいろな思い出があるが、特に印象に残っているのは、アンデルセンの「絵のない絵本」だ。アンデルセンの話というのはどれもこれも怖いのだが、中でもなぜか私はこのタイトルが怖くてたまらず、全集本のページを開いた時の二段組の右上はしに「絵のない絵本」という太字が並んでいるのを見ては、いつもぞっとしていた。

松江は蒸し暑く、空は真っ暗だった。いつ驟雨《しゅうう》が来ても不思議ではない。

彼女は駅から出て、暗い空を見上げる。この駅に降り立つのは二度目だ。一晩中列車に乗っていたため、足元がまだ揺れているような気がする。

寝台車というのは、どこでも眠れる自信のある彼女でも眠りにくい代物《しろもの》であった。揺れが半端ではないのである。しかし、彼女にとっては一大発見があった。寝ながら読書するにはいい環境なのだ。枕の堅さと高さ、そして読書灯の位置が最高なのである。寝ながら本を読むのは結構難しい。本を読むのに必要な明るさを確保するには、苦しい体勢にならざるを得ない。腹這いになっても、横向きになっても肩が凝る。しかもすぐに眠くなってしまう。いつしか俯《うつぶ》せに眠り込み、自分の呼吸を困難にし、悪夢で目が覚めることもしばしばである。ところが、寝台車はこれらの難関を全てクリアしているのだ。揺れが大きくて容易に眠れないところもこの場合有利に働く。彼女はデボラ・クロンビーの「警視の隣人」を読みながら、寝台車で翻訳ミステリを読むというシチュエーションの渋さに一人で悦に入り、幸福な夜を過ごしたのである。

彼女は飛行機に乗ったことがない。飛行機というのは、人間の叡智《えいち》と神の領域との狭間《はざま》にあるのではないだろうか。なんとなく、人間の領域を一歩はみだしているところがあるような気がして、乗るのが恐ろしいのだ。従って、彼女は海外にも行ったことがない。車もあまり興味がない。子供の頃車酔いがひどかったせいかもしれない。世の中の人達はなぜあんなに車が好きなのだろう？　日本人を毎年一万人も殺しているではないか。一日三十人近く殺しているのに、なぜ誰も禁止しないのだろう。彼女は毎朝道路を歩く度に、向こうから走ってくる車を見て、今あの運転手がちょっとハンドルを切りそこねたらあたしは死んじゃうんだなあ、と思うのである。

彼女は電車に乗るのと散歩が好きだ。どちらも移りゆく風景を見ながら、頭を空っぽにしてぷかぷか浮かぶイメージを追っているのが楽しいのである。いつか飛行機に乗るという壁をクリアして海外に行くのならば、大陸横断列車やアラスカ鉄道に乗るのが夢である。その時はいったいどんなイメージが頭に浮かぶのだろう？

昨年出雲に行った時は真夏だった。行きも帰りも列車の中は友人と酒盛り。しかもむちゃくちゃ暑くて、二人共疲労困憊《ひろうこんぱい》、不機嫌に帰ってきた。今年は一人旅。本当はやはり別の友人と来るはずだったのだが、勘違いで二人の予定が一週間ずれていたのである。

それでも大枚《たいまい》をはたいて出雲行きを決行したのは、今彼女が書いている四部作の小説の、第二章の設定が出雲までの夜行列車の中だったからだ。昨年旅行した時の、夜行列車の中の独特の不思議な雰囲気が忘れられず、この章には絶対にその雰囲気を書きたいと決めていたのである。日頃彼女はＯＬとして生活時間の大半を会社に費やしているため、取材できるのは時間も対象も限られている。金曜の夜に東京を出て夜行で松江に行き、日曜の夜行で翌朝そのまま会社に直行というスケジュールはしんどいのだが、どうしてももう一度あの雰囲気を味わってから原稿を書きたかったのだ。

駅の観光案内で地図をもらって、彼女はバスターミナルに向かう。そこには、暗い空の下でも目に鮮やかな赤いバスが止まっている。市内観光の遊覧バスである。彼女は足早にバスを目指す。


ヘンリー・ダーガーという人がいた。

アメリカだかイギリスだかは忘れたが、病院の下働きを生涯の仕事にしていた、地味で目立たぬ男だった。やや知的に障害を持っていたらしい。彼の死後、彼が生前書いていた夥《おびただ》しい絵小説が発見された。

それは、子供たちの国。たくさんの子供たちが血みどろのむごたらしい戦争をしている国の物語で、その世界ではヘンリー・ダーガーは子供たちを救い出す救世主だったらしい。藁半紙のような大きな紙に、着色された紙芝居のような絵が物語の進行に伴って描かれており、美術館でその絵を見た時には強い衝撃を受けた。

内臓をえぐられ、手足のちぎれた子供たちの死体、死体、死体——しかし、それが絵本のようなすっきりした童話風の背景の中に配されていて、妙にきれいで整然としているのである。彼は美術の勉強をしたことはなく、広告や絵本や雑誌の絵を写しては組み合わせて、このグロテスクでいつまでも終わらぬ世界を夜な夜な一人で描き続けていた。この絵がズラリと並んでいるところは、彼が完全にその世界に生きていたことを窺わせ、彼のイメージのすさまじさ、その吸引力に見ている私までもがひきずりこまれそうなほどだった。彼は、まさか自分の描いた絵が日本の美術館に展示され、私に衝撃を与えるなんて予想だにしていなかっただろう。彼はそれらを自分のために描いていたのだから。

そもそも、その展覧会は「アウトサイダー・アート」というテーマの展覧会で、精神を病んだ人々の創作表現を集めたものだった。誰に見せるためでもない、あくまで自分の内側からの必然に迫られて吹き出した『もの』。そのパワーはすさまじく、異形で、しかもどこか後ろめたいものだった。それは紛《まぎ》れもなく人間の『負』の部分から吹き出してくるものだった。私がまがりなりにもモノ書きとなって当惑するのはその点だった。どうしても小説を書くという行為の後ろめたさから逃れることができないのである。

私が小説を書いているということをごく少数の友人にしか教えていないのも、この後ろめたさが大きな原因だ。私が飲んだくれのアバウトなＯＬで通っている会社の上司や、大学で言いたい放題の家族同様に過ごしてきた連中に、「私、小説書いているんです」と言うところを想像するだけで顔から火が出そうで、冷や汗が浮かんでくる。会社にこのことがバレずに済むのなら、あらゆる嘘をつく覚悟がある。今までずっと写真を出さずにきたのも用心のためである。各出版社の編集者が皆気を遣ってくれていたのにもかかわらず、某出版社の雑誌で写真を載せられたことがあった。しかも、そのことを雑誌が出てから他社の編集者に聞かされたのである。抗議した方がいいと複数の人に忠告されたが、昼間会社の外から抗議の電話を掛けなければならないのが面倒だったので、まだ抗議していない。だが、はっきり言って私は根に持つ女である。このことは絶対に忘れないぞ、と決心していたらその雑誌は廃刊になった。私の写真を載せたせいだと今でも信じている。

低くて暗い雲に閉ざされた空の下、赤いバスは重く澱んだ川の上を渡る。

由緒ある地方都市の中に身を置いた時の奇妙な感覚はいつも彼女を魅了する。それぞれの場所を覆う異質な空気。流れる時間の微妙なずれ。そこに何かが隠されているような、目に見えるものとは異なる物語が横たわっているような、どこかに全く違う世界が開けているような予感が、映画を見ているような気分にさせる。

彼女にとって、重要な、極めて個人的なテーマはずばり『ノスタルジア』である。あらゆる意味での懐かしさ。それは心地好く切ないものであるのと同時に、同じくらいの忌まわしさにも満ちている。彼女は幼い頃から世界というものに対して漠然とした郷愁を抱いていた。郷愁という言葉が誤解を招くのならば、世界というものがぐるぐると大きな円を描いて、時間的にも空間的にも循環しているという感触である。デジャ・ヴとはまた少し違うのだが、そういう感覚が幼年期の彼女をかなりの部分で支配していた。今ではそんな感覚が日常生活に占める割合は少なくなったものの、たまにそういう感覚がざぶんと押し寄せるとパニックに陥る。その感覚をなんとか目に見えるものにしようと、彼女はワープロを前に悪戦苦闘するのである。

目的地に近付き、その停留所でバスを降りたのは彼女一人だった。

なんと蒸し暑いのだろう。

真っ黒な雲の隙間から、時折熱っぽい陽射しが漏れる。

じっとりと脇の下を汗が流れる。帽子の下の髪の毛は既にべったりと頭に貼りついている。彼女は一瞬その場に立ち尽くした。

ふと、目の前を黒い影がふわりと横切った。

黒い大きな蝶だった。ほとんど羽を動かさずに空を漂っている。

カラスアゲハ、という言葉が浮かんだが、正しいのかどうかは分からなかった。


狭い部屋の中、書くのに詰まっても逃げ場はない。

今度は、どこかの部屋でカップルが喧嘩を始めた。なかなか派手な怒鳴り声だ。このところ毎晩である。とっとと別れちまえ、ぐず。

こんな時に煙草が吸えればいいなと思うが、私は煙草の匂いが大嫌いなのだ。深夜に一人、じりじりと焦りながらワープロの前に座っているのはあまりいい気分ではない。一般的に仕事に熱中している女性は美しいが、小説を書いている女はブスだと思う。雑誌の締切り前の夜中に鏡で自分の顔を見るといつもギョッとする。文字通り髪を振り乱し、目はしょぼしょぼしてげっそりしている。美容と健康にはよくない職業である。どうせあたしなんか才能ないのよ、と机の上にばったり倒れてみたりするが、誰も慰めてくれないし時間の無駄だな、と馬鹿らしくなって起き上がる。

小説を書くことに眩暈《めまい》するほどの喜びを感じる、という羨ましい人もいるけれど、私の場合たいてい苦痛である。書き始めてみると結構面白かったりするのだが、ハイになれるのは僅かな時間だ。しかも、夜中の手紙と同じで、気分が高揚している時に書いたものはだいたい使い物にならない。翌日読み返してあまりの下手さにがっくりくる。山田詠美が、書いた小説は一言一句も直さないというのを聞いて「嘘だろ」と叫ぶ。

恐ろしい商売だが、興味深い商売でもある。完全な技術職だなあと思う時もあるし、完全な即興なんだなあと思う時もある。たまに自動書記状態になる時があって、その時の感覚は面白い。完全に小説の中の場面に入りこんでいるのだが、それと二重写しにワープロを打っている自分の意識の外側にいるような感じなのである。ゲームセンターでゲームをしている人の後ろに立って画面を覗きこんでいる感覚に近い。書いている自分をどこかで面白がっている自分がいるのだ。

映画の中の回転木馬はいつも夢のように美しく、黄昏のようにものがなしく、遠いこだまのように切なかった。私の頭の中で回る回転木馬はいつも無人だ。誰も乗っていない木馬たちが夕暮れの町外れでゆるゆると回っている。

世界のどこかに、自分の家の庭に回転木馬を置いている老人がいるに違いない。

彼は幾つもの会社を持つ金持ちだ。よく手入れされた広い芝生の真ん中に、ぽつんと回転木馬が置かれている。よく晴れた日の夕暮れに、彼は庭先に白いテーブルを置いて、一人で席に着く。執事がやってきて、彼のグラスにワインを注ぐ。彼が合図すると、回転木馬の照明が点き、くるくると無人の木馬が回り始める。彼は、離れたテーブルからそれをじっと見つめている。

この書き出しはどうだろう。

ちょっと甘過ぎるかもしれない。

書き出しを書いた時に、たいていこの話が面白いのか面白くないのかが分かる。他人の作品でもそうだ。読み出した瞬間に、これが面白くなるか面白くならないかが分かる。

「三月は深き紅の淵を」もいよいよ最終章。どんなふうに話を進めたものだろう。『内側』の『三月は深き紅の淵を』と呼応しつつ、微妙にずれている内容。作者が主人公であるという方針は決まっているものの、「回転木馬」という題名だけがぽんと目の前に放り出されている。さあ、これはどんな話だろう。どんな話を見つけなければならないのだろう。

彼女にはいろいろ怖いものがあるが、石灯籠もその一つである。

バスの停留所から信号を渡り、中学校の脇の一本道を歩いていくと月照寺という寺がある。紫陽花《あじさい》の寺で有名らしいが、時期が外れているためか人気がない。不昧公《ふまいこう》を始め松平家歴々の墓があるのだが、江戸時代の力士雷電の碑があったり、でかい亀の石像があったりと、結構節操のない寺なのだ。この寺には、これでもかとばかりに石灯籠が並んでいるのである。こういう霊廟がどういう形式なのかはよく分からない。見たところ六、七人分の墓それぞれに山門があって、梵字で書かれた看板が掲げられている。その周りをぐるりと石灯籠が囲んでいるのである。

彼女にはいろいろと怖いものがある。重度の高所恐怖症だし、ピンクハウスの服を着ている女も怖い。缶詰の白いアスパラガスも怖いし、デパートの化粧品売り場も怖い。しかし、なぜ石灯籠が怖いのだろうか？　理由は分からない。石灯籠を見ると足がすくむ。それがふわりと浮かび上がって自分の上に落ちてくるような気がするのだ。

彼女は歩きながら、ふとその理由に思い当たった。

小学生の頃に読んだ山田ミネコの漫画である。「死神たちの白い夜」という作品で、彼女は当時かなりのショックを受けたのである。山田ミネコという人は、いかにも少女漫画でございという顔半分がきらきらお目々の絵を描くのだが、この話の内容は実に恐ろしいのである。

主人公は平凡な女の子。ある日、憧れの男の子が落とした定期入れを拾って彼のあとを追っていくと、見たことのない林の中に迷いこんでしまう。林の中には大きなお屋敷があり、庭で出会った気味の悪い子守歌を歌う狂女に追いかけられる。その女から逃れて辿《たど》りついた屋敷の窓の中から、今度は盲目の美少女が父親を毒殺するところを目撃してしまう。見ていたことがばれ、美少女が追いかけてきて主人公を殺そうとする。その時、美少女が使うのが石灯籠なのだ。今しも主人公の上に石灯籠が突き落とされようとした時、先程子守歌を歌っていた狂女が現れて主人公の代わりに石灯籠の下敷きになって死ぬ。命からがら逃げ帰ってきた主人公が母親に目撃したものを訴え、警察を呼ぼうとした時、彼女の母親は「それは夢ですよ」と少女に電話をかけさせない。実は、母親は昔あの屋敷で使用人をしており、生まれたばかりの目の見えない自分の赤ん坊と、仕えていた奥様の赤ん坊とをすり替えたのだ。石灯籠の下敷きになったのは、少女の本当の母親だったのである。育ての両親を殺した美少女は、今や屋敷の主におさまり、主人公の少女は割烹《かっぽう》着を着た育ての母親に首を締められて殺されてしまうのだ。最後のシーンは苦悶の表情を浮かべて死んでゆく少女のアップ、その背景には彼女の本当の母親が口ずさんでいた気味の悪い子守歌という衝撃的なものであった。今思い出してもすごい話だ。

寺の敷地内は蓄積された時間に澱《よど》んでいた。神社仏閣を訪れた時に何となく気後れするのは、想像を絶するタームの時間が流れているからだ。

紫陽花は生命力の強い植物だというが、群生する塊は軽く彼女の背丈を超えていた。寺の中を我が物顔に埋め尽くし、石畳の通路にも覆いかぶさっている。そこにはあのグラデーションを帯びた美しい色彩はなく、ひたすら前のめりで凶暴なパワーしか感じられない。緑は神であり救世主であるものの、一方では残虐な侵略者でもある。

旅の面白さは、外界からの刺激が新鮮なせいか、いろいろな記憶やイメージが鮮明な形で次々と浮かんでくるところである。彼女はふと、大学時代を過ごしたサークルの部室の裏を思い出した。そこは、長い間再開発が棚上げになって放置されており、小山に並ぶ廃屋に伸び放題の草がからまった妖気漂う場所だった。かつて日本軍がその一帯で人体実験や化学兵器の研究をしていたとも噂されており、見るからに異様だった。もともと日本は植相の豊かな国で、ちょっと目を離していると、たちまちジャングルになってしまう。

記憶は数珠《じゅず》つなぎにさまざまなものを喚び起こす。

ジャングルと言えば、連想する映画がある。「ジェイコブズ・ラダー」という、ベトナム戦争で兵士たちの戦意高揚のために開発中の麻薬が大量に投与されたという噂を基にした映画だった。あの映画で見たジャングルの恐怖——凶暴な制御不能の圧倒的な緑の中にスナイパー達が潜んでいるという恐怖はすさまじかった。アメリカ人がなぜ枯葉剤を撒《ま》いたのか分かったような気がした。

増殖する紫陽花に飲み込まれそうな石灯籠の群れ。空気は蒸し暑く、それでいてどこかぞくりとするほど冷たい。彼女はその空気をかきわけ、一歩一歩踏みしめるように石段を登ってゆく。

彼女はベトナム戦争に興味を持っている。いつかきちんと最初から最後まで自分なりに調べて俯瞰《ふかん》してみたいと思っている。あれはどことなく異質な戦争だった。そして、無責任を承知で言えば、どこか作り物めいた、SF的で神話的な戦争だった。彼女はルーシャス・シェパードの「戦時生活」という小説を連想する。コンピューターと麻薬の支配する近未来の中南米で続く泥沼のような戦争を舞台にした、極彩色の夢を休みなしに見ているような、不思議な魅力に満ちた小説である。現実の描写と、登場人物たちが麻薬で見た幻想とが平然と地続きになっていて、読む者に眩暈を起こさせる。

世界は重層的で、謎に満ちている。数十億もの人々の幻想がある点では重なり、ある点ではずれて無限に連なっている。こんな世界の片隅で、紫陽花だらけの静かな寺を歩きつつ、夥しいイメージの中から自分の幻想を選び出し繋いでいく行為の不思議さに、彼女は空恐ろしさを覚える。

水野理瀬《りせ》は夢を見ていた。

自分がこの学園を出ていく夢である。自分を呼ぶ声がする。知っている声が幾つもあるような気がするが、誰だかは思い出せない。

夢の中で、彼女は後ろを振り返っていた。窓から鈴なりになった少女たちが彼女に手を振っている。

ああ、あたしはここを出ていくのだ。さまざまな事件と、口に出せぬ思いをあとに残して。

手には、あの革のトランクを持っている。

がくん、と身体が揺れて、理瀬はハッと目を覚ました。

今、あたしは何の夢を見ていたのだろう？　未来の夢？

見知らぬ暗い駅に着いていた。列車の中は冷えきっており、理瀬は無意識に腕をさすっていた。手がトランクを探す。頭の中がはっきりしてくるにつれて、自分があのトランクを乗換えの時に忘れてきたことを思い出した。なぜだろう、なぜあたしはあんなに大事にしていたトランクを置いてきてしまったのだろう。

列車はぴくりとも動かない。石造りの駅のホームを、ぞろぞろとコートを着た客たちが歩いていくのを見て、理瀬はそこが終点であることにようやく気が付いた。

降りなくっちゃ。

理瀬は慌ててマフラーを巻き付けるとショルダーバッグを取り上げてホームに降り立った。空気は冷たく、空は曇っていた。平べったく黒い木造の駅舎の改札口に、既に人気は無かった。どこからか、低く囁くファドのようなメロディーが流れてくるのが聞こえる。ラジオだろうか。

迎えの人が来ているはずだけど。

不安な気持ちが込み上げてくる。見知らぬ土地にやってきたという実感がじわじわと背中に染み込んでくる。

ふと、ロータリーの隅に止まっている黒塗りの車が目に入った。初老のがっしりした男がじっと立っている。どうやら、それが迎えらしい。

その男を見た瞬間、理瀬はあることに気が付いた。自分がわざとあのトランクを置いてきたのだということを。あたしはあの時、目の前のトランクを見た。しかし、あの時、あたしはそれを必要ないものだと思ったのだ。あたしの過去がぎっしり詰まったあのトランクを。

理瀬が会釈すると、男はゆっくりと頷いてドアを開けた。

彼女の目の前を、先程と同じ蝶なのかどうかは分からないけれど、ふわりと黒い羽が横切っていく。

石段を登りきると、びっしりと並んだ石灯籠が合わせ鏡の中の像のようにちょっとずつずれて重なって見えた。石灯籠の側面にはどれも穴が開いている。よく見ると、それは少しずつ形が違っている。満月から三日月まで、欠けていく月の形が連続写真のように模されているのである。

彼女はハッとする。思わず空を見上げる。

そうか、そうだったのか。

月照寺という名前の意味が分かったような気がする。

一瞬、周りの風景が闇に落ちたかのような錯覚を覚える。

夜、この石灯籠には一斉に火が点《とも》されるのだ。その時、この場所に立てば、満ちては欠けていく月の運行が一目で見渡せるのだ。頭上には本物の月。月の照らす寺の中に、すっぽり宇宙が入っている。その中心に立つ人間。彼は宇宙を手中に収めようと思っていたのだろうか。それとも、宇宙に何かを祈ろうとしていたのだろうか。

彼女はその光景を脳裏に描きながら、隣の屋敷に向かって歩いていく。そこには素晴らしい庭があって、茶を点《た》ててくれるのである。

開け放した雨戸で長方形に切り取られた見事な庭。胡麻《ごま》風味のおいしい和菓子でお抹茶をいただく贅沢。普段のせわしない時間の流れから想像もできないゆったりした時間だ。

逢う間の短さ、待つ間の長さ。時のお腹は蛇腹《じゃばら》です。

何の一節だったろう。彼女は考えるが、思い出すことができない。

そのままふらりと市街地に出る。

お堀のある、水のある街というのはいいものだ。あちこちに水辺で憩《いこ》うスペースがある。

暗く歳月を湛えた流れのほとりの石畳に、彼女はぺたりと腰を降ろす。

山吹に似た黄色い花がこぼれるように水辺に咲き誇り、彼女はこの上なく幸福である。こんな幸福感を覚えたのはいつ以来だったか思い出せないほどだ。さまざまな予感に満ちた風景の中を、浮かんでは消えるイメージに身を任せて存分に歩き回れる幸福。日常生活と反転した時間。久しぶりに、かつて慣れ親しんだ『郷愁』がどっと押し寄せてくる。いつか飲み込まれてしまうかもしれない、と彼女は思う。うねり、重なり、循環する世界の隙間に、夢を見ている間に紛れこんでしまうかもしれない。

彼女は水辺で胎児のようにうずくまっている。黄色い花びらが水の上に落ちる。


車の中は重いエンジン音が低く響いてくるだけで、辺りはとても静かだった。

運転する男の首の後ろを見ながら、理瀬はぼんやりと窓の外を眺めていた。

町を抜けると、辺りはたちまち荒涼たる野原になった。時折、野鳥の群れが草の中から飛び立つ他に、生き物の気配はない。平坦な湿原がえんえんと続く。その果てには、遠い山なみが低く影のように連なるのがかすかに見えるだけだ。空は低く、どんよりとした雲からは今にも雪がちらつきそうだ。厚いガラス窓の向こうでは、原野を渡る風の音が神経質な笛の音《ね》となって空を覆っている。

この世にあたし一人きりみたい。

理瀬は恐る恐るバックミラーを覗きこむ。運転している男が、いつのまにかマネキン人形か何かに替わってしまっているのではないかという根拠のない不安に襲われたからだ。

男と目が合う。表情のない、灰色の瞳。

理瀬は思わず目をそらした。

「――この湿原には、黒いウサギが棲んでいるそうですよ」

男に話しかけられたことに、理瀬は少ししてから気が付いた。

「ウサギ？　野ウサギですか？」

「そう。ほとんどは茶色い野ウサギですが、少しだけ黒いウサギがいる。用心深くて、めったに姿を見せません。黒いウサギを見ると、いいことがあるらしいです」

愛想のない声だったが、話の内容は、理瀬をリラックスさせようとしているのだと気付いた。理瀬は少しだけ明るい気分になった。

その時、今までの風とは違う音が耳に入ってきた。

誰かが歌っているような声が――誰かが呼んでいるような声が。

「あの音は？」

理瀬は怯えた声で尋ねた。

「ああ、あれはね、『青の丘』が近付いている印ですよ」

「『青の丘』？」

「そう。あなたがこれから行くところです。湿原を渡ってくる風が、丘にぶつかって、丘の中の森を抜けてくるとああいう音になる」

その時、前方に何かが見えてきた。

理瀬は思わず身を乗り出した。

地平線に飛び出した青い瘤。低い空の下に待ち受けるモニュメント。湿原の海に浮かぶ帆船。

それは、徐々に姿を現してきた。ぐんぐん大きくなってくる。

理瀬は自分の見ているものに魅了された。それは、一つの生命体のようだった。

本当に、青い。丘全体が、森も建物も、中世の絵画のように青みがかっているのだ。

ところどころに灯が点っていて、そのオレンジ色の明かりが呼吸しているように見える。

見る見るうちに視界がその青い色でいっぱいになった。山裾《やますそ》を埋める鬱蒼《うっそう》とした森や、空に突き刺さるゴシック調の尖塔や、丘を連なる回廊などが目に留まるようになった。

なんという存在感。なんという世界。

心が形のない畏《おそ》れにおののいた。

近付いたように見えたのに、なかなか丘のふもとには辿り着かなかった。青い丘は、大きな沼の中からそびえ立っている。沼の手前には、葦《あし》の茂みが点々とうずくまり、ちょろちょろと澱《よど》んだ流れが幾つもの筋を作って直線的な模様を描いていた。道も、尾瀬のような木道になり、いつのまにか車は継ぎ足されたたくさんの橋の上を走るようになっていた。

理瀬は、目にする全てのものに釘付けになった。

これはまさしく、一つの帝国だ。


夜の空気は甘酸っぱかった。

少年は闇の中でむくりと起き上がり、そっと耳を澄ました。この家で起きているのは彼一人。あとは、黙々と小さなせせらぎを繰り返している台所の冷蔵庫だけだ。

ベッドの下から隠しておいたスニーカーを取り出す。

月明りがとても明るい。こんなに明るいなんて、ラッキーだ。

少年は素早く服を着た。もう、アキラ達は出かけているだろうか？

闇の中の時計の緑色の文字が、自分を咎《とが》めているような気がする。

いつもと違う時間に動いているだけなのに、どうしてこんなにどきどきするんだろう？

少年は小さなリュックを背負い、窓を開けた。中身は何度もチェックしておいた。冒険に必要なものは全て揃っているはずだ。

今日こそ少年はあの不思議な遊園地の秘密を突き止めるつもりである。

突如、町外れの山に出現した巨大な遊園地、マジカル・マウンテン。

アキラは本当に、夜中にひとりでに回り出す回転木馬を見たんだろうか？

少年は、ほんの少しだけ疑っていた。アキラはなんでも大袈裟に言う癖があるからだ。

この書き出しはどうだろう。

ここからどうやって『三月は深き紅の淵を』に持っていけるだろうか？　まるで無関係に見せかけて、最後にこの物語が「三月は深き紅の淵を」を浸食していたと分かるようにするとか？　そうすれば『内側』の物語と二重写しになっているということができる。

ようやく静かになった。住人たちは寝静まったらしい。しかし、私の夜はまだ長い。

またしても考えに行き詰まってしまった。

何かないかと部屋の中をきょろきょろ見回す。壁には、私が一枚ずつ集めている小さな木の額縁がずらりと並んでいる。その中には、お気に入りの写真や葉書が飾ってある。両親の写真、グリーン・カードを取ってニューヨークに住んでいる友人の写真、友人の描いた絵、アンドリュー・ワイエスの「ヘルガ」シリーズのポストカード、アンセル・アダムズの白黒写真のポストカード、などなど。実を言えば、これらの幾つかは既に短編のネタに使ってしまっている。我ながらなんという貧困な発想。

仕方がないので、雑誌を見たり、料理の本を見たり、絵本や写真集を見て気分転換をする。ついつい気分転換が長くなってしまう。特に、子供の頃から持っている本を見たりすると、いつのまにかどっぷりはまってしまったりする。

初めての強烈な読書体験といえば、ロアルド・ダールの「チョコレート工場の秘密」である。文字通り、夕飯を食べるのも忘れて読み耽《ふけ》った。ロアルド・ダールは「あなたに似た人」などの名短編集で根強いファンを持つミステリ作家だが、この本は彼が自分の子供に聞かせるために作った話で、他にも「おばけ桃の冒険」などの作品がある。初めて作者名を覚えた作家という点でも記念すべき作品かもしれない。それまで私は誰かがお話を書いているという事実を認識できておらず、絵本の表紙に「さく・××」という名前が書いてあるのがなんのことだか分からず首をひねっていた。それほどインパクトのある本だった。しかも、訳は田村隆一である。今読み返してもぞくぞくするような、ものすごい名訳なのだ。

粗筋はこうだ。主人公のチャーリー少年の家はとても貧乏である。父親は歯磨工場でチューブの蓋を付ける仕事をしており、それで四人の老人と妻子を養い、毎日キャベツのスープとパンで飢えをしのいでいる。一方、チャーリーの家の近くには世界一おいしくて世界一不思議なお菓子を作るウィリー・ワンカ氏の謎の大工場がある。謎というのは、誰がどうやってそのお菓子を作っているのかが長い間秘密とされてきたからだ。巨大な工場は常に門を閉ざし、ただ一人の従業員も出入りしたことがないのだ。チャーリー少年にとっては、誕生日にワンカの板チョコを一枚買ってもらうのが最高の贅沢なのである。

ところがある日、新聞広告に、ワンカ氏が自分の工場を五人の子供に見学させるという記事を載せる。おまけに、一生かかっても食べきれないほどのお菓子のお土産付きで。その子供をどうやって選ぶかというと、世界中で販売される板チョコに五枚だけ金色の招待券が入っているというのだ。さあ大変、世界中でみんながチョコレートを買いまくり、招待券を手に入れようと大騒ぎになる――

　これが面白いのだ。もちろん我らが主人公チャーリーは、金にあかせて券を手に入れたわがままな金持ちの子供たちが四人揃ったあとで、ちゃんと五人目の子供になるのだが、ここで一年に一度しか板チョコを買えないほどの貧乏という点が効いてくる。そんなにも貧乏な彼がいかにして金色の券を手に入れるのであろうか？　ここにスリルとサスペンスが生まれるのである。しかも、この期《ご》に及んで歯磨工場が閉鎖され、チャーリーの父親が失業してしまうというピンチが見舞う。チャーリー危うし！　彼が五人目の子供になるまでの、ダールのストーリーテラーぶりには今もって舌を巻く。ちょっと残酷でスマート、ちょっとユーモラスで哀しいという彼の持ち味がじゅうぶんに発揮されている。

　子供に話をしてやるというのは、なかなかいい手段だ。敵の注意をそらさずに引っ張り続けるには、相当面白いストーリーであることを要求されるだろう。児童文学は、子供を産んだ時の修行にとっておこう。

　誰かに見られている。

　理瀬は全身を堅くした。誰かがあたしを見ている。

男のあとに続いて長い回廊を歩きながら、理瀬はそっと辺りを見回した。

回廊は丘の斜面をゆるやかに登りながら、林の奥にある煉瓦造りの屋敷に続いていた。

林の中には、天使を模した小さな石像が点々と並んでいた。かなりの数だ。五百羅漢のようだ。

ふと、理瀬は、それらの天使の顔がことごとく削られていることに気が付いた。

もともとなかったのかしら？

理瀬は目をこらした。しかし、どれを見ても不自然な形で頭が砕けている。やはり誰かが割ったとしか思えない。

理瀬は薄気味悪くなった。相変わらず、誰かに見られているという感じは全身にまとわりついていた。

回廊の曲がり角に、大きな丸い鏡が掛かっていた。青銅の渦巻き模様に囲まれた、年代がかった巨大な鏡である。

なぜこんな場所にあるのだろう。

理瀬は何気なく鏡を覗きこんだ。ふと、鏡の中の林に黒い人影が見えた。ぎくりとする。

一人の少年が、木に隠れるように立っていた。黒く長い髪、黒い瞳。とても美しいが、無表情にこちらを見つめている。

ここの生徒かしら？　新入りが珍しいのかな？

理瀬は気付かぬふりをして、そのまま回廊を登っていった。背中にこびりつく視線を痛いほど感じながら。

「私はここまでです。玄関の正面の廊下を抜けたところにある部屋が教頭先生の部屋です。そこをノックして下さい」

男は、再び影のように去っていった。

理瀬は肌寒い廊下を抜けて、その部屋に入った。

天井の高い居間である。重量感のある深い緑のカーテンが大きな窓を覆っているのに圧倒される。

初老の美しい女性が、大きな机の向こうに座っていた。

理瀬はどきりとした。その女性を知っているような気がした。

「水野理瀬ね？　入って。そこに座って」

その口調は意外にざっくばらんだった。

「あなたはここでは理瀬よ。ただの理瀬。ここでは名字は必要ないの。早くここの生活に慣れてちょうだい。ここの生徒たちはよくやっているわ。ほとんどが自主管理よ。あなたは成績も優秀なようね。カリキュラムは好きに組めるわ。やりたいことがあれば、講師も呼んであげる。ルームメイトを募集しなくちゃ。あなたの学年は二人部屋なのよ。希望すれば、半年にいっぺん部屋替えもできる」

そこまで一息にしゃべり、教頭は一瞬黙り込んだ。

理瀬は、机の上にあるうさぎの縫いぐるみに気を取られていた。黒いうさぎ。しかし、それはどこかが変だった。表面がでこぼこしている。

教頭は眼鏡をはずし、理瀬に向かってほんの少し身を乗り出した。

「あなた、人気者になるわよ。ルームメイトの希望者がたくさん出てきそうね。あなた、たいへんよ」

囁くような声には、巫女のような響きがあった。理瀬は思わず尋ねた。

「たいへん？　どうしてですか」

「あなたが二月の最後の日にやってきたからよ」

理瀬はきょとんとした。確かに今日は二月二十八日だ。だからといってなんだというのだろう。

「それは、ここではたいへんなことなの。みんながいろいろ言うでしょう。でも平気よ。あたしがそれを認めたんだから。彼女だって」

「彼女？」

教頭はハッとしたようだった。咳払いをし、椅子に座り直す。

「さ、もう行って。詳しいことは、『ファミリー』の子が教えてくれるわ。中央ホールの生徒室に行きなさい。そこで『ファミリー』が待っているはずよ」

理瀬は当惑しながらも立ち上がった。お辞儀をしてドアへと向かう。

「ええと、中央ホールはどうやって行けば」

思い付いて後ろを振り返ると、教頭が引き出しから頭の黒い待ち針を取り出したのが見えた。

「回廊を降りて左よ」

教頭は理瀬を見ずに答え、その針を無造作に黒いうさぎの縫いぐるみに刺しこんだ。

ドアを閉めてから、理瀬はそのうさぎは全身を黒い待ち針で刺されていたのだということに気付いた。


彼女は、白い洋館の二階から、市街地を見下ろしている。

松江城の近くに、この洋館は立っている。観光客がぞろぞろと松江城に向かうのが見える。こちらに足を向ける客は少ない。

二階の真ん中の部屋の椅子に腰掛けて、彼女はぼうっとしている。

人気のないフロアに、扇風機が気怠《けだる》げに回っている。

午後になって晴れてきたのはいいが、ますます蒸し暑さがひどくなってきた。彼女はもともと暑いのは苦手なのだ。

手すりに寄り掛からないで下さい、という貼紙がしてある。確かに、欄干《らんかん》はぼろぼろだった。バルコニーを下手に歩くと床を踏み抜きそうである。

あちこち大きな窓が開け放してあり、外の緑が目に眩しい。

彼女は、建築にも興味がある。学術的な意味ではなく、建築物が持つ雰囲気に興味がある。古い建物や家にはその場が持つエネルギーがこもっている。そこにはいろいろな話が詰まっているように見える。この窓、この欄干、この色の剝げたバルコニー、軋《きし》む階段。そこに何かの企みや謎を見つけられるような気がする。カーテンの陰で誰かが泣いているのではないか？　ガラス戸の本棚には秘められた恋文が隠されているのではないか？　時空を超えたメッセージが天井から降ってくるのではないか？

彼女はよろよろと立ち上がる。次の目的地に向かわなければならない。

松江城を通り過ぎ、彼女は木立ちの中を黙々と歩いていく。

彼女の目的は、森を抜けたところにある小泉八雲記念館である。こぢんまりした、いい記念館だ。

小泉八雲という人は、今ではそう話題にもならないけれど、実はかなり重要で今日性のある人なのではないか、と彼女は思う。今回二度目に記念館を訪れて、その意を強くする。

彼はアイルランド人である。彼が日本の昔話や怪談に興味を持ったのも、ケルト神話との共通性を感じたかららしい。小柄な彼の目は義眼で、もう片方の目もかなり悪かったという。彼の物静かな伏目がちの肖像画や、子供を挟んで妻と二人で立っている横向きの写真などは、妙に日本的である。彼には、その土地の波長に自分を共鳴させることのできるアンテナが備わっていたものと見える。

彼女は展示コーナーの、とある絵の前で立ち止まる。旅行作家であった彼が、つばの広い帽子をかぶり、大きな革のトランクを両手に下げ、歩いていく後ろ姿の絵だ。児童文学の挿絵のような絵。

彼女はその絵をとても気に入っている。その絵が入っている土産品の栞《しおり》も一セット買った。これから物語に入っていくところ、という感じがするのである。

今書いている四部作に小泉八雲を出演させるという企画は、第二章の設定を決めた時から考えていた。それぞれの章のどこかに、ちらりと登場させるのである。永遠に新たな神話や物語を求め、大きなトランクを持って旅する男。彼と、彼女の書く世界の中のあちこちで遭遇できるように。


子供の頃に、初めて書いたと思われるお話というのは、たぶんこれだ。題名も覚えている。「りっぱになったうさちゃん」というのである。なぜその話を書いたかも覚えている。川端康成がガス自殺をしたせいだ。当時は大騒ぎで、ノーベル文学賞を貰った偉い人がなぜ、という報道の仕方が印象的だった。雑誌で、小学生が財布を拾って川端先生の家に届けに行ったらとても優しい人で財布の中から駄賃をくれた、という記事を読んだ。それがどこでどうつながったのかはよく分からないが、この「りっぱになったうさちゃん」はただのうさぎが理由もなくノーベル賞を貰う話だったのである。読んだ親と兄が腹を抱えて笑い転げていたことを覚えている。

「おひめさま」シリーズというのもあった。巻き毛くるくるの能天気なお姫様が無謀な冒険をする話だ。幾つか書いたのだが、話の続きを思い付けなくなると「おひめさまはねることにしました」「つぎのひもねていました」と、主人公をひたすら眠らせていた。当時はスケッチブックを破って二つ折りにし、自分の本をこしらえていたのだけれど、後半の部分はおひめさまがベッドで寝ている絵ばかり続くのである。

とにかく影響を受けやすかった。「秘密の花園」を読めば、一週間は頭の中でごうごうと荒野を渡る風が聞こえ、「エルマーのぼうけん」を読めば一日中みかん島もどきの地図を書きなぐっているという次第。NHKの少年ドラマシリーズを見ては、「時をかける少女」もどきを書き、映画「大脱走」をTVで見ては、どこが同盟国かも分からないくせにトンネルを掘ってみんなで逃げる話を書いた。

幼年期の影響というのは面白いものだ。同世代の人の作るものは何に影響されたか大体分かる。TVドラマや漫画など、ビジュアルなものの影響は特に大きい。デジタル世代の現代の子供たちが大きくなった時に何を作るか、非常に興味がある。ゲームの世界に影響を受けた彼等はどんな夢を見るのだろうか？　彼等の作り出す虚構は私たちのものとどのくらい違っているのだろう？

大量のストーリーが消費されている現代、結局のところ、ゲームの中の虚構は一つのテーマに統合されつつある。英雄伝説、もしくは英雄になるための成長物語、である。とどのつまり、最も古典的なテーマに立ち戻ろうとしているわけだ。ゲーム製作者という吟遊詩人が作り出す、古典的なストーリーから派生したさまざまなバージョンをそれぞれのゲーム機でプレイヤー達が聞いている。彼等が聞きたがっているものは、大昔から変わっていないのだ。デジタルなビジュアル時代の次には何が来るのだろう。私はなんとなく、絵のない世界が来るような気がする。ダイレクトに脳に映像が送られるか、反対に耳から聞く物語が復活するのではないだろうか。みんなで同じ映像を見ることが煙たがられる時代が来るかもしれない。肉声で本を読むことが流行り、自分の頭の中だけのイメージを楽しむことが新鮮でお洒落だと呼ばれる日がやってくるのかも。


素晴らしい天気の土曜日なのに、海浜公園には人っ子一人いなかった。

彼女は木造のあずまやでごろんと横になって光る日本海を眺めたあと、市街地によろよろ歩いてきたが、身体じゅうの水分を搾《しぼ》り取るような蒸し暑さに喉がからからになっていて、宿に入る前に一休みしたかった。

その店は松江駅のすぐ近くにあった。

古い都市には、必ず団塊の世代が経営しているジャズ喫茶がある。見知らぬ土地に行った時、これがなかなか頼りになる。主人の性格の見当がつくというのと、一人で入っても気まずい思いをせずに済むからだ。もちろんオーディオ機器はいいに決まっているので、普段はヘッドホンでしか聴けない曲を大音量で聴ける楽しみもある。それに、必ず酒が置いてある。

ガイドブックには載っていなかったが、彼女は入り口と看板を見て思わず吸い込まれ、小さな天窓のある黒い内装の店内を見て一目で気に入った。カウンターの中にいたふっくらした美女とも、すぐに気が合うことが分った。ちょうど昼と夜の客の狭間の時間だったのだろう。貸し切り状態だった店で、これ幸いとなかなかCDにならないフィル・ウッズの「ソング・フォー・シジフォス」を掛けてもらう。

窓の外はまだ明るい。暗がりの中で冷たいビールを飲んでいると、疲労がたちまち弛緩《しかん》して、恍惚とした気分になる。

彼女は窓の外の町の通りに降り注ぐ光をじっと見つめる。光はいつも何かの引き金になる。

椿の木の植えられた中庭には、大きな木のテーブルを囲んで、好奇心に溢れた表情の少年と少女が思い思いのポーズで理瀬を待っていた。

理瀬は一瞬気後れを感じた。

彼等は大人びていて、皆やけに洗練されていた。こんな外界から遮断された場所なのに、理瀬は自分の方が田舎からやってきた子供のような気がした。

案内してきてくれた光湖《みつこ》が理瀬を振り返って説明した。

「ほんとは、『ファミリー』は十二人なのよ。でも、あたしたちの『ファミリー』ははんぱものなの。全部の『ファミリー』を作ったあとの、各学年の残った連中を集めたものだから、半分の六人しかいないわ。あなたのおかげでやっと七人」

理瀬は、生徒室で待っていた光湖の亜麻色の髪に目を奪われていた。そのエキゾチックな容貌といい、明らかに混血児だろう。五年生とのことだが、随分大人っぽい。

要するに、『ファミリー』というのは、中等部と高等部で六学年ある生徒を縦割りにした班らしかった。女子を縦に六人、男子を縦に六人、合わせた十二人で一つの共同体を作るらしい。

「ようこそ」

「ようこそ、理瀬」

「ようこそ、二月の終りに」

「びっくりよね」

口々に、面白がっているような声が理瀬に注がれ、理瀬はぎこちない笑みを返した。

あなたは二月のおしまいの日にやってきた。

教頭先生の声が脳裏に蘇る。どういうことだろう？

たちまち屈託《くったく》のないお喋りが始まる。理瀬は紹介されたメンバーとそれぞれ言葉を交わす。リーダー格の最年長者の少年、聖。数字にとても強いのだそうだ。茶目っ気たっぷりのいとこ同士の俊市と薫は、確かに血の繋がりがあると納得できるほど似ている。仲のよい可愛い兄妹でも通用しそうだ。大柄でがっしりした体軀の磊落な寛。そして――

「黎二《れいじ》、あなたも挨拶しなさいよ」

テーブルの隅で頬杖をついて黙々とコーヒーを飲んでいた少年に注目が集まり、理瀬もその少年を見た。

髪は伸びてぼさぼさだったが、何よりその鋭い瞳が印象的だった。触れれば切れそうで、こちらを挑戦的に見据えてくるまなざし。ゆるめた衿や、はみだしたカフスに、型にはめられたくないという彼の主張がのぞいていた。

「――あんた、なんでこんな時期にここに来たんだい？」

黎二はぼそりと言葉を投げた。他のメンバーが一瞬身を堅くするのが分かる。

「こんな時期に――って」

理瀬は当惑した声で答えた。黎二は不満そうに鼻を鳴らした。

「あんた、よく分かってないみたいだな。まあ、どうせ金だけは持ってる親か親戚に送り込まれただけだろうけどさ。ここは、一度入ったらなかなか出られないんだぜ。ここは三月の国だからな、みんな永遠に卒業できないのさ。なんで俺たちの『ファミリー』がこれしか人数がいないか教えてやろうか、いなくなっちまったからさ」

「黎二」

聖が鋭い声で彼を制した。手を伸ばして黎二の腕を摑む。

「転入生に随分なご挨拶だな。自己紹介も済んでないくせに」

なだめるような低い声で黎二を見つめる。

二人の視線のやりとりに、複雑なものが見え隠れしたが、やがて黎二の方が目を伏せた。

「おい、放してくれよ。その台詞を麗子にも聞かせてやりたいね」

言い捨てると、黎二はポケットに手を突っ込んで中庭から去っていった。

気まずい沈黙がテーブルの上を支配する。

「理瀬、悪かったね。びっくりしたろ? ストレートだけど、悪い奴じゃないんだ」

聖が笑いかけたが、理瀬の頭には黎二の言葉だけが谺していた。

ここは三月の国。

私は「よくできた話」に惹かれる。

映画を見ても、役者や監督の名前にはあまり興味がなかった。きちんと伏線が張ってあって、ちゃんと最後に大団円を迎えるカタルシスのあるもの。そういうものが好きだった。「エルマーのぼうけん」に惹かれたのも、エルマーがみかん島に持ち込む一見意味のなさそうな品々が、行く先ざきでライオンやワニを追い払うのにきちんと全部役に立つというところに感銘を受けたからだ。これぞ、『伏線』である。

なぜ人間は「よくできた話」に感銘を受けるのだろう。話の内容に感動するのは分かる。親子の情愛、生と死の葛藤、無償の愛。自分を主人公に置き換えて感情移入をする。それは分かる。しかし、「よくできた話」に対する感動はこれとは少し違うように思えるのだ。その感動は、収まるべきところに全てが収まったという快感である。なぜ快感なのだろう。そして、「よくできた話」を聞き終わると、その話をずっと昔から知っていたような錯覚を覚えるのはなぜだろう。

恐らく、人類には何種類もの物語がインプットされているのだろう。インプットされた物語と一致すると、ビンゴ（！）状態となる。なぜ？　フィクションを求めるのは、人間の第四の欲望かもしれない。なんのために？　たぶん、想像力という他の動物にはない才能のためだろう。フィクションを求めることで、我々は他の動物たちと袂《たもと》を分かったのだ。我々の向かうところは分からないし、最終的に何を用意されているのかは分からないが、その日から我々は孤独で複雑で不定形な道のりを歩み始めたのだ。

寮の一番奥が理瀬の部屋だった。

簞笥《たんす》と戸棚と、机と椅子とベッド。空いている隣のベッドをちらりと見る。

いったい誰がくるのかしら。

楽しみなようであり、怖いようでもあった。

張り出し窓から、どこまでも続く湿原が見渡せた。

なんという淋しい眺めだろう。

殺風景な地平線が、暗く夕暮れに沈み始めていた。

理瀬は暫くぼんやりと、張り出し窓に腕を載せてその憂鬱な風景を眺めていた。

ひゅーっ、というかすかな音がする。

どこからか隙間風が入ってくる。

理瀬は張り出し窓の天井を見上げた。隙間風はそこから入ってくるらしい。

何気なく天井の板に触れたところ、かたん、と動いた。

何かある。

板の一枚が持ち上がり、その上に何かが乗っかっているのに気付いた。

本みたいだ。

その時、どんどんどん、と乱暴にドアがノックされた。心臓が飛び上がり、理瀬はとっさに板を元に戻した。

「はい？」

「開けるわよ」

ばん、とドアが開いた。

スラリと背の高い綺麗な少女が立っていた。理瀬は目をぱちくりさせる。

「あっらー。何、ホームシックの真っ最中だったってわけ？」

短い髪。きらきらした目と赤い唇は、アイドル歌手と言っても通りそうな華やかさだ。しかし、その唇から流れ出してくる声は、容姿とはいささかギャップがある。

「あなたは？」

面食らいつつ、理瀬は尋ねた。

「あら失礼。あたしは憂理《ゆうり》よ。ことわりを憂う。いい名前でしょ。あたしは四年生。よろしく、理瀬」

憂理と名乗った少女はどさりと荷物をベッドに投げ出すと手を差し出した。

「あたしの名前を」

「みんな知ってるわよ。なんせ暇なんだから。この中を歩く時は気をつけるのね、壁に耳あり、障子に目あり、よ」

「あのう、その荷物は」

荷ほどきを始めた憂理に、理瀬は恐る恐る尋ねた。

「え？　見りゃ分かるでしょ、ここに住むのよ。あたしがあんたのルームメイト。文句ある？」

「いえ、そんな。でも、教頭先生はこれから募集するっておっしゃってましたけど」

「ああ、あの串刺し女ね。見た、あのウサギ？　いかれてるわよね。まあ、こんなところに何十年もいりゃあおかしくもなるわよ。あたしだって、半年ここにいて気が変になりそうだわ。聞いたでしょ、部屋替えが半年にいっぺんあるって。でもそんなに長いこと待っちゃいられないわ、今あたしと一緒の部屋にいる女、見せてやりたいわよ。信じられる？　一日に二回、鼻が曲がりそうなお香をたくのよ。いいの、あんたのルームメイトはあたしで決まりよ」

憂理はどすんとベッドに座った。

理瀬はあぜんとしていたが、目の前の少女に好感を持った。

「嬉しいわ、よろしくね、憂理」

憂理は急に照れたような表情になった。

「さっき部屋に入ってきた時はびっくりしたわよ、そこの窓から飛びおりちゃうんじゃないかって」

「やだ、そんな風に見えた？」

「うん、この部屋、前にも飛び下りた生徒がいるのよ。やっぱり転入してきた初日にね。ここ、角部屋で湿原が見えるでしょ。しかも、この世の終わりみたいな気の滅入る眺めと来た日には、気の弱い一年生が飛び下りても無理はないわね」

天井裏に隠されていた本。

理瀬は、さっきの板の上の重さを思い出した。まさか、その生徒が？

「——理瀬、ここに慣らされちゃ駄目よ」

憂理は真顔になって声を潜めた。

「え？」

「ここに慣らされて廃人になった奴がいっぱいいるのよ。そりゃあ、見た目は恵まれてる。勉強しようと思ったら何でも取り寄せてもらえる。あんたが胡弓《こきゅう》を習いたいと言ったら、明日にでも中国から先生を空輸してくれるわ。でもね、ここはやっぱり間違ってるわ。どこか歪んだ世界なのよ。何か奇妙なモノが棲んでる。取り込まれたら終わりだわ。もっとも、ここに子供を送り込んでくる連中は、子供がここから出てこないことを祈ってるんだけど。いい、理瀬、気をつけるのよ。ぬるま湯の中のカエルにならないことね」

どこからか、カラーンカラーンというゆるやかな鐘の音が聞こえてきた。

「あら、夕食の合図だわ。行きましょう、理瀬。ここの食事はまあまあよ。それだけが取り柄ね」

理瀬は急に肌寒さを感じた。それは、日が暮れてきたせいだけではあるまい。

彼女は旅館のTVで巨人阪神戦を見ている。

子供の頃は、プロ野球のせいで「刑事コロンボ」は見られなくなるし、他の番組も潰されるしでちっとも面白くなかったが、勤め人になってからなぜあんなにプロ野球が愛されているのか分かった。余計なことを考えずに済むし、画面に大した刺激もないし、流れているとなんとなく安心なのである。無責任に監督の采配や選手の選択をけなしていると、昼間の自分の無能を忘れられるという利点もある。

ゆっくり時間をかけて食事を済ませ、マーク・マクシェーンの「雨の午後の降霊術」を読んでいると、下げに来た仲居さんに松江城のライトアップをしているから見てはどうかと勧められた。

彼女はほろ酔い気分で外に出る。

松江の闇は濃かった。どこかに水の気配がした。

しかし、どこにも城の気配はない。漆黒の闇ばかりだ。

彼女は闇の中に一人ぽつんと立っている。

迷路のような図書館だった。

独立した図書館があるというのにも驚いたが、理瀬はその蔵書量に圧倒された。生徒数六百人足らずの学校にある蔵書とは思えない。

　天井までぎっしり詰まった古い本。海外のものも含む、最新の雑誌や新聞。美術関係の豪華本や、自然科学の資料も充実している。ここにいれば、飽きることはなさそうだ。

　理瀬は夢中になって、本の館の中を進んでいく。ところどころエアポケットのような場所に書見机が置いてあり、小さなライトも据え付けてある。そのうちお気に入りの場所を見つけて、入り浸ることにしよう。ここで多くの時間を過ごすことになりそうだ。

　歩いていくうちに、理瀬はキラッと光るものに気が付いた。

　鏡だ。本棚のところどころに菱形の鏡が掛かっている。

　なんでこんなにあちこちに鏡があるんだろう。

　理瀬は何気なく鏡を覗きこんだ。

　黒い瞳。

　理瀬はぎょっとした。

　鏡の中に、またあの少年がいた。

　黒い髪、黒い瞳、青白い端整な顔。理瀬の後ろの本棚の列からこちらを窺っている。

　理瀬は不意に怖くなった。

　誰だろう？　なぜあたしを見てるんだろう？

　理瀬は身体を縮めると、その場をそろそろと離れ始めた。

思わず早足になる。逃げなくては。本棚の向こうで黒い影が動いたような気がして、恐怖が破裂した。逃げろ。影につかまらないうちに。

古臭い本の群れ、群れ。迷路のような部屋が続く。

どしんと誰かにぶつかり、理瀬は小さく悲鳴を上げた。

「どうしたんだ、理瀬？　何泡食ってる」

ぶっきらぼうな声が頭上から降ってきた。

見上げると、鋭い黎二の目があった。なぜかホッとした。数冊の本を抱えている。村山槐多、室生犀星。こんなの読むの、この人が？　一瞬そんな考えが頭をよぎる。

「助けて！　変な人がいるの」

「まさか」

理瀬の真っ青な顔を見て、黎二は即座に判断した。

「こっちへ」

小さく囁くと、理瀬の手を取って小走りに動き始める。外に出るのかと思いきや、黎二は奥へ奥へと入って行く。百科事典の棚の奥に、小さな螺旋《らせん》階段があり、黎二はそこを素早く登って行く。

登ったところは、小さなスペースだった。細長い張り出し窓のそばに、半畳くらいのスペースが空いている。図書館の中に少しだけバルコニーが飛び出しており、欄干の隙間から下のフロアが見渡せた。二人はゆっくりと下を見下ろした。ひっそりと静まり返った館内。夥しい本棚の迷路に、人影はない。

「誰もいないぜ」

黎二が呟いた。

「そんな」

「どんな奴だった？」

「どんなって——男の子よ、あたしと同じくらいの。青白い顔で、黒髪が肩まであって」

黎二の目が動いた。考え込む表情になる。

「知ってるの？」

「いや。でも、まさか」

ぼそぼそと呟く。

「ここは何のスペースなの？」

理瀬は自分が座っているところを見回しながら尋ねた。

「さあね。デッドスペースだろ。俺の秘密の場所だから、誰にも言うなよ」

黎二は張り出し窓に寄り掛かり、足を欄干に上げた。

「どうもありがとう」

理瀬は恐る恐る礼を言った。

「早くここを出ることだな」

返ってきたのは、またしてもぶっきらぼうな声だった。

「憂理と同じこと言うのね」

「憂理？　ああ、あのおっかない奴か。あいつもマズイな。そのうち間引きされるかもしれない」

「間引き？」

「そう。この三月の国の趣旨に沿わない生徒は、いつのまにかいなくなる」

「まさか」

「本当さ。両親のところに帰ったとか、転校したとか言われてるけど、俺は信じない」

「いなくなるとどうなるの？　どこにいるの？」

「あんまり口に出したくないな、それは」

窓がガタガタ鳴った。風が強くなったらしい。相変わらずどんよりとした雲が空を流れている。二人は窓から外を眺める。

「ずっとこんな天気なのね」

「冬はね。でも、春から夏にかけては結構きれいだぜ。湿原に薄紫色の花がバーッと咲くんだ。ここは嫌いだけど、湿原の眺め自体はそんなに嫌いじゃないな」

「麗子って誰？」

黎二が一瞬たじろいだ。理瀬はまずいことをいったのかと慌てた。

「うちの『ファミリー』にいた子だ。去年の暮れにいなくなった」

「いなくなった？」

「ここは陸の孤島だ。俺たちはここからそう簡単には逃げられない」

「歩いて出ていけばよさそうに見えるけど」

「湿原を歩いたことあるか？」

「いいえ」

「見た目よりもずっと恐ろしいんだ。ここには無数の目がある」

「目？」

「水の溜まった深い穴だよ。つかまるところもないし、はまったら最後、まず出てこられない。目によっては二十メートルくらいの深さがあると言われているんだ。トラックでも車でも、いくらでも飲み込める」

「そんなに深いの」

理瀬はぞっとした。声もなく湿原に飲み込まれていく少女を連想する。

「俺は、この湿原には相当大勢の人間が沈んでると思うね」

「誰がそんなことを」

「さあ。それが分からないとこが不思議なんだ。みんなふっつりいなくなる。あとで教師からどこどこへ行きました、と言われておしまいさ。恐ろしいことに、みんないなくなることにだんだん慣れてくる。そのことを深く考えてみない」

理瀬は眼下に広がる湿原を気味悪そうに見下ろした。

「なぜ、二月に来るとたいへんなの?」

黎二が面白そうな目付きでこちらを見た。その目が茶色い、暖かみを帯びた色をしていることに気付いた。

「おとなしそうに見えて、意外と知りたがり屋だね」

「だって」

「この学校はね、三月しか生徒を受け入れないんだ」

「どういう意味?」

「入るのも三月。出るのも三月。それがここの決まりなのさ」

「どうして?」

「知るもんか。ただ、もしここに三月以外に入ってくる者があれば、そいつがこの学校を破滅に導くだろうと言われてるんだ」

「ええっ」

理瀬は思わず叫んだ。黎二は鼻で笑った。

「ただの言い伝えさ。気にするな」

ガタガタと風が窓ガラスを鳴らす。


今、私の目の前には一枚の絵がある。

何の変哲もない、普通のスケッチブックの一枚。

描きかけのデッサン画。小さな回転木馬。隅っこに小さな赤い染みがある。

これが何の染みかは、おいおい話をするつもりだ。その前に、私はこの絵を描いた男の話をしなければならない。この絵がなぜ描かれ、なぜ私の手元にあるのか、あなたに説明しなければならない。それは偶然だったのかもしれないし、もしかすると昔から定められていたのかもしれない。どこからあなたに話を始めるか、私は今少し迷っている。この話をするためには、ある一冊の本の話から始めなければならないからだ。


この書き出しはどうだろう。

なかなかいいかもしれない。第四章は一人称と決めているし。

ある謎めいた事件が縦糸。そして、ある一冊の本の運命（もちろん、『三月は深き紅の淵を』だ）が横糸。この二つを淡々と語る『私』の意識が、最後には今まで書いてきた三章全体（それはもちろん、「外側」の方だ）を包みこんでしまうような構成にできたら、効果があるかもしれない。全く独立したミステリーと見せかけて、今まで書いてきた部分を飲み込めるようにするにはどうすればいいだろうか。

まず、縦糸となる事件は？　回転木馬を巡る、ミステリー。殺人事件？　人間消失？　奇妙で気味の悪い事件がいい。横糸は、むろん『私』が「三月は深き紅の淵を」を書いているところ。作品の完成と事件が一見無関係と見せかけて徐々にからみあっていくというのはどうだ？　ただのミステリーにしてしまうと、話が小さくなってしまう。でも、一応ミステリーとして回転木馬の事件も解決させたい。何でも解決させたくなるのはミステリ・ファンの性《さが》である。

私は一人称の小説が苦手だ。書いていると、どうも居心地が悪い。主人公の性格になりきり、主人公だけの視点で動くのがつらくてたまらないのだ。独白としての登場人物になりきることはできても、話の枠組みとしての登場人物になりきるのが苦痛なのである。かつてモノ書きとしてデビューした頃、自分の日記と同時並行で、自分の日常生活を下敷きに、当時の自分を将来自分が書く小説の登場人物が訪れる小説というのをしばらく書いていた。日記を書くのとその小説を書くのとで毎日倍の時間がかかってしまうので途中で挫折したのだが、今読み返すと当時の状況が生々しく思い出されて面白い。将来それらの登場人物が出てくる小説を書いた時に読んだら面白いだろうなと思って書いていたのだから、私も暇人だ。いつか続きを書くこともあるだろう。

ガーデン・パーティは和《なご》やかに盛り上がっていた。久々に明るい青空がのぞき、気温も上昇している。理瀬は寛いだ気分になった。のどかな音楽が流れ、笑いさざめく少女たちの声が響く。

それにしても、立派なフランス式庭園だ。こんなところにこんな大きな庭園があるなんて。『青の丘』にはいったいどれくらいの庭があるんだろう。

この丘そのものが謎だった。あちこちに、不意に高い壁が現れるのだ。わざと方向感覚を狂わせようとしているとしか思えない曲りくねった道や、手入れを放棄したような繁みが点在している。丘の大きさに比べ、足を踏み入れることのできない空間が多いような気がする。

『薔薇の迷路』と名付けられたその生け垣は整然とした幾何学模様を描いていた。

これを上から見下ろせたら面白いだろうな。

パーティの空気に疲れた理瀬は、ぶらぶらと薔薇の生け垣の迷路へと歩いていった。まだ薔薇は半分も咲いていないが、気温が上がったせいか、華やかな香りがたちこめ始めている。

いい匂い。

理瀬は目を閉じて、白薔薇の香りをいっぱいに吸い込んだ。

ふと、理瀬は薔薇の壁に囲まれた道の奥に、何か白いものが飛び出していることに気が付いた。

なんだろ、あれ？

理瀬はけげんそうな表情で歩いていった。

それが目に入ると、理瀬は驚きのあまり息を飲んだ。

白い腕だった。血にまみれた白い手首が、薔薇の生け垣の中からだらんとぶら下がっているのだ。

「あ」

理瀬は両手で口を押さえた。

ざっ、という足音が生け垣の向こうに聞こえた。理瀬は動けなくなった。この壁の向こうに、誰かいる。こめかみから冷や汗が吹き出してきた。

すると、ざざっという音がして、血まみれの腕は生け垣の向こうに吸い込まれて見えなくなった。誰かが引っ張ったらしい。ずずっ、ずずっ、という何か重いものを引きずっていく音がする。

どうすればいいのだろう？

理瀬は金縛りになったように動けなかった。この向こうに誰かがいる。怪我をしている人と——あの細い指は女の子だ——恐らく、怪我をさせた人が。

薔薇の香りがますます匂いたつ。理瀬は突然息苦しくなった。

これは薔薇の匂い？　それとも血の？

生け垣から出ようと後ろを向いたとたん、あの少年が入ってくるのが見えた。

黒髪の少年。

なぜこんなところに。

理瀬はパニックに陥り、くるりと後ろを向いて駆け出した。薔薇の迷路の中心に向かって。理瀬は自分が間違いを犯したことに気付いていたが、あの少年に向かって走る勇気はなかった。少年もこちらに向かってくる。

薔薇の匂い、薔薇の壁、えんえんと続く緑の壁。どこをどう走ったのか分からない。

理瀬はいつしか奥深く入り込み、そしてすっかり迷っていた。壁は理瀬の背丈よりも高く、自分の場所を確認する術はない。

自分の心臓の音が全身を揺らす。荒い息遣いがますますパニックを助長する。

あの少年は今どこに？　それとも彼をつかまえて理由をただすべきなのか？

しかし、もうどちらが出口なのか分からなくなっていた。

ああ、馬鹿だ、あたし。あの時出ていればよかったのだ。悲鳴を上げればいいのだろうか？　誰か気がついてくれるだろうか？　憂理はあたしを探しに来てくれないかしら？

理瀬は耳を澄ましながら、じりじりと音を消して歩いていた。

空を鳥が舞っている。

ああ、今あたしがあそこにいて、ここを見下ろせたら。

すると、見る間に鳥が急降下してきた。黒い鳥。カラスだ。

ばささっ、と激しい音を立ててカラスが生け垣の向こうに飛び込むのが見える。

理瀬は恐る恐る次の生け垣の切れ目を曲がった。

今度こそ、悲鳴が迸《ほとばし》り出た。

そこは、庭園の中心だった。円形の涸れた噴水に、一人の少女が横たわっていた。血まみれの胸に、ナイフが突き刺さっている。ガラス玉のような目が宙を見つめている。蜘蛛の巣のように広がった血は水の代わりに噴水を濡らしていた。

カラスが少女の上に降り立ち、ちょんと少女の頭をつついた。

理瀬は後退りした。悲鳴を上げながら、生け垣の迷路の中をしゃにむに走っていく。

薔薇が。薔薇が追って来る。薔薇の香りがあたしを窒息させる。嘘だ、赤い血なんて見ていない。あたしが見たのは白い薔薇だけだ。カラスがついばんでいたのは何？　嘘よ、あたしはカラスなんて見ていない。あたしが見たのは萌《も》え立つような白い薔薇の花だけ。あの少女は誰？　名前も知らない少女。でも、見たことがある。あの、神経質な、ノイローゼ気味だった子だ。まだ幼い。

走って、走って、むちゃくちゃに走り回った。

「理瀬！　理瀬、どこなの？」

はっとした。憂理の声だ。意外と近いところで聞こえるのが心強かった。

「憂理！」

声を頼りに歩いていく。見覚えのある入り口が見える。

「どうしたの、理瀬？」

きょとんとした憂理の顔を見て、理瀬はへなへなと腰が抜けるのを感じた。


翌朝も快晴だった。今日も暑そうだ。

彼女は旅館からてくてく歩いて、一畑《いちばた》電鉄の駅に向かう。

駅のホームにすべりこんできた電車があまりに旧式なのに度肝を抜かれ、次に感動した。木製の電車なのである。床は板張りだし、窓も木製。木製の岡持《おかもち》の蓋を想像してもらえばよい。取っ手のついた木の板を上げ下げするのである。椅子も布張りの木製。彼女は嬉しくなって、一人座席でにやにやする。今風の新型車両も導入されているようだが、願わくば次回もこの電車に乗りたいものだ。

ごとごと風に吹かれてローカル線に揺られる気分はまた最高だ。

線路は宍道湖《しんじこ》べりを走っているため、景色も素晴らしい。

彼女の頭の中を、あぶくのようにさまざまな場面が浮かんでは消える。繰り返し浮かぶ場面もあれば、すっと横切るだけのものもある。いつも同じ場面が鮮やかに、時には一字一句違わぬ映像兼文章となってはっきり頭の中に聞こえてくることもある。書く時にはそれをそのまま書いていけばいいのだが、逆にこれがネックになることがある。あまりにその場面が強烈だと、その前後の場面との落差が激しくなって、つなぐのが難しくなってしまうのだ。

彼女が小説を書く時の方法は、大雑把《おおざっぱ》である。「こういう雰囲気で、読んだらこういう気分になるものが書きたい」というのがまず最初にあって、次に「この場面が書きたい」というのが幾つかあって、それを繋げていくというのを作業の中心としている。散らばっている場面から全体像を掘り起こしていくのが楽しみであるのと同時に、骨の折れる作業なのだ。全部が見通せると書いていてつまらない。しかし、ある程度進むと、今度は終点まで見通せないのが不安になる。書くことはいつも未知の世界だ。終りまで誰にも分からない。

彼女はぼんやりと風に吹かれている。

電車は、濃い緑の中を出雲へ向かっている。

「行ってみよう」

「そんな、憂理、まだ犯人が中にいるかもしれないよ」

庭に踏み込む憂理の背中に、理瀬は泣き声を出した。

「大丈夫よ。今ごろまでうろうろしてるわけないわ」

憂理はつかつかと庭の中に踏み込んでいく。理瀬はしぶしぶ彼女に従った。

毅然《きぜん》として歩いて行く憂理の後ろを歩いていると、あんなに気味悪くあんなに威圧的に見えた薔薇の生け垣が、たいしたことのないもののように感じられた。

憂理はためらわずに迷路の中心へと向かって行く。

「どうして迷わないの？」

理瀬は不思議そうに尋ねた。

「うん？　ああ、あれよ」

憂理は正面の丘の上にひときわ高くそびえ立つ三つの尖塔を顎でしゃくって示した。

「あの塔がどうかしたの？」

理瀬は三つの首を持つ竜のような古びた塔に目をやった。

「お化け煙突よ——知らない？　昔東京にあったやつ——四本の煙突が、見る位置によって二本に見えたり一本に見えたりしたんですって。それと同じよ。あの三本の塔の位置関係が変わらないように視界に入るように歩いて行けば、方向を間違わない」

「そんなものかしら。あたし、見ても分からないけど」

生まれつき方向感覚がいいのか、憂理はすたすたと緑の壁の中を歩いて行く。

あっさり中心に辿り着いた。

「あっ」

理瀬は声を上げた。

何もない。死体も、血も、何もない。水のない噴水がそこにあるだけ。

「そんな馬鹿な」

理瀬は噴水に駆け寄った。

「ここにあったのよ、ナイフの刺さった死体が。あの子よ、この間廊下で泣き叫んでた一年生の女の子。綿飴みたいな髪の」

憂理は何も言わない。理瀬に続いて噴水に近付いてきた。

乾いた噴水。血の跡も、それを洗った形跡もない。

理瀬は足元がぐにゃりと沈みこんでいくような気がした。

あたし、あたしどうかしちゃったんだろうか？　あれはあたしの幻覚だったのかしら？

「理瀬」

「憂理、信じて。嘘じゃないわ。あたし、絶対見たのよ。ここにほんの数分前まで倒れてたのよ」

「理瀬、見て。そこよ」

憂理は落ち着いた声で、噴水の反対側を指さした。

理瀬は憂理の指し示すところに目をやった。

砂の上に轍《わだち》が残っている。

轍は噴水の根元から出て、えんえんと続いている。

「台車――恐らく一輪車だわ。何か重いものを乗せて運んだんだわ。ほら、片方の轍は浅いでしょう。でも、こっちの轍はずっと深い」

憂理の目が鋭くなった。

二人は黙ったまま、轍の跡を追っていった。

くねくねと曲がりながら、轍はゆるやかに続いていた。

やがて、轍は迷路の隅の生け垣でとぎれている箇所に突き当たった。

「行き止まりだわ」

理瀬は背伸びをして生け垣の向こうを覗きこんだ。ここから先は、鬱蒼とした森が続いている。憂理はしばらく生け垣の中に手を突っ込んで何かを探していたが、「あった」と小さく声を上げた。よく見ると、巧妙に隠した、フェンスに樹木を絡めた小さな扉のノブが現れた。

「秘密の花園ね。鍵はどこ？」

憂理はヒュッと口笛を吹いた。ノブを回すが、鍵が掛かっていてがちゃがちゃさせても開かない。

彼女は出雲駅からバスに乗る。

全国どこでも見られるような風景である。田圃の中を走る道路。水を湛えた水路。白いヘルメットをかぶり、自転車に乗った中学生。郊外の四角い大型店、建売りの一戸建て。よく見るマークのガソリンスタンド。珍しい風景ではない。

しかし、彼女はいつもだまされているような気分になる。見せかけだけの都市、見せかけだけの町。本当の姿はこうではない。通りすがりの私になど素顔を見せるはずがない。どこかに本当の姿があるはずだ。見知らぬ声、見知らぬ顔、見知らぬ物語が。

彼女は、どこかに見えない世界の尻尾がはみだしているのではないかといつも気になる。どこかに本当の世界の切れ端が落ちてはいないかと、窓の外の風景に目を凝らす。今まで見つかったためしはないのだけれども。


金曜日の夕方、嵐が近付いていた。

『ファミリー』たちは退屈していた。

二週間に一度、『ファミリー』たちは集まることになっている。

丘の四方八方から、暗い荒野を渡ってきた風が狂おしく吹き上げてくる。

学生館の一室で、彼等は思い思いに寛いでいた。上空の方で、すごい勢いで雲が動いているのが分かる。時折ざあっと窓に雨がぶつかる。

彼等はその時間を『お約束の団欒《だんらん》』と呼んでいた。近況報告をしたあと、テーブルを囲み、一緒の時間を過ごさなければならないのだ。

俊市と薫は紙に書いた五目並べをやっている。だんだん熱中してきたらしく、ノートの上の碁盤はどんどん増えていく。光湖は雑誌に熱中し、寛と聖は最近読んだ翻訳ミステリの感想をぼそぼそ喋っていた。黎二は例によって、少し離れたところで「ユリシーズ」を読んでいる。理瀬は絵を描いていた。記憶を頼りに描いた、この学園の見取り図である。奇妙なことに、ここにはどこにも全体図が置かれていないのだ。

「理瀬、紅茶でも淹れない？　うちの祖母がクッキーを送ってくれたのよ」

光湖が雑誌を閉じて声を掛けた。理瀬は頷いて立ち上がった。

「――何かゲームしない？　たまにはさ」

俊市が伸びをしながらみんなの顔を見回した。

ちょうどみんなの気分がそういうタイミングだったのか、黎二を除いて乗ってきた。

「トランプでもする？　それともウノ？」

「聖、何か考えてよ。最近ヒットがないじゃん」

寛が促した。聖はゲームを考えるのがうまく、市販のボードゲームでもどんどんルールを変えてスリリングなものにしてしまうのだった。時にはよその『ファミリー』も巻き込んで、大騒ぎのゲーム大会にしてしまうこともあった。

「そうだなあ」

聖はしばらく考え込んでいたが、縁なし眼鏡の奥でちょっと悪戯っぽく笑った。

「じゃあ、たまには目の覚めるようなものをやるか。嵐の夜というのもお誂《あつら》え向きだ。みんなが告白するにはいい機会かもね。日頃なあなあで過ごしている我々に活を入れてみよう。七人というのはきわどい人数だね。ほんとはもうちょっと人数がいるといいんだけどね。場合によっては生々しすぎるからな」

「何なの？」

「随分思わせぶりじゃん」

マグカップを片手に、みんながテーブルに集まってくる。天井から下げられた照明で、六人の顔がオレンジ色に照らされる。

「黎二、来いよ。全員が参加しないと面白くないんだから」

聖が手招きすると、黎二も珍しく言われるままにテーブルに着いた。

「薫、碁石持ってきて。白黒一組でみんなに一個ずつ配って」

「なんだなんだ」

薫が部屋の隅の戸棚から碁石を持ってくる。

バタンとドアを開けて憂理が入ってきた。

「ねえ理瀬いる？　理瀬、ドライヤーどこにあるの？　ごめん、あたしの調子悪くてさ」

「おっ、ちょうどいいところに。憂理、ちょっと寄ってけよ。君には立会人やってもらいたいんだ」

聖が嬉しそうに憂理を呼び寄せる。

「立会人？　やだな」

憂理は顔をしかめた。

「まあまあ。ちょっと面白いかもしれないぜ」

それでも憂理は中に入ってきて座った。ちゃっかりクッキーもつまんでいる。

「それでは、まず手始めにみんな、これに一つずつ質問書いて。みんなに普段質問したいと思ってること」

「名前書くの？」

「書かなくていいよ」

「誰か個人に宛《あ》てたのでもいいの？」

「それは駄目。みんながイエス・ノーで答えられなくちゃ」

「ふうん。地味なゲームだな」

「それでどうすんの」

みんなぶつぶつ言いながらも、聖が配った単語カードにごそごそ文字を書き込んでいる。

「書いたらこの缶に入れて」

聖の差し出すクッキーの缶にみんながカードを入れる。

「光湖、そこの赤いタオル取って」

聖はタオルをテーブルの真ん中に置いた。ぐるりとみんなを見回す。

みんな、興味津々という表情で聖の顔を見つめている。憂理は少し椅子を引いて、一歩引いた位置からみんなを見ていた。

「みんな、今から憂理が質問を読むから、正直に答えるように。イエスが白い碁石、ノーが黒い碁石。自分の答の石を、このタオルの下に入れる。そしたら、憂理がタオルの下で碁石を混ぜて、タオルを取る」

淡々とルールを説明する聖の言葉に、みんなギョッとしたような表情になった。思わず互いに顔を見合わせる。聖はにやりと笑った。

「どうだ、地味だけど結構スリルがありそうだろう」

「面白そー、あたし、読む読む。うちの『ファミリー』でもやろうかな」

憂理が目を輝かせて、急に身を乗り出してきた。

「じゃあ、憂理、カード混ぜて読んでよ」

「OK」

憂理は缶の中から一枚のカードを取り出した。

「『私は他のファミリーに行きたい』」

どっと笑いが起きる。

「いきなりこれだよ」

「痛いとこ突いてきたねー」

「はい、みんな石入れて」

みんなは互いの顔を見ながら一人ずつ掌に隠した碁石をタオルの下に入れていく。

憂理が手を伸ばしてタオルの下で混ぜ、ぱっとタオルを取った。

黒が七つ。

おーっという歓声が上がる。「えらい」「駄目だよ、お世辞は」「最初だしね」口々に興奮した叫び声が起きる。聖が憂理に促す。

「次」

「『私は卒業するまでここにいないだろう』」

憂理がぶっきらぼうにカードを読み上げた。

素早い目配せが走ったような気がした。かしゃかしゃと碁石がタオルの下に入れられる。

みんながさりげなくタオルを注目しているのが分かる。何気なさを装っているが、実は真剣になっているのが伝わってくる。

タオルが除かれる。

白が三つ、黒が四つ。テーブルがざわざわとなった。

聖は表情を変えない。憂理がとまどったように聖の顔を見て、次のカードを取り出す。

「『黎二は理瀬が好き』」

今度はホッとしたような、明るい笑い声がはじけた。理瀬は思わず赤くなる。黎二の憮然とした目と視線がかちあい、慌ててそらす。

悪戯っぽい表情で勢いよく碁石が入れられる。タオルが取られる。

「あっ」

白が五つ、黒が二つ。

「誰だよ、この二つは」「お二人さん、素直になんなきゃだめよー」「分からないわよ、二人のどちらかが白かもしれないし、二人とも白かもしれないじゃない」

「はい、次」

はしゃぐみんなを遮るように、聖が憂理の顔を見た。

憂理が無表情に読み上げる。

「『ここを出ても私には迎えに来てくれる家族はいない』」

みんなが動揺した。そして、すぐさま動揺したのを打ち消した。理瀬もテーブルに目を落とした。ここでは、家族の話はタブーだった。ほとんどの子が、自分が疎《うと》まれている子供だという負い目を持っているからだ。皆、斜に構えたり強がりを言ったりしていても、家族に対して忸怩《じくじ》たる思いを持っている。

ためらいがちに碁石が入れられる。怯えた複数の目がタオルを見つめる。

白が二個、黒が五個。

彼等はその碁石に、一瞬にして自分たちの強がりとあきらめを見た。自分が不要な子供だと認めたくない。そんなはずはない。しかし、しょせん自分は捨てられた子供なのだ。二つの思いが碁石の上に交錯していた。

「次、いくね」

黙り込んでしまったテーブルを励ますように、憂理が次のカードを取り出した。

しかし、カードを見たまま凍り付いたような表情になる。

「憂理、読んで」

聖が乾いた声で促す。憂理は黙り込んだままだ。

「どうしたの、憂理？」

理瀬は不安そうな声で尋ねた。憂理の当惑した目がそれに応える。

「いいから、読んで」

聖が強く促す。みんなが固唾《かたず》を飲んで憂理を見守っている。憂理は口を開いた。

「――『この中に、麗子を殺した犯人がいる』」

その時、窓ガラスを激しく雨が叩いた。

八人がびくりと全身を震わせ、みんなの視線が一斉に窓に向いた。

「――すごい雨」

青ざめた顔で光湖が呟いた。

「やめようよ、こんな質問」

怯えた声で薫がみんなの顔を見回す。不安そうな表情が聖を見る。彼は相変わらず無表情だ。一人一人の顔を見つめ、ゆっくりと呟いた。

「いや、みんな、碁石を入れるんだ」

蛇に睨まれたような表情で、みんなはソロソロと碁石を入れていく。

最後の一人が入れて手を引っ込め、机の上に赤いタオルだけが残った。

気まずい沈黙が流れる。

ぴりぴりした緊張感を、凶暴な雨と風の音が逆撫でする。

決心したように憂理がさっとタオルを取った。

みんなの視線が机に釘付けになる。

白が一つ。黒が五つ。

「誰か、碁石を入れなかった奴がいるな」

聖が低く叫んだ。

のんびりと進むバスの前景に、豊かな緑が広がった。

彼女は、目の前にせりあがってくる緑の山の存在感を楽しんでいる。

柔らかな森が次々と近付いてくる。ゆったりとしたなだらかな山を覆う森が。
確かに、それは神々のすみかにふさわしかった。神々がごろりと寝転んで昼寝でもしているような姿に見えた。そして、同時に、彼女は海の気配を感じた。あの山の向こうにはきっと海があるはずだ。

回転木馬と、一冊の本。いったい何の関係があるかとあなたは言うかもしれない。しかし、先を急いではいけない。私はこの物語をゆっくりと進めるつもりだ。ねじのゆるんだオルゴールが、星屑のような最後の呟きを囁くように。傾けた皿からゆっくりとグレービーソースが流れ落ちるように。急かしてはいけない。私はあなたに理解してもらいたい。どのようにして私と彼がめぐりあい、糸をよりあわせるように引き寄せられていったのか。

この調子でどうだろう。これなら続けられそうだ。
ちんたらしすぎてるかな？　でも、キングだったらこんなもんじゃすまないからな。
ふと、窓を叩く雨音に気が付いた。
雨が降り始めたようだ。夜の雨は嫌いではない。
なんとか突破口を開いたようだ。私は少しだけホッとして、椅子の上で伸びをした。

こうやって少しずつ切り開いて行く。幾度こんな夜を過ごしただろう。幾度こんな夜を過ごすのだろう。

肩を揉み、積み重なった本の背表紙をぼんやりと眺める。

小豆色《あずきいろ》の背表紙が目に留まる。

本屋でその本を手にとった時のことは今でもはっきり思い出せる。

小学校五年の時だったと思う。棚に並んだたくさんの背表紙の中から、その小豆色の表紙が浮き上がって見えた。

どれか一冊買ってあげる、と母に言われてその本を選んだ時に、母が顔をしかめたのを覚えている。

それが、植草甚一の「雨降りだからミステリーでも勉強しよう」だった。

それは彼の読んだ翻訳小説の感想を集めた本で、特に面白い本だったとは思わない。植草甚一の文章は決して読み易いとは言えないし、アクが強くて入っていくのにちょっとしたコツがいる。

しかし、なぜかその本は強烈な印象を残した。本の中に、さまざまな匂いを嗅いだ。茫漠と広がる複雑な小説の世界の匂い。ニューヨークの片隅の本屋に積まれた、埃をかぶったペーパーバックの匂い。それが私にとって何かの地図となったことには間違いない。

そして、その中で紹介された夥しい数の本の中で、ひときわ印象に残っていた本が、ジョン・ファウルズの「コレクター」だった。ファウルズは、私が最も尊敬する作家の一人である。「コレクター」を読んだのは高校生になってからだったが、自分で読んだあとでも植草甚一が紹介していた文章を通してこの小説を思い出すほど、彼の紹介は印象に残っていた。

「コレクター」は、その名の通り蝶を収集していた地味で目立たない男が、密かに憧れていた女性をも『収集』しようとさらってくる話である。小説は、男の視点と女の視点で交互に描かれる。女は彼のコレクションとして自分がただの『モノ』になることに激しく抵抗する。女の抵抗に驚き、当惑する男。彼女が監禁されている間も、二人の関係は刻々と変化する。時には加害者と被害者が入れ替わり、時には共犯者になり、時には母子関係になる。その息詰まる葛藤にずるずると読まされ、話はクライマックスを迎える。

女は誘拐された時から風邪気味だったが、度重なる極限状況の緊張に徐々に体調を崩し、やがて高熱を発して寝込んでしまう。「雨降りだからミステリーでも勉強しよう」では、このところが短く紹介されている。夜の雨の中を、医者を求めて走っていく男。その映像と、高熱にうなされながらもどうにかこの状況から解放されたいと手段を模索する女のモノローグとが交錯する。

「コレクター」を思い浮かべると、いつも植草甚一に紹介されたここの場面が浮かんでくるのだ。それと同時に、あのモノクロームの、どこまでも続く小説の世界の入口に躊躇していた自分を。

彼女は啞然としている。

たどりつくまでのロケーションの神話的な雰囲気に比べ、出雲大社の中は驚くほど現実的な場所だった。まるで、東京のオフィス街を歩いているかのようなリアリティである。

しかし、よく考えれば当然のことだ。これだけの神話的空間を維持していくためには、相当な経営手腕を必要とされる。集金能力、統率能力、管理能力、権力に駆け引き。そこに信仰というものが加わったとしても、人手と金がかかることに変わりはあるまい。それは現代企業そのものだ。

ひととおり参拝して、厄除けのお守りを買って、彼女は神社を出る。

相変わらず、空気は蒸し暑い。

国道は、神々もぶっとぶ激しい交通量だ。ヒロイン達を歩かせるには、ちょっとうるさすぎるかもしれない。

しかし、国道をそれて一歩住宅地に踏み込むと、そこは明らかに神々の時代のテンポで時間が流れていた。めったに車も、人通りもない。二階建ての家もあまりない。黙々と古い瓦屋根の家が続く。音のない世界。

彼女は想像する。

ここで何かが起きるとしたら、何が起きるだろう。あの曲り角から何かが飛び出してくるとしたら、それは何だろう。

彼女はきょろきょろと辺りを見回す。

何も起きはしない。私ごとき一介の旅人に、この歴史の古い土地がぼろを出すはずがない。

そのことに密かな安心を覚えながら、彼女は暑さに逆らわぬようにゆっくりと歩いていく。

眠くなるような町並みの向こうに、灰色に光る水平線が見える。


私は子供の頃からメリー・ゴー・ラウンドが嫌いだった。子供心にも、はりぼての馬に乗ってくるくる同じところを回っているだけという行為がひどく屈辱的に思えたのである。いったい何が面白いというのだろう？　何が楽しいというのだろう？　あれに乗って、円の外で待っている家族を見る時の孤独。あの孤独はなんだったのだろう。家族は慈愛に満ちた瞳で遠くから私を見守っている。おまえは一人なんだよ、と。おまえを愛しているけれど、おまえは一人なんだよ、と。回転木馬に一人きりで乗っている子供たちは痛いほど孤独なのに、なぜみんな微笑んでいるのだろう。子供たちは、自分が家族に向かって微笑んでみせなければいけないことを本能的に知っている。自分が孤独に気付き始め、それがこれからの長い人生の伴侶であると気付いたことをみんなに示すために。

防波堤に腰掛けて、彼女はアイスココアの缶を開ける。

光の量が多い。眩しくて、とても目を開けていられない。

水平線は穏やかにまどろんでいた。

波打ち際で遊ぶ子供たち、サーフボードに興じる若者たち。

彼女はいつか、奈良や京都の小説を書いてみたいな、と思う。歴史小説でもなく、恋愛小説でもなく、トラベルミステリーでもない小説を。彼女は古典も歴史も苦手だった。そういう視点ではない、奇妙な物語を書いてみたいと思う。

日本は狭いけれど、まだまだ面白いところがある。それぞれの場所がいろんなものを隠している。彼女は子供の頃から幾つかの地方都市に暮らしてきたが、みんな違う雰囲気、違う表情を持っていた。表面上は共通のものを持ちながらも、したたかな別の顔を持っていた。

やはり、隠された世界、見知らぬ世界はいくらでもあるのだ。


憂理は暗い回廊を足音を立てないように歩いていく。

回廊のところどころに小さな照明がある以外、辺りは暗闇である。

月のない空だ。ぼうっとくすんだ空に、三つの尖塔が悪い夢のように浮かんでいる。

自分の影すらも見えない。

憂理は掌の中の手紙を握り締める。

これは、どう見ても麗子の字だ。麗子は湿原に沈められたのではなかったか。いったい誰がこんな悪戯をしてよこすというの？

憂理は神経を集中させ、自分に忍び寄るものがないか警戒しながら歩いていった。

丘は寝静まり、生き物の気配はなかった。

塔の上で一時に。

塔の上といえば、鐘楼のある真ん中の塔しか有り得ない。

細く長い螺旋階段の入口が、ぼうっと薄暗い照明に照らされていた。

憂理は一瞬その入口に立ちすくみ、上の方の気配を窺った。シーンと静まりかえったまま、何の音もしない。

憂理は暫く逡巡《しゅんじゅん》していたが、やがて勇気を振り絞って階段を登り始めた。

石段を百三十まで数えたところで、誰かが下から登ってくるのに気が付いた。

カツン、カツン、とゆっくり石段を登る音が近付いて来る。

夢じゃない。確かに誰かがやってくる。

憂理は壁に耳を当てた。

憂理は迷った。

どうすればいい？

憂理はその場に動けなくなった。金縛りにあったようだった。

足音はだんだん近付いて来る。

全身が冷や汗でびっしょりになる。

逃げなければ。

黒い影が階段の上に映った。

「あんたは」

憂理は思わず叫んだ。


回転木馬は回り続ける。見果てぬ夢を乗せて、軽やかに時空を超える。

私は、子供の頃から世界に漠然とした郷愁を覚えていた。

この世界が、時間的にも空間的にも永遠に循環しているという感触に、ずっと支配され続けていた。

それは誰の夢だったのだろう。色のついた眩暈。夕方四時から始まる「ローハイド」の再放送。日本アルプスの残照。

それは、私の夢。子供の頃からずっと見続けていた、過去へと還る旅。

これは、どういうことだろう？

理瀬はじっとしていられなくなって立ち上がった。

狭い部屋の天井が迫り、自分の影が壁に歪んだ形を作る。

机の上の赤い日記帳を振りかえる。

これは、ここではないか。

ぱらりと開いていたページがめくれた。

ハーブティーの香りがゆっくりと部屋に広がる。

これは、この世界ではないか。

理瀬は逃げ場を求めるように部屋を見回した。

これはなんだ？　『三月は深き紅の淵を』？

これは誰が書いた小説なのだろう。張出窓の天井に隠してあった小説——湿原に囲まれ、外界から孤立した奇妙な学園都市。伝説と企みに満ちた学園生活。背後に蠢く不気味な影。天使の像のそばに立ち尽くす黒ずくめの少年——これは、ここではないか。

この小説の最後はどうなるのだろう。日記帳に手を伸ばそうとしたが、それはやけに遠くに見えた。自分の手が二メートルも先にあるように見える。そんな馬鹿な、手が届かない。すぐそこに見えているのに。

理瀬は、自分は気分が悪いのだと気が付いた。

水。水が欲しい。喉が渇く。

理瀬はよろよろと部屋を出た。壁が伸びたり縮んだりする。天井がぐんぐん遠ざかったり、頭の上まで近付いたりする。

憂理はどこ？　夕べから帰ってこない。

理瀬は必死に階段を降り、食堂へと向かった。もう昼食の時間のはずなのに、なぜこんなに静まり返っているのだろう。

悪寒と戦いながらも、理瀬は異変に気付いた。

バーンと音を立てて食堂の扉を開ける。

一瞬、何かの饐《す》えた匂いがした。

何の匂い？

しんと静まり返った食堂。無人ではない。大勢の人がいる。

しかし、動く者はない。

足に何かが触れる。理瀬は足元を見下ろした。

目を見開いた顔がこちらを見上げている。

理瀬は「ひっ」と声を上げて飛びのいた。食堂のドアに背中がぶつかる。

理瀬はそこで初めて、この部屋で生きているのが自分だけだということに気が付いた。

食堂で、たくさんの人間が死んでいた。食べかけの食事が散乱している。

机の上で突っ伏している者、床に倒れている者。口から血を流し、苦痛に歪めた表情を張り付けたまま。

理瀬は声にならない悲鳴を上げた。ただひたすら悲鳴を上げ続けた。食堂を出たいのだが、足が動かない。逃げようとする上半身に足がついていかず、理瀬はその場にもんどりうって倒れた。

足に倒れている生徒の髪の毛が触れた。理瀬は金切り声を上げて食堂から這い出した。廊下の壁に背中を付けて、しゃくりあげる。

みんなどこにいるの？　憂理は？　黎二は？

その時、理瀬は廊下の反対側に誰かがいるのに気が付いた。こわごわそちらに目を向ける。

そこには、数十人の生徒たちが固まって立っていた。じっと理瀬を見つめている。

青ざめた顔、血走った目。怒りと恐怖に満ちた目。

理瀬は涙を拭いながら、ようやくその殺気が自分に向けられていることを感じとった。

何が起きているの？

「――あんたが」

真ん中にいた少女が口火を切った。

「あんたが、ここに来てからよ。忌まわしいことが続いて起きるようになったのは」

それを合図に怒号が溢れた。一気に燃え上がった怨詛《えんそ》のエネルギーが、理瀬という標的を得て凄まじい勢いで噴きだしてくる。

「そうよ。あんたが二月にここに来たからよ」

「誰だ、おまえ」

「何しにきたんだ」

「出ていけ」

「追い出しちまえ」

「殺せ」

「コロセ、コロセ」

理瀬は押し寄せて来る生徒たちを糸の切れた人形のような顔で見つめていた。


ようやく太陽は西に傾き始めていた。

彼女は重い足を引きずりながら、坂道を降りていた。全身汗でびっしょりである。

歩きに歩いた一日だった。出雲で待っている帰りの夜行列車に乗り込む時間が迫っていた。来る時はJR出雲駅からバスに乗ったが、帰りは一畑電鉄の出雲大社駅から電車に乗ることにする。

面白い旅だった。いろんなものが自分の中に見られた。これで、予定していた第二章もなんとか書くことができそうだ。

帽子を取ると、髪の毛がべったりと頭に貼りついていた。

大鳥居のある坂道の途中にある出雲大社前駅は、一見教会のような建物だ。天井が高く、ステンドグラスのはまった窓があるレトロな駅舎である。

やれやれ、やっと日陰に入れる。

彼女はホッと溜め息をつく。

足を踏み入れると、待合室は逆光のために一瞬闇になった。

目が慣れてくると、木の長椅子に数人の客が腰掛けているのが分かる。

ひんやりとした空気に救われたような気分になる。

ふと、大きな鞄が目に入った。

長椅子の脇に、さりげなく置かれている。

彼女は訝《いぶか》しげな表情になる。どこかで見たような。

帽子で顔をあおぎながら、彼女は鞄の持ち主を探した。

顔を上げると、薄暗い待合室の中に、一人の男が座っていた。

時間が止まったような気がした。

彼女はまじまじとその男を見つめる。

その男は、こちらに背を向けて座っていた。柔らかな、つばの広い帽子をかぶって。

馬鹿な。

背中の汗がいっぺんに冷たくなった。どきんどきんと心臓の鼓動が大きくなる。

こんな。こんなことが。

彼女は自分でも気付かないうちに、一歩一歩その男に近付いていった。

声が出ない。

男の顔は陰になっている。彼はじっとそこに座っている。

男は一度もこちらを振り返っていない。しかし、彼は彼女の存在に気が付いていた。

帽子の下の顎の線が見えた。男はゆっくりと顔を上げる。柔らかな口髭。そして、帽子の下から物静かな表情の義眼が彼女を見上げた。

「やあ」

男は小さく会釈した。

「では、行こうか」


一面の草の海。これは私の夢。

太陽は大きく傾いている。

人はいない。無人の青い稲の海が、どこまでも一直線に続く。

風はその上を渡る。灰色の影が、青い海の上に模様を作る。

幼い記憶の中で、こんな風景の中で電車が立ち往生したことがあった。

一面の稲穂の海の真ん中で、電車は止まった。窓も、扉も、開け放たれていた。

私は座席から立ち上がり、開いている扉から外を見た。

明るい午後だった。世界は光と静寂に包まれていた。

あの時、私は一人だった。一人きりだった。

青い海はどこまでも続いていた。私はふと、初めてその可能性に思い当たった。

ひょっとして、世界はどこまでも続いているのだろうか？

それは、その時まで考えたこともなかったことだった。

ひょっとして、あたしが今見えるところよりも、ずっとずっと先まで世界は続いているのだろうか？

白い風が青い海原を渡り、ざわざわとさざなみが遠ざかってゆく。

もしかして、あたしが今ここにいなくても、この世界はいつまでもこうしてここにあるのだろうか？


巨大な太陽が沈もうとしていた。

赤い、鈍くにじんだ太陽が湿原に沈む。

理瀬は朦朧《もうろう》とした意識で、少しずつその太陽に向かって進んで行く。

後ろからは背中に刺さるような罵倒が浴びせかけられる。

今日の太陽はなんて大きいんだろう。世界の全てを焼き尽くしてしまいそうだ。

ビシャッ、と腕に何かが当たった。肩や頭にも冷たいものが当たる。みんなが泥を投げているのだ。

足がずぶりと泥に沈んだ。靴の中に生温い水がしみこんでくる。

理瀬はよろりとバランスを崩し、つかの間その場に立ち止まった。

「馬鹿野郎、立ち止まるんじゃない」

「進め、進め。止まるな」

「さっさと行けよぉ」

たちまち怒号が起きる。

理瀬はよろよろと身体を起こした。

目の前に、視界に入り切らない荒野が広がっている。

湿原に溜まっている水の表面に、赤い太陽が映っていた。

美しい。今初めて、この湿原を美しいと思う。

どこまで行けるだろうか？　立ち止まること、引き返すことは許されない。どこに目があるのだろう。どこであたしは太陽に飲み込まれるのだろう。

今度は膝まで沈んだ。理瀬は泥の中に倒れこむ。泥は暖かかった。そのまま眠ってしまいそうになる。ビシャッ、ビシャッ、と後ろから歩いて来る音がする。ずしん、と背中を衝撃が襲う。背中を蹴られたのだ。顔から泥に突っ込み、理瀬は柔らかい泥に手をついて顔を上げた。口に酸っぱい味がした。

「止まるな！　そのまま這って進むんだ」

目の中が真っ赤になる。巨大な太陽が。

その時、ざわざわとどこか異質なざわめきが聞こえてきた。

なんだろう。あたしはまだ飲み込まれていないのかしら？

悲鳴が聞こえる。

理瀬は、もはや自分に注意が集まっていないことに気が付いた。

のろのろと後ろを振り返る。

生徒たちが上を指差し、ばらばらと蜘蛛の子を散らしたように駆けていくのが見えた。

何が起きたんだろう？　理瀬は顔を上げた。

炎が上がっていた。

『青の丘』が燃えている。耳を澄ますと、ぱちぱちという音が聞こえるような気がした。

「理瀬！」

駆けていく生徒たちと逆流するように、誰かがこちらに駆けてくる。

「理瀬！　大丈夫か」

黎二が血相を変えて駆けてきた。たちまち泥を跳ね上げて理瀬に近付き、腕をつかんで助け起こす。

「あたしは大丈夫。何が起きてるの？」

理瀬は顔の泥を拭いながら黎二につかまって立ち上がった。二人で丘の上の炎を見上げる。

「分からない。誰かが森に火を放ったらしい。走れるか？　湿原は抜けられない。危険だけど校舎を抜けていくしか」

「分かったわ」

二人は小走りに丘を抜ける道を目指し始めた。


目を閉じれば、懐かしい記憶が蘇る。これも私の夢。

夕暮れの野原の真ん中を歩いていく記憶。オレンジ色の光の中を、私はいつまでも歩いていく。隣には誰かがいる。あれは、誰だったろう？

冬の晴天。木造家屋の二階から、庭に咲く白い梅の花を見下ろす記憶。

あの時も、隣に誰かいた。あれは、別の人だったのだろうか？

いくつもの記憶。世界は循環する。歴史も、空間も。回り続ける世界の隙間に紛れこんでいく。私もいつか、記憶の中の世界へ還ってゆく。

通勤の道の途中に、一人食べる夕飯の茶碗の中に、映画館から出た寒い帰り道の地下鉄の入口に、ふと忘れていた懐かしい人影が見えるような気がする。

どうすればいいのだろう。私はそこに何を見つければいいのだろう。

暖かい闇の中で、私は目を閉じて考える。


黎二が、噴水からバケツの水をかぶせて泥を流してくれ、自分も水をかぶると、二人は煙の立ち込めた回廊を走り始めた。

理瀬はハッとした。日記帳。

理瀬が立ち止まったのに気付き、黎二がいらいらした顔で見た。

「あたし、部屋に戻らなきゃ。あれだけは取ってこないと」

「馬鹿、命とどっちが大事なんだ。燃えてるのは一ヵ所だけじゃないんだぞ。風でどんどん飛び火してる。火がなくとも、煙に巻かれたらおしまいだ」

黎二が叫んだ。しかし、理瀬はどうしてもあの日記帳を取りに戻るつもりだった。

「分かった、俺が取ってくる。お前の部屋を教えろ」

「いや、一緒に行く」

「駄目だ」

「でも」

押し問答をしながら、理瀬は黎二の肩越しに見えたものにハッとした。

「あ、あれ」

理瀬の視線に気付き、黎二も振り向く。

「あいつは」

回廊の向こうに、彼が立っていた。

黒い髪、黒い瞳。制服を着た少年が煙に包まれた尖塔を背に立っている。

それはまるで少年自身から炎が燃えたっているようだった。

「——麗子」

黎二がポツリと呟いた。

理瀬は耳を疑った。あれが麗子？　どう見ても、少年ではないか？

問い掛けるように理瀬は黎二を見上げる。

「麗子、生きてたんだな」

黎二がその少年に向かって歩み出そうとした時、少年は胸から何かを取り出した。

鈍く光るナイフ。

黎二と理瀬はハッとした。少年の目には、尋常ではない光が宿っている。

「麗子、おまえ」

「——駄目！　駄目よ、麗子！　黎二よ、あなたが好きだった黎二。忘れたの？」

誰かが庭を突っ切ってくる。

「憂理」

理瀬が叫んだ。

憂理がこちらを振り返る。一瞬、それまで見せたことのない、あまりにも切ない、淋しげな笑顔が憂理の顔に浮かび、理瀬は胸のどこかがぎゅうっと苦しくなった。

「理瀬。あたし、あなたに忠告したのに。あたしの方が先に飲み込まれてしまったわ」

憂理は自虐的な笑みを浮かべて、少年の隣に立った。

「その子は——女の子なの？」

理瀬は我ながら間の抜けた質問だと思ったが、そう訊かずにはいられなかった。

「この子は——麗子は、男の子として育てられたの。一人息子を亡くした金持ち女が、よそからひきとった麗子を息子の代わりとして育てたの。なんて身勝手で残酷なヤツ。麗子もずっと自分が男だと思っていたそうよ。それからずっとこの格好」

憂理は愛情を込めて少年の——麗子の肩に手を掛けた。とても優しいしぐさだった。

憂理は彼女に恋しているのだ。理瀬は気付いた。

しかし、麗子は何の反応も見せなかった。憂理の顔すら、見分けがついていないようだ。

「あたしは、彼女を愛していた——少年としての彼女ではなく、彼女として。あたしは彼女を追ってここに来たの。できれば連れ戻したいと思っていたけれど、もう遅かった。麗子はこの国の人になってしまっていたわ——しかも彼女は、麗子として彼を好きになってしまったから」

憂理は黎二に目をやった。黎二は目を伏せた。

「俺は——俺も——」

小さく呟く。

憂理は薄く笑った。

「黎二も麗子が好きだったのよね？　でも、あなたは少年としての彼女が好きだったのよ。麗子はそのことに気付いていた。麗子は少女の気持ちであなたを好きだったのに、あなたはそうじゃなかった。そのことがだんだん麗子を引き裂いていった」

憂理は手を上げた。

「あっ」

赤い日記帳が握られている。

「あたしがあんたの部屋に押しかけたのは、これが目的だった。あの部屋は麗子が住んでいた部屋だったから。彼女がバランスを失い始めて、自分の手を血に染めだした時から何かの記録を付けているというのは分かっていたの。なんとかそれを回収しなくちゃと思った」

ばきばきばきという大きな音がして、尖塔が崩れ落ちるのが見えた。

いつのまにか、炎が迫っている。

「分かったわ、憂理。とにかく早く逃げましょう。ここは危ないわ」

理瀬は必死に叫んだ。憂理が何かあきらめたような表情をしているのが気になった。

「火をつけたのはあたし——ここには隠されたたくさんの庭がある——阿片を作るケシや、毒を採る植物のね。地下には、阿片で廃人になった生徒がいっぱい閉じ込められてるわ。金をたんまり払った親から出さないでと頼まれていた生徒たちが。あたしももう手を汚してしまったの——あたしは庭に放った火で彼等を焼き殺してしまった——」

憂理は両手を見下ろした。

突然、麗子が笑った。花のような、無邪気な笑みを浮かべ、憂理に抱き付く。

憂理が呻き声を漏らした。

麗子の手に握られたナイフが、彼女の背中に刺さっている。

「憂理！」

理瀬は悲鳴を上げた。

「来ないで！」

憂理が近付こうとする理瀬を制した。理瀬はビクッとする。

こちらを睨み付けていた憂理の表情がフッと穏やかになる。

「あんたはここを出て行くのよ。あんたは卒業するの、この三月の国を」

見る間に、憂理の足元に血溜まりができていく。

「黎二、理瀬を頼むわ。あたしは麗子と行く」

苦痛に顔を歪めながら、憂理は麗子を抱えてよろよろと庭に向かって歩き出した。麗子は赤ん坊のようなあどけない笑顔を浮かべながら憂理に寄り添って歩き始める。

「憂理！」

「理瀬、そっちに行っちゃ駄目だ」

乾いた声で黎二が理瀬を押さえ付けた。

「でも、憂理が」

泣きながら身をよじる理瀬を、黎二は歯を食いしばりながら引っ張って行く。

煙の中に立っている憂理が、よろりとこちらを振り返った。

「――理瀬、あたしには分からないの。これはひょっとして麗子の世界じゃないかしら。あたしたちは本当にここにいるのかしら？　あたしたちは麗子の作った、この赤い日記帳の世界に生きてるんじゃないかしら――理瀬、もしかするとあたしたちはまたどこかで会えるかもしれない――また別の世界で――別の三月の国で――」

それが本当に憂理の台詞だったのかはよく分からなかった。おしまいの部分は、直接誰かが理瀬の頭の中に話しかけてきたような気がした。

憂理と麗子はもう白い煙に包まれた森の中へと消えていってしまっていたからだ。

それは誰の台詞だったのだろう。

あちこちで炎が猛威を振るっていた。全てが燃え落ちていく。

理瀬は全てを目に焼き付けたかった。この奇妙な世界が崩壊していく過程を。自らの少女の季節の終りを。それは黎二も同じだったろう。

最後まで残っていた尖塔が音を立てて崩れ落ち始めた。

炎と煙が、丘に残っているものを何もかも飲み込んでゆく。


今、私はある四部作の小説を書き始めようとしている。

ずっと昔から夢見ていた小説。いつか書いてみたかった小説。私の大好きなロレンス・ダレルの「アレキサンドリア・カルテット」のような四部作。

それは永遠の夢だ。本を閉じたあとも本の外に地平線が広がり、どこまでも風が吹き渡るような話。目を閉じれば、モザイクのようなきらきらした断片が残像のように脳裏に蘇る話。愛と人生の謎が秘められた、持った瞬間にずしりとした重さを感じる果実のような物語。

その四部作のタイトルはこうだ。

「三月は深き紅の淵を」。

それは、こんなふうに始まる――


森は生きている、というのは嘘だ。

いや、嘘というよりも、正しくない、と言うべきだろう。

森は死者でいっぱいだ。森を見た瞬間に押し寄せる何やらざわざわした感触は、死者たちの呟きなのだ。

森の中には、生者と死者とが混在している。足元には死者が堆積し、木々の梢からは赤ん坊の笑い声が降る。森の中にはあらゆる時間が流れ——澱み——渦を巻き——時に逆流を繰り返し、常に攪拌《かくはん》されている。夥しい死者たち。すなわち、気の遠くなるような時間の蓄積を目の当たりにして、我々は森に圧倒され、畏怖を覚えるのだ。

遠くから初めてその森を目にした時、室田《むろた》利枝子《りえこ》は古くからある一枚のだまし絵を思い出した。あの、横向きの女が若い女に見えるか老婆に見えるかという御馴染みの絵だが、あたかもミレーの絵のごとく深い闇を内蔵している森の塊が視界に入った瞬間、自分の内側に長い間沈んでいたものが思いがけないスピードでシチューの灰汁《あく》のように一気に浮かび上がって気味の悪い模様を描いた。

それは、今回の奇妙な旅——それを、彰彦《あきひこ》は『安楽椅子探偵紀行』と名付けていたが——が、四人の過去に澱《おり》のように沈んでいたものを浮かび上がらせることになる予感を不穏にくすぶらせていたのである。

そう、これが四部作の幕開けを告げる第一部の始まり。

この第一部のタイトルを、デューク・エリントンの名曲から取ってこう名付けよう。「黒と茶の幻想」と。

さあ。

この書き出しは、どうだろう？

解説

皆川博子

〈時〉というものは、いつから始まったのか。決して答は出ない問いだ。〈時〉は、いつまで続くのだろう。その問いも、同様だ。無限という答は、何も答えないに等しい。無限の前に立ちすくみ、答のない問いを発しているのだから。

だれでも、一度ならず考えるのではないだろうか。長じるにしたがい、答が出ないとわかっていることにこだわるのは馬鹿馬鹿しいと、そのせつない問いは日常の暮らしから排除されてしまう。日常が、得体の知れない〈時〉のなかに在ることも、生活者の意識から追い払われる。

眠りから醒めて身仕舞いをして朝食をとって……決まりきった日常が繰り返される。でも、それが、本当の相《すがた》なのだろうか。

日常の、ある一点——刹那と呼ぼうか——が、ふとしたはずみに破れると、皮がくるりとめくれて、混沌と深い無辺在の、不可視の湖——永遠と呼ぼうか——が顕れる。時間は、そのとき、無窮の空間と同義語になる。

それを視た者がどういう感覚にとらわれるか。

恩田さんの作品に、しばしばキーワードのごとく現れるのが、「懐かしさ」あるいは「ノスタルジア」という言葉である。「ノスタルジア」をそのままタイトルとした短編すらある。

本作『三月は深き紅の淵を』第四章にも、書かれている。

「彼女にとって、重要な、極めて個人的なテーマは、ずばり『ノスタルジア』である。（略）彼女は幼いころから世界というものに対して漠然とした郷愁を抱いていた。郷愁という言葉が誤解を招くのならば、世界というものがぐるぐると大きな円を描いて、時間的にも空間的にも循環しているという感触である」（本書343ページ）

恩田陸さんは、私生活を作品に投影させることのほとんどない作家だが、この章においては、例外的に自らを語っておられる。それゆえ、彼女という人称で書かれたこの郷愁の感覚は、恩田さん自身のものとみなしてよいだろう。

郷愁。ノスタルジア。恩田さんがこの言葉を使うとき、それは老いたものが過ぎた日をなつかしむ懐旧の思いとは性質が異なる。現実に体験してはいないのに、懐かしい。

「心地よく切ないものであると同時に、同じくらいの忌まわしさにも満ち」（本書343ページ）ているそれこそが、永遠とも無限とも呼ばれる〈時〉であろう。人はそれより生まれ出て、それに還る。人の時間でいう過去も現在も未来も、すべて、そこに在る。それを視る力を恩田陸は持ち、そうしてさらに、その感覚を、物語として私たちに伝える力をも持っているのである。

『六番目の小夜子』という小さい文庫本を手にしたのは、一九九二年の夏だった。おびただしい新刊書がならぶなかで、ファンタジーノベル大賞の最終候補作ということも知らずその本を選び取ったのは、タイトルに惹かれたゆえであった。

作者の経歴も作品に関する情報も知らず、世評で先入観を与えられる前に、まず作品の魅力に触れることができるのは、読み手にとって、こよなく幸せなことだ。

近頃のように情報が発達していなかったおかげで――あるいは、私が情報に疎いのか――幾つかの作品と、こういう幸せな出会いを重ねてきている。うむをいわさず虜にしてくれたのは、ここ三十年ほどでいえば、澁澤龍彦の『犬狼都市』であり、中井英夫の『虚無への供物』であり、赤江瀑の『獣林寺妖変』であった。ドノソもグラックもシュルツも、書店でゆきずりの一目惚れであった。最近では、古川日出男の『13』がある。

恩田陸の『六番目の小夜子』もまた、一目惚れの相手の一人であった。

その後、『球形の季節』『不安な童話』と、最初はゆっくりしたペースで刊行されてきた。大がかりな宣伝も広告もないのに、作品の魅力によって、〈恩田陸〉は、本好きの人々のあいだにじわじわと浸透した。

炯眼の編集者が見逃すわけはなく、ミステリ季刊誌『メフィスト』に、この『三月は深き紅の淵を』が連載された。

連載中から、ミステリ好きの読者を熱くさせる作品であった。単行本としてまとめられ、恩田陸は、よりいっそう多くの人に愛されるようになった。

それまで、勤めていた会社をやめ、執筆に専念することにしたとたん、堰が切れて迸る奔流の勢いで、恩田陸の作品は数を増した。

多作すればするほど、恩田陸は、作品の幅をひろげ、深みを増す。内部にどれだけの鉱脈を持っているのかと、賛嘆する。

恩田陸さんは、多読の人でもある。もちろん、多く読んだからといって、だれもが多くの佳作秀作を書けるわけではないが、恩田さんの場合は、幼いときから今に至るまで読みつづけた数多の本から得たものが、内部で豊かに醸成され、作品の土壌となっていると思われる。それをあらわす言葉を、本書から引用しよう。

「いいものを読むことは書くことよ。うんといい小説を読むとね、行間の奥の方に、自分がいつか書くはずのもう一つの小説が見えるような気がすることってない？」（本書161ページ）

読者は、これ以上の予備知識は持たないで、本編を読まれたほうが興趣は深いと思うのだが、恩田陸の本にはじめて接するという読者にいささかの手掛かりを記すのも小文の役目であろうから、蛇足を加える。

《三月は深き紅の淵を》

なんという魅力のあるタイトルだろう。読みたいと切望しない本好きはいないだろう。私も読みたい。でも、その願いは叶えられない。存在をほのめかされながら、決して読むことのできない幻の本《三月は深き紅の淵を》について書かれたのが、本作『三月は深き紅の淵を』である。

四つの独立した中編が、幻の本を絆にゆるく結び合わされるという構成である。第一章は、幻の本探しである。風変わりな趣向の三月のお茶会（アリスのような……）に招かれた主人公が、本が家のどこに隠されているか、推理することを求められ……。第二章では、幻の本の作者を求めて、出雲におもむく二人の女性編集者が……とまで明かして、小文の筆者は消えよう。

「あたしさあ、子供の頃、本読んでても、誰々作、って意味がわからなかったの。本に作者ってものがいるってことに気付かなかったのね」（本書161ページ）

本と読者が緊密に結びつくとき、ときには作者さえ物語の向こうに溶け消える。まして、野暮な解説はここで溶暗。溶明したとき、物語がはじまる。

本書は一九九七年七月、小社より単行本として刊行されました。

|著者| 恩田 陸　1964年宮城県生まれ。第３回日本ファンタジーノベル大賞最終候補作となった『六番目の小夜子』で'92年にデビュー。2005年『夜のピクニック』で第26回吉川英治文学新人賞と第２回本屋大賞、'06年『ユージニア』で第59回日本推理作家協会賞長編および連作短編集部門、'07年『中庭の出来事』で第20回山本周五郎賞、'17年『蜜蜂と遠雷』で第156回直木賞と第14回本屋大賞をそれぞれ受賞。ミステリー、ホラー、SF、ファンタジーなど、あらゆるジャンルで活躍し、物語の圧倒的な魅力を読む者に与えてくれる。

三月《さんがつ》は深《ふか》き紅《くれない》の淵《ふち》を

恩田《おんだ》 陸《りく》

2001年７月15日第１刷発行
2024年７月23日第42刷発行

発行者――森田浩章
発行所――株式会社　講談社
東京都文京区音羽2-12-21　〒112-8001
電話　出版（03）5395-3510
　　　販売（03）5395-5817
　　　業務（03）5395-3615

Printed in Japan

講談社文庫
定価はカバーに
表示してあります

KODANSHA

デザイン―菊地信義
製版―――大日本印刷株式会社
印刷―――株式会社KPSプロダクツ
製本―――株式会社国宝社

ISBN4-06-264880-6

講談社文庫刊行の辞

二十一世紀の到来を目睫に望みながら、われわれはいま、人類史上かつて例を見ない巨大な転換期をむかえようとしている。

世界も、日本も、激動の予兆に対する期待とおののきを内に蔵して、未知の時代に歩み入ろうとしている。このときにあたり、創業の人野間清治の「ナショナル・エデュケイター」への志を現代に甦らせようと意図して、われわれはここに古今の文芸作品はいうまでもなく、ひろく人文・社会・自然の諸科学から東西の名著を網羅する、新しい綜合文庫の発刊を決意した。

激動の転換期はまた断絶の時代である。われわれは戦後二十五年間の出版文化のありかたへの深い反省をこめて、この断絶の時代にあえて人間的な持続を求めようとする。いたずらに浮薄な商業主義のあだ花を追い求めることなく、長期にわたって良書に生命をあたえようとつとめるところにしか、今後の出版文化の真の繁栄はあり得ないと信じるからである。

同時にわれわれはこの綜合文庫の刊行を通じて、人文・社会・自然の諸科学が、結局人間の学にほかならないことを立証しようと願っている。かつて知識とは、「汝自身を知る」ことにつきていた。現代社会の瑣末な情報の氾濫のなかから、力強い知識の源泉を掘り起し、技術文明のただなかに、生きた人間の姿を復活させること。それこそわれわれの切なる希求である。

われわれは権威に盲従せず、俗流に媚びることなく、渾然一体となって日本の「草の根」をかたちづくる若く新しい世代の人々に、心をこめてこの新しい綜合文庫をおくり届けたい。それは知識の泉であるとともに感受性のふるさとであり、もっとも有機的に組織され、社会に開かれた万人のための大学をめざしている。大方の支援と協力を衷心より切望してやまない。

一九七一年七月

野間省一

大倉崇裕 ペンギンを愛した容疑者〈警視庁いきもの係〉
大倉崇裕 クジャクを愛した容疑者〈警視庁いきもの係〉
大倉崇裕 アロワナを愛した容疑者〈警視庁いきもの係〉
大鹿靖明 メルトダウン〈ドキュメント福島第一原発事故〉
荻原 浩 砂の王国 (上)(下)
荻原 浩 家族写真
小野正嗣 九年前の祈り
大友信彦 オールブラックスが強い理由〈世界最強チーム勝利のメソッド〉
乙一 銃とチョコレート
織守《おりがみ》きょうや 霊感検定
織守きょうや 霊感検定〈心霊アイドルの憂鬱〉
織守きょうや 霊感検定〈春にして君を離れ〉
織守きょうや 少女は鳥籠《とりかご》で眠らない
おーなり由子 きれいな色とことば
岡崎琢磨 病弱探偵〈謎は彼女の特効薬〉
小野寺史宜《ふみのり》 その愛の程度
小野寺史宜 近いはずの人
小野寺史宜 それ自体が奇跡
小野寺史宜 縁《ゆかり》

小野寺史宜 とにもかくにもごはん
大崎 梢 横濱エトランゼ
大崎 梢 バスクル新宿
太田哲雄 アマゾンの料理人〈世界一の"美味しい"を探して僕が行き着いた場所〉
小竹正人 空に住む
岡本さとる 駕籠《かご》屋《や》春秋 新三《しんざ》と太十《たじゅう》
岡本さとる 質屋の娘〈駕籠屋春秋 新三と太十〉
岡本さとる 雨やどり〈駕籠屋春秋 新三と太十〉
岡崎大五 食べるぞ!世界の地元メシ
荻上直子 川っぺりムコリッタ
小原周子 留子さんの婚活
海音寺潮五郎 新装版 江戸城大奥列伝
海音寺潮五郎 新装版 孫子 (上)(下)
海音寺潮五郎 新装版 赤穂義士
加賀乙彦 新装版 高山右近
加賀乙彦 ザビエルとその弟子
加賀乙彦 殉教者
加賀乙彦 わたしの芭蕉
柏葉幸子 ミラクル・ファミリー

勝目 梓 小説家
桂 米朝 米朝ばなし〈上方落語地図〉
笠井 潔 梟《ふくろう》の巨《おお》なる黄昏《たそがれ》
笠井 潔 青銅の悲劇 (上)(下)〈瀕死の王〉
笠井 潔 転生の魔〈私立探偵飛鳥井の事件簿〉
川田弥一郎 白く長い廊下
神崎京介 女薫の旅 放心とろり
神崎京介 女薫の旅 耽溺《たんでき》まみれ
神崎京介 女薫の旅 秘に触れ
神崎京介 女薫の旅 禁の園へ
神崎京介 女薫の旅 欲の極み
神崎京介 女薫の旅 青い乱れ
神崎京介 女薫の旅 奥に裏に
神崎京介 I LOVE
加納朋子 ガラスの麒麟〈新装版〉
角田光代 まどろむ夜のUFO
角田光代 恋するように旅をして
角田光代 人生ベストテン
角田光代 ロック母

岸本英夫　死を見つめる心〈ガンとたたかった十年間〉
北方謙三　試みの地平線〈伝説復活編〉
北方謙三　抱　影
菊地秀行　魔界医師メフィスト〈怪屋敷〉
桐野夏生　新装版 顔に降りかかる雨
桐野夏生　新装版 天使に見捨てられた夜
桐野夏生　新装版 ローズガーデン
桐野夏生　ＯＵＴ(上)(下)
桐野夏生　ダーク(上)(下)
桐野夏生　猿の見る夢
京極夏彦　文庫版 姑《う》獲《ぶ》鳥《め》の夏
京極夏彦　文庫版 魍《もう》魎《りょう》の匣《はこ》
京極夏彦　文庫版 狂《きょう》骨《こつ》の夢《ゆめ》
京極夏彦　文庫版 鉄《てっ》鼠《そ》の檻《おり》
京極夏彦　文庫版 絡新婦《じょろうぐも》の理《ことわり》
京極夏彦　文庫版 塗仏《ぬりぼとけ》の宴《うたげ》―宴の支度
京極夏彦　文庫版 塗仏の宴―宴の始末
京極夏彦　文庫版 百鬼夜行―陰
京極夏彦　文庫版 百器徒然袋―雨
京極夏彦　文庫版 百器徒然袋―風
京極夏彦　文庫版 今昔続百鬼―雲
京極夏彦　文庫版 陰《おん》摩《も》羅《ら》鬼《き》の瑕《きず》
京極夏彦　文庫版 邪《じゃ》魅《み》の雫
京極夏彦　文庫版 今昔百鬼拾遺―月
京極夏彦　文庫版 死ねばいいのに
京極夏彦　文庫版 ルー＝ガルー〈忌避すべき狼〉
京極夏彦　文庫版 ルー＝ガルー2〈インクブス×スクブス 相容れぬ夢魔〉
京極夏彦　文庫版 地獄の楽しみ方
京極夏彦　分冊文庫版 姑《う》獲《ぶ》鳥《め》の夏(上)(下)
京極夏彦　分冊文庫版 魍《もう》魎《りょう》の匣《はこ》(上)(中)(下)
京極夏彦　分冊文庫版 狂《きょう》骨《こつ》の夢《ゆめ》(上)(中)(下)
京極夏彦　分冊文庫版 鉄《てっ》鼠《そ》の檻《おり》 全四巻
京極夏彦　分冊文庫版 絡新婦《じょろうぐも》の理《ことわり》 全四巻
京極夏彦　分冊文庫版 塗仏《ぬりぼとけ》の宴《うたげ》　宴の支《し》度《たく》(上)(中)(下)
京極夏彦　分冊文庫版 塗仏《ぬりぼとけ》の宴《うたげ》　宴の始《し》末《まつ》(上)(中)(下)
京極夏彦　分冊文庫版 陰《おん》摩《も》羅《ら》鬼《き》の瑕《きず》(上)(中)(下)
京極夏彦　分冊文庫版 邪《じゃ》魅《み》の雫(上)(中)(下)
京極夏彦　分冊文庫版 ルー＝ガルー〈忌避すべき狼〉(上)(下)
京極夏彦　分冊文庫版 ルー＝ガルー2〈インクブス×スクブス 相容れぬ夢魔〉(上)(下)
北森　鴻　親不孝通りラプソディー
北森　鴻　花の下にて春死なむ〈香菜里屋シリーズ1〈新装版〉〉
北森　鴻　桜　宵〈香菜里屋シリーズ2〈新装版〉〉
北森　鴻　螢　坂〈香菜里屋シリーズ3〈新装版〉〉
北森　鴻　香菜里屋を知っていますか〈香菜里屋シリーズ4〈新装版〉〉
北村　薫　盤　上　の　敵〈新装版〉
木内一裕　藁　の　楯
木内一裕　水の中の犬
木内一裕　アウト&アウト
木内一裕　キ　ッ　ド
木内一裕　デッドボール
木内一裕　神様の贈り物
木内一裕　喧　嘩　猿
木内一裕　バードドッグ
木内一裕　不　愉　快　犯
木内一裕　嘘ですけど、なにか?
木内一裕　ドッグレース
木内一裕　飛べないカラス

決戦！シリーズ 風 雲〈戦国アンソロジー〉
小峰 元 アルキメデスは手を汚さない
今野 敏 ST警視庁科学特捜班 エピソード1〈新装版〉
今野 敏 ST警視庁科学特捜班 毒物殺人〈新装版〉
今野 敏 ST警視庁科学特捜班〈黒いモスクワ〉
今野 敏 ST警視庁科学特捜班〈青の調査ファイル〉
今野 敏 ST警視庁科学特捜班〈赤の調査ファイル〉
今野 敏 ST警視庁科学特捜班〈黄の調査ファイル〉
今野 敏 ST警視庁科学特捜班〈緑の調査ファイル〉
今野 敏 ST警視庁科学特捜班〈黒の調査ファイル〉
今野 敏 ST為朝伝説殺人ファイル〈警視庁科学特捜班〉
今野 敏 ST桃太郎伝説殺人ファイル〈警視庁科学特捜班〉
今野 敏 ST沖ノ島伝説殺人ファイル〈警視庁科学特捜班〉
今野 敏 ST化合 エピソード0〈警視庁科学特捜班〉
今野 敏 STプロフェッション〈警視庁科学特捜班〉
今野 敏 特殊防諜班 諜報潜入
今野 敏 特殊防諜班 聖域炎上
今野 敏 特殊防諜班 最終特命
今野 敏 茶室殺人伝説

今野 敏 奏者水滸伝 白の暗殺教団
今野 敏 同 期
今野 敏 欠 落
今野 敏 変 幻
今野 敏 警視庁FC
今野 敏 カットバック 警視庁FCII
今野 敏 継続捜査ゼミ
今野 敏 エムエス〈継続捜査ゼミ2〉
今野 敏 蓬莱〈新装版〉
今野 敏 イコン〈新装版〉
今野 敏 天を測る
後藤正治 拗《す》ね者たらん〈本田靖春 人と作品〉
幸田 文 崩 れ
幸田 文 季節のかたみ
幸田 文 台所のおと〈新装版〉
小池真理子 冬の伽藍
小池真理子 夏の吐息
小池真理子 千日のマリア
五味太郎 大人問題

鴻上尚史 あなたの魅力を演出するちょっとしたヒント
鴻上尚史 鴻上尚史の俳優入門
鴻上尚史 青空に飛ぶ
小泉武夫 納豆の快楽
近藤史人 藤田嗣治「異邦人」の生涯
小前 亮 趙《ちょう》匡《きょう》胤《いん》〈宋の太祖〉
小前 亮 始皇帝の永遠〈天下一統〉
小前 亮 劉《りゅう》裕《ゆう》〈豪剣の皇帝〉
小前 亮 ヌルハチ〈朔北の将星〉
香月日輪 妖怪アパートの幽雅な日常①
香月日輪 妖怪アパートの幽雅な日常②
香月日輪 妖怪アパートの幽雅な日常③
香月日輪 妖怪アパートの幽雅な日常④
香月日輪 妖怪アパートの幽雅な日常⑤
香月日輪 妖怪アパートの幽雅な日常⑥
香月日輪 妖怪アパートの幽雅な日常⑦
香月日輪 妖怪アパートの幽雅な日常⑧
香月日輪 妖怪アパートの幽雅な日常⑨
香月日輪 妖怪アパートの幽雅な日常⑩

講談社文庫　目録

香月日輪　妖怪アパートの幽雅な食卓〈るり子さんのお料理日記〉
香月日輪　妖怪アパートの幽雅な人々〈妖アパミニガイド〉
香月日輪　妖怪アパートの幽雅な日常〈ラスベガス外伝〉
香月日輪　大江戸妖怪かわら版①〈異界より落ち来る者あり〉
香月日輪　大江戸妖怪かわら版②〈異界より落ち来る者あり　其之二〉
香月日輪　大江戸妖怪かわら版③〈封印の娘〉
香月日輪　大江戸妖怪かわら版④〈天空の竜宮城〉
香月日輪　大江戸妖怪かわら版⑤〈雀、大浪花に行く〉
香月日輪　大江戸妖怪かわら版⑥〈魔狼、月に吠える〉
香月日輪　大江戸妖怪かわら版⑦〈大江戸散歩〉
香月日輪　地獄堂霊界通信①
香月日輪　地獄堂霊界通信②
香月日輪　地獄堂霊界通信③
香月日輪　地獄堂霊界通信④
香月日輪　地獄堂霊界通信⑤
香月日輪　地獄堂霊界通信⑥
香月日輪　地獄堂霊界通信⑦
香月日輪　地獄堂霊界通信⑧
香月日輪　ファンム・アレース①

香月日輪　ファンム・アレース②
香月日輪　ファンム・アレース③
香月日輪　ファンム・アレース④
香月日輪　ファンム・アレース⑤(上)(下)
近衛龍春　加藤清正〈豊臣家に捧げた生涯〉
木原《このはら》音瀬《なりせ》　箱の中
木原音瀬　美しいこと
木原音瀬　秘密
木原音瀬　嫌な奴
木原音瀬　罪の名前
木原音瀬　コゴロシムラ
近藤史恵　私の命はあなたの命より軽い
小泉　凡　怪談四代記〈八雲のいたずら〉
小松エメル　夢の燈影〈新選組無名録〉
小松エメル　総司の夢
呉　勝浩　道徳の時間
呉　勝浩　ロスト
呉　勝浩　蜃気楼の犬
呉　勝浩　白い衝動

呉　勝浩　バッドビート
こだま　夫のちんぽが入らない
こだま　ここは、おしまいの地
古波蔵保好　料理沖縄物語
ごとうしのぶ　いばらの冠〈ブラス・セッション・ラヴァーズ〉
ごとうしのぶ　卒業
古泉迦十　火蛾
小池《こいけ》水音《みずね》　こんにちは、母さん〈小説〉
講談社校閲部　間違えやすい日本語実例集〈熟練校閲者が教える〉
佐藤さとる　だれも知らない小さな国〈コロボックル物語①〉
佐藤さとる　豆つぶほどの小さないぬ〈コロボックル物語②〉
佐藤さとる　星からおちた小さなひと〈コロボックル物語③〉
佐藤さとる　ふしぎな目をした男の子〈コロボックル物語④〉
佐藤さとる　小さな国のつづきの話〈コロボックル物語⑤〉
佐藤さとる　コロボックルむかしむかし〈コロボックル物語⑥〉
佐藤さとる　天狗童子
佐藤さとる　絵/村上　勉　わんぱく天国
佐藤愛子　新装版　戦いすんで日が暮れて
佐木隆三　慟哭〈小説・林郁夫裁判〉

2024年3月15日現在